2026 수능 수학

끝장 연계 학습

수능 수학 기출 문제집

수능 수학 예상 문제집

수능수학

수능형 핵심 개념을 정리한
너기출 개념코드 [너코] 제시

평가원 기출문제 모티브로 제작한
고퀄리티 100% 신출 문항

난이도순 / 출제년도순의 문항 배열로
기출의 진화 한눈에 파악

기출 학습 후 고난도 풀이 전
중간 난이도 훈련용으로 최적화

[너코]와 결합한 친절하고 자세한 해설로
유기적 학습 가능

수능에 진짜 나오는 핵심 유형과
어려운 3점 쉬운 4점의 핵심 문제 구성

어 삼 쉬 사
Plus+

수학Ⅱ
240제

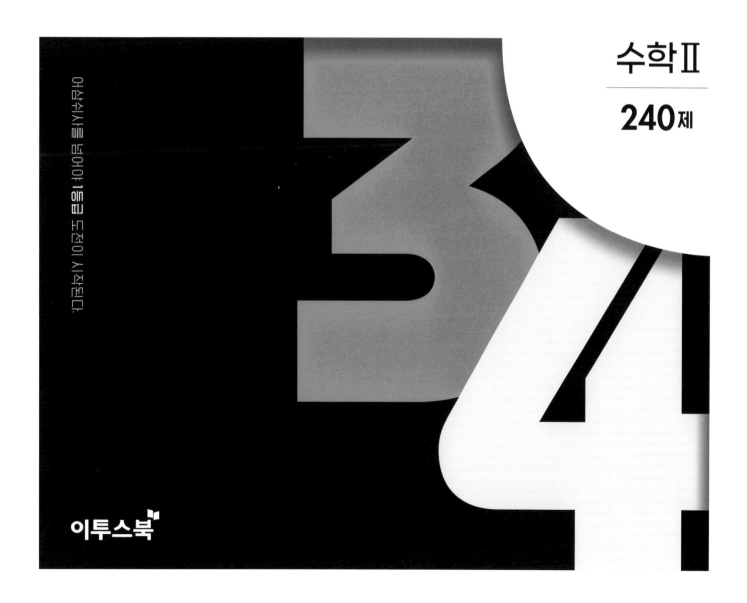

어삼쉬사를 넘어야 1등급 도전이 시작된다.

이투스북

| STAFF |

발행인 정선욱
퍼블리싱 총괄 남형주
개발·편집 김태원 김한길 이유미 김윤희 우주리
기획·디자인·마케팅 조비호 김정인 이연수
유통·제작 서준성 김경수

| 검토 |

김민정 김유진 오소현 김진솔 장인호

| 집필진 |

강정우 김명석 김상철 김성준 김원일 김의석 김정배
김형균 김형정 박상윤 박원균 유병범 이경진 이대원
이병하 이종일 정연석 차순규 최현탁

어삼쉬사 수학Ⅱ | 202310 제5판 1쇄   202502 제5판 5쇄
펴낸곳 이투스에듀㈜ 서울시 서초구 남부순환로 2547
고객센터 1599-3225   **등록번호** 제2007-000035호   **ISBN** 979-11-389-1806-0[53410]

강동은 반포 세성학원
강소미 성북메가스터디
강연주 상도뉴스터디학원
강영미 슬로비매쓰 수학학원
강은녕 탑수학학원
강종철 쿠메수학교습소
강현숙 유니크학원
고수환 상승곡선학원
고재일 대치TOV수학
고진희 한성여자고등학교
고현 네오매쓰수학학원
고혜원 전문과외
공정현 대공수학학원
곽슬기 목동매쓰원수학학원
구난영 셀프스터디수학학원
구순모 세진학원
구정아 정현수학
권가영 커스텀 수학(CUSTOM MATH)
권상호 수학은권상호 수학학원
권용만 은광여자고등학교
권유혜 전문과외
권지우 뉴파인학원
김강현 갓오브매쓰수학
김경진 덕성여자중학교
김경화 금천로드맵수학학원
김국환 매쓰플러스수학학원
김규연 수력발전소학원
김금화 라플라스 수학 학원
김기덕 메가매쓰학원
김나영 대치 새움학원
김도규 김도규수학학원
김동우 예원수학
김명완 대세수학학원
김명환 목동강수학과학학원
김명후 김명후 수학학원
김문경 연세YT학원
김미란 스마트해법수학
김미아 일등수학교습소
김미애 스카이맥에듀학원
김미영 명수학교습소
김미영 정일품수학학원
김미진 채움수학
김미희 행복한수학쌤
김민수 대치 원수학
김민재 탑엘리트학원
김민정 김민정수학☆
김민지 강북 메가스터디학원
김민창 김민창수학
김병석 중계주공5단지 수학학원
김병호 국선수학학원
김보민 이투스수학학원 상도점
김상철 미래탐구마포
김선경 개념폴리아
김성숙 써큘러스리더 러닝센터
김수민 통수학학원
김수영 엑시엄수학전문학원

김수진 싸인매쓰수학학원
김수진 잠실 cms
김수진 깊은수학학원
김수형 목동 깡수과학학원
김수환 프레임학원
김승원 솔(sol)수학학원
김애경 이지수학
김여옥 매쓰홀릭 학원
김영숙 수플러스학원
김영재 한그루수학
김영준 강남매쓰탑학원
김예름 세이노수학(메이드)
김용우 참 수학
김윤 잇올스파르타
김윤태 김종철 국어수학전문학원
김윤희 유니수학교습소
김은경 대치영어수학전문학원
김은숙 전문과외
김은영 와이즈만은평센터
김은영 선우수학
김은찬 엑시엄수학학원
김의진 채움수학
김이현 고덕 에듀플렉스
김인기 학림학원
김재연 알티씨수학
김재헌 CMS연구소
김정아 지올수학
김정철 미독학원
김정화 시매쓰방학센터
김정훈 이투스 수학학원 왕십리뉴타운점
김주원 AMB수학학원
김주희 장한학원
김지선 수학전문 순수
김지연 목동 올백수학
김지은 목동매쓰원수학학원
김지훈 드림에듀학원(까꿍수학)
김지훈 엑시엄수학전문학원
김진규 서울바움수학 (역삼력키)
김진영 이대부속고등학교
김진희 씽크매쓰수학교습소
김창재 중계세일학원
김창주 고등부관스카이학원
김태영 페르마수학학원 신대방캠퍼스
김태현 반포파인만 고등관
김하늘 역경패도 수학전문
김하민 서강학원
김하연 hy math
김항기 동대문중학교
김해찬 the다원수학
김현수 그릿수학831 대치점
김현아 전문과외
김현욱 리마인드수학
김현유 혜성여자고등학교
김현정 미래탐구 중계
김현주 숙명여자고등학교
김현지 전문과외
김형아 (주)대치 시리우스 아카데미
김형진 수학혁명학원
김홍수 김홍학원

김효선 토이300컴퓨터
김효정 상위권수학
김후광 압구정파인만
김희경 에메트수학
나은영 메가스터디러셀
나태산 중계 학림학원
남솔잎 솔잎샘수학영어학원
남식훈 수학만
남호성 은평구 퍼씰 수학 전문학원
노유영 종암중학교
노인주 CMS대치입시센터
류도현 류샘수학학원
류재권 서초TOT학원
류정민 사사모플러스수학학원
목지아 수리티수학학원
문성호 차원이다른수학학원
문소정 예섬학원
문용근 칼수학 학원
문재웅 성북메가스터디
문지훈 김미정국어
민수진 월계셈스터디학원
박경원 대치메이드 반포관
박교국 백인대장
박근백 대치멘토스학원
박동진 더힐링수학
박명훈 김샘학원 성북캠퍼스
박미라 매쓰몽
박민정 목동깡수학과학학원
박상후 강북 메가스터디학원
박설아 수학을삼키다 학원 흑석관
박세리 대치이강프리미엄
박세찬 쎄이학원
박소영 전문과외
박소윤 Aurum Premium Edu
박수견 비채수학학원
박연주 물댄동산 수학교실
박연희 박연희깨침수학교습소
박영규 하이스트핏 수학
박옥녀 전문과외
박용진 에듀라인학원
박정훈 전문과외
박종원 상아탑학원 (서울 구로)
박주현 장훈고등학교
박준하 탑브레인수학학원
박지혜 참수학
박진희 박선생수학전문학원
박찬경 파인만학원
박태홍 CMS서초영재관
박현주 나는별학원
박혜진 강북수재학원
박흥식 연세수학원송파2관
방정은 백인대장 훈련소
방효건 서준학원
배재형 배재형수학교습소
백아름 아름쌤수학공부방
백지현 전문과외
변준석 환일고등학교
서근환 대진고등학교
서동혁 이화여자고등학교

서민국 시대인재 특목센터
서민재 서준학원
서수연 수학전문 순수학원
서순진 참좋은본관학원
서용준 와이제이학원
서원준 잠실시그마수학학원
서은애 하이탑수학학원
서중은 블루플렉스학원
서한나 라엘수학학원
석현욱 잇올스파르타
선철 일신학원
설세령 뉴파인 이촌중고등관
성우진 cms서초영재관
손권민경 원인학원
손민정 두드림에듀
손전모 다원교육
손충모 공감수학
송경호 스마트스터디학원
송동인 송동인 수학명가
송재혁 엑시엄수학전문학원
송준민 수와 통하는 송 수학
송진우 도진우 수학 연구소
송해선 불곰에듀
신관식 동작미래탐구
신기호 신촌메가스터디학원
신연우 대성다수인학원 삼성점
신은숙 펜타곤학원
신은진 상위권수학학원
신정훈 온챌아카데미
신지영 아하김일래수학전문학원
신채민 오스카학원
신현수 EGS학원
심지현 심지수학 교습소
심혜영 열린문수학학원
심혜진 수학에미친사람들
안나연 전문과외
안대호 말글국어 더함수학 학원
안도연 목동정도수학
양원규 일신학원
양해영 청출어람학원
엄시온 올마이티캠퍼스
엄유빈 유빈쌤 대치 수학
엄지희 티포인트에듀학원
엄태웅 엄선생수학
여혜연 성북하이스트
오명석 대치 미래탐구 영재경시특목센터
오재현 강동파인만학원 고덕관
오종택 대치 에이원 수학
오주연 수학의기술
오한별 광문고등학교
용호준 cbc수학학원
우교영 수학에미친사람들
우동훈 헤파학원
원종운 뉴파인 압구정 고등관
원준희 CMS 대치영재관
위명훈 명인학원
위형채 에이치앤제이형설학원
유대호 잉글리쉬앤매쓰매니저
유라헬 스톨키아학원

유봉영	류선생 수학 교습소	이주희	고덕엠수학

유봉영 류선생 수학 교습소
유승우 중계탑클래스학원
유자현 목동매쓰원수학학원
유재현 일신학원
윤상문 청어람수학원
윤석원 공감수학
윤수현 조이학원
윤여균 전문과외
윤영숙 윤영숙수학전문학원
윤형중 씨알학당
은현 목동CMS 입시센터 과고반
이건우 송파이지엠수학학원
이경용 열공학원
이경주 생각하는 황소수학 서초학원
이규만 SUPERMATH학원
이동훈 감성수학 중계점
이루마 김샘학원 성북캠퍼스
이민아 정수학
이민호 강안교육
이상문 P&S학원
이상영 대치명인학원 백마
이상훈 골든벨 수학학원
이서영 개념폴리아
이서은 송림학원
이성용 전문과외
이성진 SMC수학
이세복 일타수학학원
이소윤 목동선수학학원
이수지 전문과외
이수진 깡수학과학학원
이수호 준토에듀수학학원
이슬기 예친에듀
이승현 신도림케이투학원
이승호 동작 미래탐구
이시현 SKY미래연수학학원
이영하 서울 신길뉴타운 래미안
　　　 프레비뉴 키움수학 공부방
이용우 올림피아드 학원
이용준 수학의비밀로고스학원
이원용 필과수 학원
이원희 대치동 수학공작소
이유강 조재필수학학원 고등부
이유예 스카이플러스학원
이유원 뉴파인 안국중고등관
이유진 명덕외국어고등학교
이윤주 와이제이수학교습소
이은숙 포르테수학
이은영 은수학교습소
이은주 제이플러스수학
이재용 이재용 THE쉬운 수학학원
이재환 조재필수학학원
이정석 CMS 서초영재관
이정섭 은지호영감수학
이정한 전문과외
이정호 정샘수학교습소
이제현 압구정 막강수학
이종운 알바트로스학원
이종혁 강남N플러스
이종호 MathOne 수학

이주희 고덕엠수학
이준석 목동로드맵수학학원
이지애 다비수수학교습소
이지연 단디수학학원
이지우 제이 앤 수 학원
이지혜 세레나영어수학학원
이지혜 대치파인만
이진 수박에듀학원
이진덕 카이스트
이진희 서준학원
이창석 핵수학 전문학원
이충국 QANDA
이태경 엑시엄수학학원
이학송 뷰티풀마인드 수학학원
이한결 밸류인수학학원
이현주 방배 스카이에듀 학원
이현환 21세기 연세 단과 학원
이혜림 대동세무고등학교
이혜림 다오른수학교습소
이혜수 대치 수 학원
이효준 다원교육
이효진 올토수학
임규철 원수학
임다혜 시대인재 수학스쿨
임민정 전문과외
임상혁 양파아카데미
임성국 전문과외
임소영 123수학
임영주 세빛학원
임은희 세종학원
임정수 시그마수학 고등관 (성북구)
임지우 전문과외
임현우 선덕고등학교
임현정 전문과외
장석진 이덕재수학이미선국어학원
장성훈 미독수학
장세영 스펀지 영어수학 학원
장승희 명품이앤엠학원
장영신 위례솔중학교
장지식 피큐브아카데미
장혜윤 수리원수학교육
전기열 유니크학원
전상현 뉴클리어수학
전성식 맥스수학수리논술학원
전은나 상상수학학원
전지수 전문과외
전진남 지니어스 수리논술 교습소
전혜인 송파구주이배
정광조 로드맵수학
정다운 정다운수학교습소
정다운 해내다수학교습소
정대영 대치파인만
정문정 연세수학원
정민경 바른마테마티카학원
정민준 명인학원
정소흔 대치명인sky수학학원
정슬기 티포인트에듀학원
정영아 정이수학교습소
정원선 McB614

정유진 전문과외
정은경 제이수학
정재윤 성덕고등학교
정진아 정선생수학
정찬민 목동매쓰원수학학원
정하윤
정화진 진화수학학원
정환동 씨앤씨0.1%의대수학
정효석 서초 최상위하다 학원
조경미 레벨업수학(feat.과학)
조병훈 꿈을담는수학
조수경 이투스수학학원 방학1동점
조아라 유일수학학원
조아람 로드맵
조원해 연세YT학원
조은경 아이파크해법수학
조은우 한솔플러스수학학원
조의상 서초메가스터디 기숙학원,
　　　 강북메가, 분당메가
조재묵 천광학원
조정은 전문과외
조한진 새미기픈수학
조현탁 전문가집단학원
주병준 남다른 이해
주용호 아찬수학교습소
주은재 주은재 수학학원
주정미 수학의꽃
지명훈 선덕고등학교
지민경 고래수학
차민준 이투스수학학원 중계점
차용우 서울외국어고등학교
채미옥 최강성지학원
채성진 수학에빠진학원
채종원 대치의 새벽
최경민 배우틀수학학원
최관석 열매교육학원
최동욱 숭의여자고등학교
최문석 압구정파인만
최백화 주은재 수학학원
최병옥 최코치수학학원
최서훈 피큐브 아카데미
최성용 봉쌤수학교습소
최성재 수학공감학원
최성희 최쌤수학학원
최세남 엑시엄수학학원
최엄견 차수학학원
최영준 문일고등학교
최용희 명인학원
최정언 진화수학학원
최종석 수재학원
최주혜 구주이배
최지나 목동PGA전문가집단
최지선 직독직해 수학연구소
최찬희 CMS서초 영재관
최희서 최상위권수학교습소
편순창 알면쉽다연세수학학원
하태성 은평G1230
한명석 아드폰테스
한선아 쨍솔학원 중계점

한승우 같이상승수학학원
한승환 반포 쨍솔학원
한유리 강북청솔
한정우 휘문고등학교
한태인 메가스터디 러셀
한헌주 PMG학원
허윤정 미래탐구 대치
홍상민 수학도서관
홍성윤 전문과외
홍성주 굿매쓰수학교습소
홍성진 대치 김앤홍 수학전문학원
홍성현 서초TOT학원
홍재화 티다른수학교습소
홍정아 홍정아수학
홍준기 서초CMS 영재관
홍지윤 대치수과모
홍지현 목동매쓰원수학학원
황의숙 The나은학원
황정미 카이스트수학학원

◇— 인천 —◇
강동인 전문과외
강원우 수학을 탐하다 학원
고준호 베스트교육(마전직영점)
곽나래 일등수학
곽현실 두꺼비수학
권경원 강수학학원
권기우 하늘스터디 수학학원
금상원 수미다
기미나 기쌤수학
기혜선 체리온탑 수학영어학원
김강현 송도강수학학원
김건우 G1230 학원
김남신 클라비스학원
김도영 태풍학원
김미진 미진수학 전문과외
김미희 희수학
김보경 오아수학공부방
김연주 하나M수학
김유미 꼼꼼수학교습소
김윤정 SALT학원
김응수 메타수학학원
김준 쭌에듀학원
김진완 성일 올림학원
김하은 전문과외
김현우 더원스터디수학학원
김현호 온풀이 수학 1관 학원
김형진 형진수학학원
김혜린 밀턴수학
김혜영 김혜영 수학
김혜지 한양학원
김효선 코다에듀학원
남덕우 Fun수학 클리닉
노기성 노기성개인과외교습
문초롱 클리어수학
박용석 절대학원
박재섭 구월스카이수학과학전문학원
박정우 청라디에이블

박창수 온풀이 수학 1관 학원
박치문 제일고등학교
박해석 효성 비상영수학원
박효성 지코스수학학원
변은경 델타수학
서대원 구름주전자
서미란 파이데이아학원
석동방 송도GLA학원
손선진 (주) 일품수학과학원
송대익 청라 ATOZ수학과학학원
송세진 부평페르마
안서은 Sun math
안예원 ME수학전문학원
안지훈 인천주안 수학의힘
양소영 양쌤수학전문학원
오상원 종로엠스쿨 불로분원
오선아 시나브로수학
오정민 갈루아수학학원
오지연 수학의힘 용현캠퍼스
왕건일 토모수학학원
유미선 전문과외
유상현 한국외대HS어학원 / 가우스
수학학원 원당아라캠퍼스
유성규 현수학전문학원
윤지훈 두드림하이학원
이루다 이루다 교육학원
이명희 클수있는학원
이선미 이수수학
이애희 부평해법수학교실
이재섭 903ACADEMY
이준영 민트수학학원
이진민 전문과외
이필규 신현엠베스트SE학원
이혜경 이혜경고등수학학원
이혜선 우리공부
임정혁 위리더스 학원
장태식 인천자유자재학원
장혜림 와풀수학
장효근 유레카수학학원
전우진 인사이트 수학학원
정대웅 와이드수학
조민관 이앤에스 수학학원
조민기 더배움보습학원 조쓰매쓰
조현숙 부일클래스
지경일 팁탑학원
차승민 황제수학학원
채선영 전문과외
채수현 밀턴학원
최덕호 엠스퀘어 수학교습소
최문경 영웅아카데미
최웅철 큰샘수학학원
최은진 동춘수학
최지인 윙글즈영어학원
최진 절대학원
한성윤 카일하우교육원
한영진 라야스케이브
허진선 수학나무
현미선 써니수학
현진명 에임학원

홍미영 연세영어수학
홍종우 인명여자고등학교
황면식 늘품과학수학학원

◇— 경기 —◇

강민정 한진홈스쿨
강민종 필에듀학원
강성인 인재와고수
강수정 노마드 수학 학원
강신충 원리탐구학원
강영미 쌤과통하는학원
강예슬 수학의품격
강정희 쓱보고 싹푼다
강태희 한민고등학교
경지현 화서 이지수학
고동국 고동국수학학원
고명지 고쌤수학 학원
고상준 준수학교습소
고안나 기찬에듀 기찬수학
고지윤 고수학전문학원
고진희 지니Go수학
곽진영 전문과외
구창숙 이룸학원
권영미 에스이마고수학학원
권은주 나만 수학
권주현 메이드학원
김강환 뉴파인 동탄고등관
김강희 수학전문 일비충천
김경민 평촌 바른길수학학원
김경진 경진수학학원 다산점
김경호 호수학
김경훈 행복한학생학원
김규철 콕수학오드리영어보습학원
김덕락 준수학 학원
김도완 프라매쓰 수학 학원
김도현 홍성문수학2학원
김동수 김동수학원
김동은 수학의힘 지제동삭캠퍼스
김동현 수학의 아침
김동현 JK영어수학전문학원
김미선 예일영수학원
김미옥 공부방
김민겸 더퍼스트수학교습소
김민경 더원수학
김민경 경화여자중학교
김민진 부천중동프라임영수학원
김보경 새로운 희망 수학학원
김보람 효성 스마트 해법수학
김복현 시온고등학교
김상오 리더포스학원
김상욱 WookMath
김상윤 막강한 수학
김상현 노블수학스터디
김새로미 스터디온학원
김서영 다인수학교습소
김석원 강의하는아이들김석원수학학원
김선정 수공감학원
김선혜 수학의 아침(영재관)

김성민 수학을 권하다
김성은 블랙박스수학과학전문학원
김소영 예스셈올림피아드(호매실)
김소희 도촌동 멘토해법수학
김수림 전문과외
김수진 대림 수학의 달인
김수진 수매쓰학원
김슬기 클래스가다른학원
김승현 대치매쓰포유 동탄캠퍼스
김영아 브레인캐슬 사고력학원
김영옥 서원고등학교
김영준 청솔 교육
김영진 수학의 아침
김용덕 (주)매쓰토리수학학원
김용환 수학의아침_영통
김용희 솔로몬 학원
김원욱 아이픽수학학원
김유리 페르마수학
김윤경 국빈학원
김윤재 코스매쓰 수학학원
김은미 탑브레인수학과학학원
김은향 하이클래스
김재욱 수원영신여자고등학교
김정수 매쓰클루학원
김정연 신양영어수학학원
김정현 채움스쿨
김정환 필립스아카데미
-Math Center
김종균 케이수학학원
김종남 제너스학원
김종화 퍼스널개별지도학원
김주용 스타수학
김준성 Imps학원
김지선 고산원탑학원
김지영 위너스영어수학학원
김지윤 광교오드수학
김지현 엠코드수학
김지효 로고스에이수학학원
김진국 스터디MK
김진록 지금수학학원
김진만 엄마영어아빠수학학원
김진민 에듀스템수학전문학원
김창영 에듀포스학원
김태익 설봉중학교
김태진 프라임리만수학학원
김태학 평택드림에듀
김하현 로지플수학
김학준 수담수학학원
김해청 에듀엠수학 학원
김현겸 성공학원
김현경 소사스카이보습학원
김현정 생각하는Y.와이수학
김현정 퍼스트
김현주 서부세종학원
김현지 프라임대치수학
김혜정 수학을 말하다
김호숙 호수학원
김호원 분당 원수학학원
김희성 멘토수학교습소

김희주 생각하는수학공간학원
나영우 평촌에듀플렉스
나혜림 마녀수학
나혜원 청북고등학교
남선규 윌러스영수학원
남세희 남세희수학학원
노상명 s4
도건민 목동LEN
류종인 공부의정석수학과학관학원
마소영 스터디MK
마정이 정이 수학
마지희 이안의학원 화정캠퍼스
맹우영 쎈수학러닝센터 수지su
맹찬양 입실론수학전문학원
모리 이젠수학과학학원
문다영 에듀플렉스
문성진 일킴훈련소입시학원
문장원 에스원 영수학원
문재웅 수학의공간
문지현 문쌤수학
문혜연 입실론수학전문학원
민동건 전문과외
민윤기 배곧 알파수학
박가빈 박가빈 수학공부방
박가을 SMC수학학원
박규진 김포하이스트
박도솔 도솔샘수학
박도현 진성고등학교
박민정 지트에듀케이션
박민정 셈수학교습소
박민주 카라Math
박상일 수학의아침 이매중등관
박성찬 성찬쌤's 수학의공간
박소연 강남청솔기숙학원
박수민 유레카영수학원
박수현 용인 능현 씨앗학원
박수현 리더가되는수학 교습소
박여진 수학의아침
박연지 상승에듀
박영주 일산 후곡 쉬운수학
박우희 푸른보습학원
박원용 동탄트리즈나루수학학원
박유승 스터디모드
박윤호 이룸학원
박은주 은주짱샘 수학공부방
박은주 스마일수학교습소
박은진 지오수학학원
박은희 수학에빠지다
박재연 아이셀프수학교습소
박재현 렛츠(LETS)
박재홍 열린학원
박정현 서울삼육고등학교
박정화 우리들의 수학원
박종모 신갈고등학교
박종선 뮤엠영어차수학가남학원
박종필 정석수학학원
박주리 수학에반하다
박지혜 수이학원
박진한 엡실론학원

박찬현 박종호수학학원	용다혜 동백에듀플렉스학원	이유림 광교 성빈학원	정동실 수학의아침
박하늘 일산 후곡 쉬운수학	우선혜 HSP수학학원	이재민 원탑학원	정문영 올타수학
박한솔 SnP수학학원	위경진 한수학	이재민 제이엠학원	정미숙 쑥쑥수학교실
박현숙 전문과외	유남기 의치한학원	이재욱 고려대학교	정민정 S4국영수학원 소사벌점
박현정 탑수학 공부방	유대호 플랜지에듀	이정빈 폴라리스학원	정보람 후곡분석수학
박현정 빡꼼수학학원	유현종 SMT수학전문학원	이정희 JH영수학원	정승호 이프수학학원
박혜림 림스터디 고등수학	유호애 지윤수학	이종문 전문과외	정양현 9회말2아웃 학원
방미영 JMI 수학학원	윤덕환 여주 비상에듀기숙학원	이종익 분당파인만학원 고등부SKY	정연순 탑클래스영수학원
방상웅 동탄성지학원	윤도형 피에스티 캠프입시학원	대입센터	정영일 해윰수학영어학원
배재준 연세영어고려수학 학원	윤문성 평촌 수학의봄날 입시학원	이주혁 수학의 아침	정영진 공부의자신감학원
백경주 수학의 아침	윤미영 수주고등학교	이준 준수학학원	정영채 평촌 페르마
백미라 신흥유투엠 수학학원	윤여태 103수학	이지연 브레인리그	정옥경 전문과외
백현규 전문과외	윤지혜 천개의바람영수	이지예 최강탑 학원	정용석 수학마녀학원
백흥룡 성공학원	윤채린 전문과외	이지은 과천 리쌤앤탑 경시수학 학원	정유정 수학VS영어학원
변상선 바른샘수학	윤현웅 수학을 수학하다	이지혜 이자경수학	정은선 아이원 수학
봉우리 하이클래스수학학원	윤희 희쌤 수학과학학원	이진주 분당 원수학	정인영 제이스터디
서정환 아이디학원	이건도 아론에듀학원	이창수 와이즈만 영재교육 일산화정센터	정장선 생각하는황소 수학 동탄점
서지은 전문과외	이경민 차앤국 수학국어전문학원	이창훈 나인에듀학원	정재경 산돌수학학원
서한울 수학의품격	이경수 수학의아침	이채열 하제입시학원	정지영 SJ대치수학학원
서효언 아이콘수학	이경희 임수학교습소	이철호 파스칼수학학원	정지훈 최상위권수학영어학원 수지관
서희원 함께하는수학 학원	이광후 수학의 아침 중등입시센터	이태희 펜타수학학원	정진욱 수원메가스터디
설성환 설성수학학원	특목자사관	이한솔 더바른수학전문학원	정태준 구주이배수학학원
설성희 설쌤수학	이규상 유클리드수학	이현희 폴리아에듀	정필규 명품수학
성계형 맨투맨학원 옥정센터	이규태 이규태수학 1,2,3관,	이형강 HK 수학	정하준 2H수학학원
성인영 정석공부방	이규태수학연구소	이혜령 프로젝트매쓰	정한울 한울스터디
성지희 SNT 수학학원	이나경 수학발전소	이혜민 대감학원	정해도 목동혜윰수학교습소
손경선 업앤업보습학원	이나래 토리103수학학원	이혜수 송산고등학교	정현주 삼성영어쎈수학은계학원
손솔아 ELA수학	이나현 엠브릿지수학	이혜주 S4국영수학원고덕국제점	정황우 운정정석수학학원
손승태 와부고등학교	이대훈 밀알두레학교	이호형 광명 고수학학원	조기민 일산동고등학교
손종규 수학의 아침	이명환 다산 더원 수학학원	이화윤 탑수학학원	조민석 마이엠수학학원
손지영 엠베스트에스이프라임학원	이무송 U2m수학학원주엽점	이희정 희정쌤수학	조병욱 신영동수학학원
송민건 수학대가+	이민우 제공학원	임명진 서연고 수학	조상숙 수학의 아침 영통
송빛나 원수학학원	이민정 전문과외	임우빈 리얼수학학원	조상희 에이블수학학원
송숙희 써밋학원	이보형 매쓰코드1학원	임율인 탑수학교습소	조성화 SH수학
송치호 대치명인학원(미금캠퍼스)	이봉주 분당성지 수학전문학원	임은정 마테마티카 수학학원	조영곤 휴브레인수학전문학원
송태원 송태원1프로수학학원	이상윤 엘에스수학전문학원	임지영 하이레벨학원	조욱 청산유수 수학
송혜빈 인재와 고수 본관	이상일 캔디학원	임지원 누나수학	조은 전문과외
송호석 수학세상	이상준 E&T수학전문학원	임찬혁 차수학동삭캠퍼스	조태현 경화여자고등학교
수아 열린학원	이상호 양명고등학교	임채중 와이즈만 영재교육센터	조현웅 추담교육컨설팅
신경성 한수학전문학원	이상훈 lsht	임현주 온수학교습소	조현정 깨단수학
신동휘 KDH수학	이서령 더바른수학전문학원	임현지 위너스 에듀	주설호 SLB입시학원
신수연 신수연 수학과학 전문학원	이서영 수학의아침	임형석 전문과외	주소연 알고리즘 수학연구소
신일호 바른수학교육 한학원	이성환 주선생 영수학원	임홍석 엔터스카이 학원	지슬기 지수학학원
신정화 SnP수학학원	이성희 피타고라스 셀파수학교실	장미희 스터디모드학원	진동준 필탑학원
신준효 열정과의지 수학학원	이소미 공부의 정석학원	장민수 신미주수학	진민하 인스카이학원
안영균 생각하는수학공간학원	이소진 수학의 아침	장서아 한뜻학원	차동희 수학전문공감학원
안하선 안쌤수학학원	이수동 부천E&T수학전문학원	장종민 열정수학학원	차무근 차원이다른수학학원
안현경 매쓰온에듀케이션	이수정 매쓰투미수학학원	장지훈 예일학원	차슬기 브레인리그
안현수 옥길일등급수학	이슬기 대치깊은생각 동탄본원	장혜민 수학의아침	차일훈 대치엠에스학원
안효상 더오름영어수학학원	이승우 제이앤더블유학원	전경진 뉴파인 동탄특목관	채준혁 후곡분석수학학원
안효진 진수학	이승주 입실론수학학원	전미영 영재수학	최경석 TMC수학영재 고등관
양은서 입실론수학학원	이승진 안중 호연수학	전일 생각하는수학공간학원	최경희 최강수학학원
양은진 수플러스수학	이승철 철이수학	전지원 원프로교육	최근정 SKY영수학원
어성웅 어쌤수학학원	이아현 전문과외	전진우 플랜지에듀	최다혜 싹수학학원
엄은희 엄은희스터디	이영현 대치명인학원	전희나 대치명인학원이매점	최대원 수학의아침
염민식 일로드수학학원	이영훈 펜타수학학원	정경주 광교 공감수학	최동훈 고수학전문학원
염승호 전문과외	이예빈 아이콘수학	정금재 혜윰수학전문학원	최문채 이앞수학
염철호 하비투스학원	이우선 효성고등학교	정다운 수학의품격	최범균 전문과외
오성원 전문과외	이원녕 대치명인학원	정다해 대치깊은생각동탄본원	최병희 원탑영어수학입시전문학원

최성필 서진수학
최수지 싹수학학원
최수진 재밌는수학
최승권 스터디올킬학원
최영성 에이블수학영어학원
최영식 수학의신학원
최용재 와이솔루션수학학원
최웅용 유타스 수학학원
최유미 분당파인만교육
최윤수 동탄김샘 신수연수학과학
최윤형 청운수학전문학원
최은경 목동학원, 입시는이쌤학원
최정윤 송탄중학교
최종찬 초당필탑학원
최지윤 전문과외
최지형 남양 뉴탑학원
최한나 수학의 아침
최효원 레벨업수학
표광수 수지 풀무질 수학전문학원
하정훈 하쌤학원
한경태 한경태수학전문학원
한규욱 알찬교육학원
한기언 한스수학전문학원
한미정 한쌤수학
한상훈 1등급 수학
한성필 더프라임
한수민 SM수학
한원규 스터디모드
한유호 에듀셀파 독학기숙학원
한은기 참선생 수학(동탄호수)
한인화 전문과외
한준희 매스탑수학전문사동분원학원
한지희 이음수학학원
한진규 SOS학원
함영호 함영호 고등수학클럽
허란 the배움수학학원
현승평 화성고등학교
홍규성 전문과외
홍성문 홍성문 수학학원
홍성미 홍수학
홍세정 전문과외
홍유진 평촌 지수학학원
홍의찬 원수학
홍재욱 셈마루수학학원
홍정욱 광교김샘수학 3.14고등수학
홍지윤 HONGSSAM창의수학
황두연 딜라이트 영어수학
황민지 수학하는날 수학교습소
황삼철 멘토수학
황선아 서나수학
황애리 애리수학
황영미 오산일신학원
황은지 멘토수학과학학원
황인영 더올림수학학원
황재철 성빈학원
황지훈 명문JS입시학원
황희찬 아이엘스 학원

◇— 부산 —◇

고경래 대연고등학교
권병국 케이스학원
권영린 과사람학원
김경희 해운대 수학 와이스터디
김나현 MI수학학원
김대현 연제고등학교
김명선 김쌤 수학
김민 금정미래탐구
김민규 다비드수학학원
김민지 블랙박스수학전문학원
김유상 끝장교육
김정은 피엠수학학원
김지연 김지연수학교습소
김태경 Be수학학원
김태영 뉴스터디종합학원
김태진 한빛단과학원
김현경 플러스민쌤수학교습소
김효상 코스터디학원
나기열 프로매스수학교습소
노하영 확실한수학학원
류형수 연제한샘학원
문서현 명품수학
민상희 민상희수학
박대성 키움수학교습소
박성칠 프라임학원
박연주 매쓰메이트 수학학원
박재용 해운대 수학 와이스터디
박주형 삼성에듀학원
배진옥 전문과외
배철우 명지 명성학원
백융일 과사람학원
서자현 과사람학원
서평승 신의학원
손673옥 매쓰폴수학전문학원(부암동)
송유림 한수연하이매쓰학원
신동훈 과사람학원
안남희 실력을키움수학
안찬종 전문과외
오인혜 하단초 수학교실
원옥영 괴정스타삼성영수학원
유소영 파플수학
이경덕 수학으로 물들어 가다
이동건 PME수학학원
이상욱 MI수학학원
이아름누리 청어람학원
이연희 부산 해운대 오른수학
이영민 MI수학학원
이은رر，
이은련 더플러스수학교습소
이정화 수학의 힘 가야캠퍼스
이지영 오늘도, 영어 그리고 수학
이지은 한수연하이매쓰
이철 과사람학원
이효정 해 수학
전완재 강앤전수학학원
정운용 정쌤수학교습소
정의진 남천다수인
정휘수 제이매쓰수학방
정희정 정쌤수학

조아영 플레이팩토오션시티교육원
조우영 위드유수학학원
조은영 MIT수학교습소
조훈 캔필학원
채송화 채송화 수학
최수정 이루다수학
최준승 주감학원
한주환 과사람학원(해운센터)
한혜경 한수학교습소
허영재 정관 자하연
허윤정 올림수학전문학원
허정인 삼정고등학교
황성필 다원KNR
황영찬 이룸수학
황진영 진심수학
황하남 과학수학의봄날학원

◇— 울산 —◇

강규리 퍼스트클래스 수학영어전문학원
고규라 고수학
고영준 비엠더블유수학전문학원
권상수 호크마수학전문학원
권희선 전문과외
김민정 전문과외
김봉조 퍼스트클래스 수학영어전문학원
김수영 학명수학학원
김영배 화정김쌤수학과학학원
김제득 퍼스트클래스수학전문학원
김현조 깊은생각수학학원
나순현 물푸레수학교습소
박국진 강한수학전문학원
박민식 위더스수학전문학원
박원기 에듀프레소종합학원
반려진 우정 수학의달인
성수경 위룸수학영어전문학원
안지환 전문과외
오종민 수학공작소학원
유아름 더쌤수학전문학원
이승목 울산 옥동 위너수학
이윤희 제이앤에스영어수학
이은수 삼산차수학학원
이한나 꿈꾸는고래학원
정경래 로고스영어수학학원
최규종 울산뉴토모수학전문학원
최영희 재미진최쌤수학
최이영 한양수학전문학원
한창희 한선생&최선생 studyclass
허다민 대치동허쌤수학

◇— 경남 —◇

강경희 티오피에듀
강도윤 강도윤수학컨설팅학원
강지혜 강선생수학학원
고민정 고민정 수학교습소
고병옥 옥쌤수학과학학원
고성대 Math911
고은정 수학은고쌤학원

권영애 전문과외
김경문 참진학원
김가령 김스아카데미
김기현 수과람학원
김미양 오렌지클래스학원
김민석 한수위수학학원
김민정 창원스키마수학
김병철 CL학숙
김선희 책벌레국영수학원
김양준 이룸학원
김연지 CL학숙
김옥경 다온수학전문학원
김인덕 성지여자고등학교
김정두 해성고등학교
김지니 수학의달인
김진형 수풀림 수학학원
김치남 수나무학원
김해성 AHHA수학
김형균 칠원채움수학
김혜영 프라임수학
노경희 전문과외
노현석 비코즈수학전문학원
문소영 문소영수학관리학원
민동록 민쌤수학
박규태 에듀탑영수학원
박소현 오름수학전문학원
박영진 대치스터디 수학학원
박우열 앤즈스터디메이트
박임수 고탑(GO TOP)수학학원
박정길 아쿰수학학원
박주연 마산무학여자고등학교
박진수 펠릭스수학학원
박혜인 참좋은학원
배미나 이루다 학원
배종우 매쓰팩토리수학학원
백은애 매쓰플랜수학학원 양산물금지점
백장태 창원중앙LNC학원
백지현 백지현수학교습소
서주량 한입수학
송상윤 비상한수학학원
신욱희 창익학원
안지영 모두의수학학원
어다혜 전문과외
유인영 마산중앙고등학교
유준성 시퀀스영수학원
윤영진 유클리드수학과학학원
이근영 매스마스터수학전문학원
이아름 애시앙 수학맛집
이유진 멘토수학교습소
이정훈 장정미수학학원
이지수 수과람영재에듀
이진우 전문과외
이현주 진해 즐거운 수학
전창근 수과원학원
정승엽 해남학원
조소현 스카이하이영수학원
주기호 비상한수학국어학원
진경선 탑앤탑수학학원
최소현 펠릭스수학학원

하수미 진동삼성영수학원
하윤석 거제 정금학원
한광록 대치퍼스트학원
한희광 양산성신학원
황진호 타임수학학원

◁— 대구 —▷

강민영 매씨지수학학원
고민정 전문과외
곽미선 좀다른수학
곽병무 다원MDS
구정모 제니스
구현태 나인쌤 수학전문학원
권기현 이렇게좋은수학교습소
권보경 수%수학교습소
김기연 스텝업수학
김대운 중앙sky학원
김동규 폴리아수학학원
김동영 통쾌한 수학
김득현 차수학(사월보성점)
김명서 샘수학
김미소 에스엠과학수학학원
김미정 일등수학학원
김상우 에이치투수학 교습소
김수영 봉덕김쌤수학학원
김수진 지니수학
김영진 더퍼스트 김진학원
김우진 종로학원하늘교육 사월학원
김재홍 경일여자중학교
김정우 이룸수학학원
김종희 학문당입시학원
김지연 찐수학
김지영 더이룸국어수학
김지은 정화여자고등학교
김진수 수학의진수수학교습소
김창섭 섭수학과학학원
김태진 구정남수학전문학원
김태환 로고스 수학학원(침산원)
김해은 한상철수학학원
김현숙 METAMATH
김효선 매쓰업
노경희 전문과외
문소연 연쌤 수학비법
문윤정 전문과외
민병문 엠플수학
박경득 파란수학
박도희 전문과외
박민정 빡쎈수학교습소
박산성 Venn수학
박선희 전문과외
박옥기 매쓰플랜수학학원
박정욱 연세(SKY)스카이수학학원
박지훈 더엠수학학원
박철진 전문과외
박태호 프라임수학교습소
박현주 매쓰플래너
방소연 나인쌤수학학원
배한국 굿쌤수학교습소

백승대 백박사학원
백태민 학문당입시학원
백현식 바른입시학원
변용기 라온수학학원
서경도 보승수학study
서재은 절대등급수학
성웅경 더빡쎈수학학원
손승연 스카이수학
손태수 트루매쓰 학원
송영배 수학의정원
신광섭 광 수학학원
신수진 폴리아수학학원
신은경 황금라온수학교습소
양규일 양쌤수학과학원
오세욱 IP수학과학학원
유화진 진수학
윤기호 샤인수학
윤석창 수학의창학원
윤혜정 채움수학학원
이규철 좋은수학
이나경 대구지성학원
이남희 이남희수학
이동환 동환수학
이명희 잇츠생각수학 학원
이원경 엠제이통수학영어학원
이은주 전문과외
이인호 본투비수학교습소
이일균 수학의달인 수학교습소
이종환 이꼼수학
이준우 깊을준수학
이진욱 시지이룸수학학원
이창우 강철에프엠수학학원
이태형 가토수학과학학원
이효진 진선생수학학원
임신옥 KS수학학원
임유진 박진수학
장두영 바음수학학원
장세완 장선생수학학원
장현정 전문과외
전동형 땡큐수학학원
전수민 전문과외
전지영 전지영수학
정민호 스테듀입시학원
정은숙 페르마학원
정재현 율사학원
조성애 조성애세움영어수학학원
조익제 MVP수학학원
조인혁 루트원수학과학학원
범어시매쓰영재교육
조지연 연쌤영·수학원
주기헌 송현여자고등학교
최대진 엠프로학원
최시연 이룸수학 교습소
최정이 탑수학교습소(국우동)
최현정 MQ멘토수학
하태호 팀하이퍼 수학학원
한원기 한쌤수학
현혜수 현혜수 수학
황가영 루나수학

황지현 위드제스트수학학원

◁— 경북 —▷

강경훈 예천여자고등학교
강혜연 BK 영수전문학원
권수지 에임(AIM)수학교습소
권오준 필수학영어학원
권호준 인투학원
김대훈 이상렬입시학원
김동수 문화고등학교
김동욱 구미정보고등학교
김득락 우석여자고등학교
김보아 매쓰킹공부방
김성용 경북 영천 이리풀수학
김수현 꿈꾸는 아이
김영희 라온수학
김윤정 더채움영수학원
김은미 매쓰그로우 수학학원
김이슬 포항제철고등학교
김재경 필즈수학영어학원
김정훈 현일고등학교
김형진 닥터박수학전문학원
남영준 아르베수학전문학원
문소연 조쌤보습학원
박명훈 메디컬수학학원
박윤신 한국수학교습소
박진성 포항제철고등학교
방성훈 유성여자고등학교
배재현 수학만영어도학원
백기남 수학만영어도학원
성세희 이투스수학두호장량학원
소효진 전문과외
손나래 이든샘영수학원
손주희 이루다수학과학
송종진 김천중앙고등학교
신승규 영남삼육고등학교
신승용 유신수학전문학원
신지현 문영어수학 학원
신채윤 포항제철고등학교
염성군 근화여고
오선민 수학만영어도
오세현 칠곡수학여우공부방
오윤경 닥터박수학학원
윤장영 윤쌤아카데미
이경하 안동 풍산고등학교
이다례 문매쓰달쌤수학
이민선 공감수학학원
이상원 전문가집단 영수학원
이상현 인투학원
이성국 포스카이학원
이영성 영주여자고등학교
이재광 생존학원
이재억 안동고등학교
이혜은 김천고등학교
장아름 아름수학 학원
전정현 YB일등급수학학원
정은주 정스터디
조진우 늘품수학학원

조현정 올댓수학
채원석 영남삼육고등학교
최민 엠베스트 옥계점
최수영 수학만영어도학원
최이광 혜윰플러스학원
추민지 닥터박 수학학원
표현석 안동풍산고등학교
홍영준 하이맵수학학원
홍현기 비상아이비츠학원

◁— 광주 —▷

강민결 광주수피아여자중학교
강승완 블루마인드아카데미
공민지 심미선수학학원
곽웅수 카르페영수학원
김국진 김국진짜학원
김국철 풍암필즈수학학원
김대균 김대균수학학원
김미경 임팩트학원
김안나 풍암필즈수학학원
김원진 메이블수학전문학원
김은석 만문제수학전문학원
김재광 디투엠 영수전문보습학원
김종민 퍼스트수학학원
김태성 일곡지구 김태성 수학
김현진 에이블수학학원
나혜경 고수학학원
박용우 광주 더샘수학학원
박주홍 KS수학
박충현 본수학과학학원
박현영 KS수학
변석주 153유클리드수학전문학원
빈선욱 빈선욱수학전문학원
서세은 피타과학수학학원
손광일 송원고등학교
송승용 송승용수학학원
신예준 광주 JS영재학원
신현석 프라임아카데미
양귀제 양선생수학전문학원
양동식 A+수리수학원
이만재 매쓰로드수학 학원
이상혁 감성수학
이승현 본영수학원
이주헌 리얼매쓰수학전문학원
이창현 알파수학학원
이채연 알파수학학원
이충현 전문과외
이헌기 보문고등학교
어흥범 매쓰피아
임태관 매쓰멘토수학전문학원
장민경 일대일코칭수학학원
장성태 장성태수학학원
전주현 이창길수학학원
정다원 광주인성고등학교
정다희 다희쌤수학
정미연 신샘수학학원
정수인 더최선학원
정원섭 수리수학학원

서정기 시너지S클래스 불당학원
성유림 Jns오름학원
송명준 JNS오름학원
송은선 전문과외
송재호 불당한일학원
신경미 Honeytip
신유미 무한수학학원
유정수 천안고등학교
유창훈 전문과외
윤보희 충남삼성고등학교
윤재웅 베테랑수학전문학원
윤지영 더올림
이근영 홍주중학교
이봉이 더수학 교습소
이승훈 탑씨크리트
이아람 퍼펙트브레인학원
이은아 한다수학학원
이재장 깊은수학학원
이현주 수학다방
장정수 G.O.A.T수학
전성호 시너지S클래스학원
전혜영 타임수학학원
조현정 J.J수학전문학원
채영미 미매쓰
최문근 천안중앙고등학교
최소영 빛나는수학
최원석 명사특강
한상훈 신불당 한일학원
한호선 두드림영어수학학원
허영재 와이즈만 영재교육학원

◇— 강원 —◇
고민정 로이스물맷돌수학
강선아 펀&FUN수학학원
김명동 이코수학
김서인 세모가꿈꾸는수학당학원
김성영 빨리강해지는 수학 과학 학원
김성진 원주이루다수학과학학원
김수지 이코수학
김호동 하이탑 수학학원
남정훈 으뜸장원학원
노명훈 노명훈쌤의 알수학학원
노명희 탑클래스
박미경 수올림수학전문학원
박병석 이코수학
박상윤 박상윤수학
박수지 이코수학학원
배형진 화천학습관
백경수 춘천 이코수학
손선나 전문과외
손영숙 이코수학
신동혁 수학의 부활 이코수학
신현정 hj study
심상용 동해 과수원 학원
안현지 전문과외
오준환 수학다움학원
윤소연 이코수학
이경복 전문과외

이민호 하이탑 수학학원
이우성 이코수학
이태현 하이탑 수학학원
장윤의 수학의부활 이코수학
정복인 하이탑 수학학원
정인혁 수학과통하다학원
최수남 강릉 영·수배움교실
최재현 KU고대학원
최정현 최강수학전문학원

◇— 제주 —◇
강경혜 강경혜수학
고진우 전문과외
김기정 저청중학교
김대환 The원 수학
김보라 라딕스수학
김시운 전문과외
김지영 생각틔움수학교실
김홍남 셀파우등생학원
류혜선 진정성 영어수학학원
박승우 남녕고등학교
박찬 찬수학학원
오동조 에임하이학원
오재일
이민경 공부의마침표
이상민 서이현아카데미
이선혜 더쎈 MATH
이현우 루트원플러스입시학원
장영환 제로링수학교실
편미경 편쌤수학
하혜림 제일아카데미
현수진 학고제 입시학원

어 삼 쉬 사

Plus+

어삼쉬사를 넘어야 1등급 도전이 시작된다.

수학Ⅱ

240제

3 4

수능 수학
'어려운 3점 ~ 쉬운 4점'을 공략한다!

수능 및 평가원 모의평가 수학영역의 문제의 배점은 2점, 3점, 4점으로 구분되며
배점이 높은 문항일수록 난이도가 어렵게 출제됩니다.
하지만 배점이 같은 문항이지만 시험의 변별력을 위해
공통과목 선다형 마지막 문항인 15번과 단답형 마지막 문항인 22번, 선택과목 마지막 문항인 30번은
다른 4점 문항에 비해서도 높은 난이도의 문제로 출제되고 있습니다.
마찬가지로 3점 문항도 출제 번호에 따라 난이도가 다르게 출제되고 있습니다.
그렇기 때문에 모의고사 30문항을 난이도에 따라 '2점', '쉬운 3점', '어려운 3점', '쉬운 4점', '어려운 4점'
으로 분류하여 학습 목표에 따라 난이도별 집중 학습 전략을 세우는 것이 중요합니다.
다음은 수능 수학영역 30문항을 난이도에 따라 분류한 예입니다.

구분	공통과목																						선택과목								
점수	2점		쉬운 3점				어려운 3점		쉬운 4점						어려운 4점	쉬운 3점			어려운 3점	쉬운 4점		어려운 4점	2점	쉬운 3점			어려운 3점	어려운 4점	쉬운 4점	어려운 4점
번호	1	2	3	4	5	6	7	8	9	10	11	12	13	14	15	16	17	18	19	20	21	22	23	24	25	26	27	28	29	30

어려운 3점~쉬운 4점 문항에 대한 연습이 부족하다면
중하위권 학생은 고득점은커녕 '어려운 4점' 문항을 풀기도 전에 시험시간 100분이 다 지나가버릴 수 있고,
상위권 학생은 실수로 앞의 문항을 틀려 '어려운 4점' 문항을 풀었더라도 본인의 목표를 달성하지 못할 수 있습니다.

그렇다면 어떻게 어려운 3점~쉬운 4점 문항들을 연습해야 할까요?
그 해답은 수학영역 30문항 중 '허리'에 해당하는 어려운 3점~쉬운 4점을 집중 공략하는 <어삼쉬사>에 있습니다.
중하위권 학생이라면 빈출 유형을 집중적으로 연습하여 완벽히 해결하고 본인의 약점을 파악하여 보완할 수 있습니다.
상위권 학생이라면 빠르고 정확하게 문항을 푸는 습관을 길러 실수를 줄이고
어려운 4점 문항을 풀 시간을 확보할 수 있습니다.
많은 학생들이 <어삼쉬사>를 통해 목표하는 등급의 고지를 점령하길 바랍니다.

이 책의 목차

구성과 특징

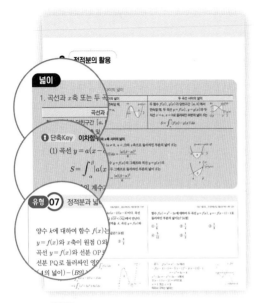

수능에 진짜 나오는 핵/심/유/형

- **개념정리**
  - 수능에 진짜 나오는 핵심 개념 정리 제공

- **🔑 단축Key**
  - 문제 접근 순서, 예시를 통해 빠르게 푸는 방법 제공

- **대표기출**
  - 유형 이해를 돕기 위한 대표 기출문제와 해설 제시
  - 너기출과 연계 학습이 가능하도록 동일한 유형 분류 제시

어려운 3점 쉬운 4점 핵/심/문/제

- **10문항씩 1세트, 총 24세트 구성**
  - 기출의 핵심내용 담은 100% 제작문제
  - 각 대단원별 8세트를 난이도 순으로 수록
  - 세트별 고른 유형 분배로 단원별 전범위 학습 가능

- **'유형', '짝기출' 번호 제시**
  - 약점 유형, 제작 모티브가 된 기출문제 확인 가능

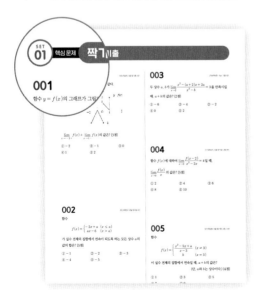

|부록| 핵심 문제 짝기출

- **문항 제작의 모티브가 된 기출문제를 '짝기출'로 제시**
  - 제작 문제와 실제 기출문제의 핵심 아이디어 비교 가능
  (짝기출은 해설 없이 정답만 제공)

도서 활용방법 학습진단표

약점 유형 확인

각 유형별로 틀린 문제를 기입하여 약점 유형 확인 및 복습

풀이 시간 확인

SET별로 풀이 시간을 기입하여 시간 단축 연습

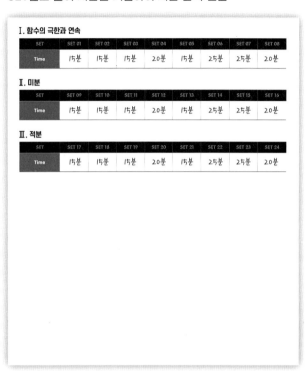

① 개념학습 및 대표기출로 유형을 학습한다.

② 한 세트를 시간을 재고 푼다.

③ 답을 맞추어 보고, 틀린 문제와 풀이 시간을 '학습진단표'에 기록한다.

④ 이렇게 총 24세트 분량을 '학습진단표'에 기록한 후 자신의 약점 유형을 찾는다.

⑤ 개념 및 대표기출, 짝기출 등을 활용하여 약점을 보완한다.

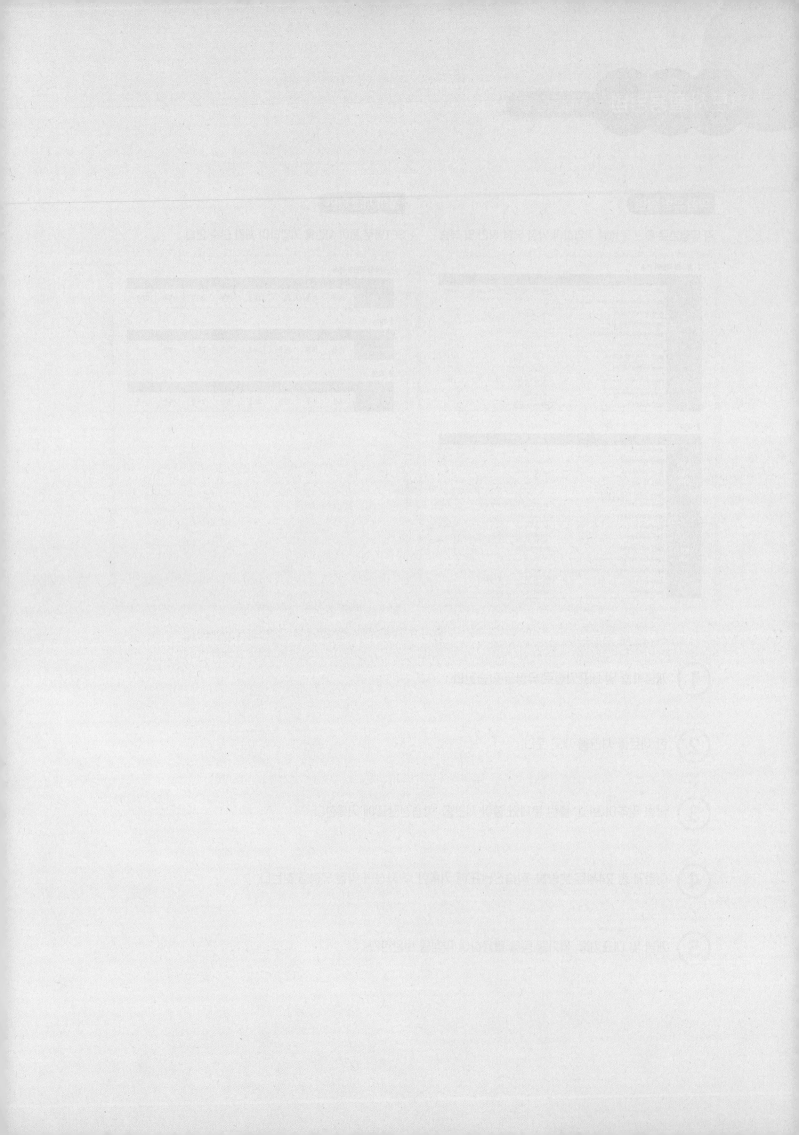

I

함수의 극한과 연속

1 함수의 극한

함수의 극한

1. 함수의 수렴과 발산

- $x \to a$: x의 값이 $x \neq a$이면서 a에 한없이 가까워질 때,

  $x \to \infty \, (x \to -\infty)$: x의 값이 한없이 커질 때,

  (x의 값이 음수이면서 그 절댓값이 한없이 커질 때,)

	기호	의미	
수렴	$\lim\limits_{x \to a} f(x) = L$, $\lim\limits_{x \to \infty} f(x) = L$	$f(x)$의 값이 상수 L에 한없이 가까워진다.	L : 함수 $f(x)$의 $x = a$에서의 극한 또는 극한값
발산	$\lim\limits_{x \to a} f(x) = \infty$, $\lim\limits_{x \to \infty} f(x) = \infty$	$f(x)$의 값이 한없이 커진다.	양의 무한대로 발산
	$\lim\limits_{x \to a} f(x) = -\infty$, $\lim\limits_{x \to \infty} f(x) = -\infty$	$f(x)$의 값이 음수이면서 그 절댓값이 한없이 커진다.	음의 무한대로 발산

2. 우극한과 좌극한

- $x \to a+$, $x \to a-$

	기호	의미	
우극한	$\lim\limits_{x \to a+} f(x) = L$	x의 값이 $x > a$이면서 a에 한없이 가까워질 때, $f(x)$의 값이 상수 L에 한없이 가까워진다.	L : 함수 $f(x)$의 $x = a$에서의 우극한
좌극한	$\lim\limits_{x \to a-} f(x) = M$	x의 값이 $x < a$이면서 a에 한없이 가까워질 때, $f(x)$의 값이 상수 M에 한없이 가까워진다.	M : 함수 $f(x)$의 $x = a$에서의 좌극한

- 극한값의 존재 조건

$$\lim_{x \to a} f(x) = L \Leftrightarrow \lim_{x \to a+} f(x) = \lim_{x \to a-} f(x) = L$$

함수 $f(x)$의 $x = a$에서의 우극한과 좌극한이 모두 존재하더라도 $\lim\limits_{x \to a+} f(x) \neq \lim\limits_{x \to a-} f(x)$이면 극한값 $\lim\limits_{x \to a} f(x)$는 존재하지 않는다.

유형 01 함수의 극한의 뜻

대표기출1 _ 2024학년도 9월 평가원 4번

함수 $y = f(x)$의 그래프가 그림과 같다. $\lim\limits_{x \to -2+} f(x) + \lim\limits_{x \to 1-} f(x)$의 값은? [3점]

① -2 ② -1 ③ 0

④ 1 ⑤ 2

| 풀이 | 주어진 그래프에서 $\lim\limits_{x \to -2+} f(x) = -2$, $\lim\limits_{x \to 1-} f(x) = 0$

$\therefore \lim\limits_{x \to -2+} f(x) + \lim\limits_{x \to 1-} f(x) = -2 + 0 = -2$ **답** ①

함수의 극한에 대한 성질

1. 함수의 극한에 대한 성질

함수 $f(x)$, $g(x)$에서 $\lim\limits_{x \to a} f(x) = \alpha$, $\lim\limits_{x \to a} g(x) = \beta$ (α, β는 실수) 일 때

❶ $\lim\limits_{x \to a} cf(x) = c\lim\limits_{x \to a} f(x) = c\alpha$ (단, c는 상수)

❷ $\lim\limits_{x \to a} \{f(x) + g(x)\} = \lim\limits_{x \to a} f(x) + \lim\limits_{x \to a} g(x) = \alpha + \beta$

❸ $\lim\limits_{x \to a} \{f(x) - g(x)\} = \lim\limits_{x \to a} f(x) - \lim\limits_{x \to a} g(x) = \alpha - \beta$

❹ $\lim\limits_{x \to a} f(x)g(x) = \lim\limits_{x \to a} f(x) \times \lim\limits_{x \to a} g(x) = \alpha\beta$

❺ $\lim\limits_{x \to a} \dfrac{f(x)}{g(x)} = \dfrac{\lim\limits_{x \to a} f(x)}{\lim\limits_{x \to a} g(x)} = \dfrac{\alpha}{\beta}$ (단, $g(x) \neq 0$, $\beta \neq 0$)

'함수의 극한에 대한 성질/활용'과 '함수의 극한의 대소 관계'는
$x \to a+$, $x \to a-$, $x \to \infty$, $x \to -\infty$일 때도 모두 성립한다.
[주의] 함수 $f(x)$, $g(x)$가 모두 수렴할 때만 이용 가능!

2. 함수의 극한에 대한 성질의 활용

실수 α에 대하여

❶ $\lim\limits_{x \to a} \dfrac{f(x)}{g(x)} = \alpha$, $\lim\limits_{x \to a} g(x) = 0$이면 $\lim\limits_{x \to a} f(x) = 0$이다.

❷ $\lim\limits_{x \to a} \dfrac{f(x)}{g(x)} = \alpha$ ($\alpha \neq 0$), $\lim\limits_{x \to a} f(x) = 0$이면 $\lim\limits_{x \to a} g(x) = 0$이다.

3. 함수의 극한의 대소 관계

함수 $f(x)$, $g(x)$에서 $\lim\limits_{x \to a} f(x) = \alpha$, $\lim\limits_{x \to a} g(x) = \beta$ (α, β는 실수) 일 때,

a에 가까운 모든 실수 x에서

❶ $f(x) \leq g(x)$이면 $\alpha \leq \beta$이다.

❷ 함수 $h(x)$가 $f(x) \leq h(x) \leq g(x)$이고 $\alpha = \beta$이면 $\lim\limits_{x \to a} h(x) = \alpha$이다.

함수의 대소에 등호가 없을 때도 성립한다. 즉,
❶ $f(x) < g(x)$이면 $\alpha \leq \beta$이다.
❷ 함수 $h(x)$가 $f(x) < h(x) < g(x)$이고 $\alpha = \beta$이면 $\lim\limits_{x \to a} h(x) = \alpha$이다.

유형 02 함수의 극한의 성질과 유리함수의 극한값 계산

대표기출2 _ 2014학년도 6월 평가원 A형 9번

함수 $f(x)$에 대하여 $\lim\limits_{x \to 2} \dfrac{f(x) - 3}{x - 2} = 5$일 때, $\lim\limits_{x \to 2} \dfrac{x - 2}{\{f(x)\}^2 - 9}$의

값은? [3점]

① $\dfrac{1}{18}$　　② $\dfrac{1}{21}$　　③ $\dfrac{1}{24}$

④ $\dfrac{1}{27}$　　⑤ $\dfrac{1}{30}$

| 풀이 | $\lim\limits_{x \to 2} \dfrac{f(x) - 3}{x - 2} = 5$에서 극한값이 존재하고

(분모) $\to 0$이므로 (분자) $\to 0$이다.

따라서 $\lim\limits_{x \to 2} \{f(x) - 3\} = 0$, 즉 $\lim\limits_{x \to 2} f(x) = 3$이다.

$\therefore \lim\limits_{x \to 2} \dfrac{x - 2}{\{f(x)\}^2 - 9} = \lim\limits_{x \to 2} \dfrac{x - 2}{\{f(x) - 3\}\{f(x) + 3\}}$

$= \lim\limits_{x \to 2} \dfrac{x - 2}{f(x) - 3} \times \lim\limits_{x \to 2} \dfrac{1}{f(x) + 3} = \dfrac{1}{5} \times \dfrac{1}{6} = \dfrac{1}{30}$ 답 ⑤

유형 03 무리함수의 극한값 계산

대표기출3 _ 2007학년도 9월 평가원 가형 18번

$\lim\limits_{x \to 0} \dfrac{20x}{\sqrt{4 + x} - \sqrt{4 - x}}$ 의 값을 구하시오. [3점]

| 풀이 | $\lim\limits_{x \to 0} \dfrac{20x}{\sqrt{4 + x} - \sqrt{4 - x}}$

$= \lim\limits_{x \to 0} \dfrac{20x(\sqrt{4 + x} + \sqrt{4 - x})}{(\sqrt{4 + x} - \sqrt{4 - x})(\sqrt{4 + x} + \sqrt{4 - x})}$

$= \lim\limits_{x \to 0} \dfrac{20x(\sqrt{4 + x} + \sqrt{4 - x})}{(4 + x) - (4 - x)}$

$= \lim\limits_{x \to 0} \dfrac{20x(\sqrt{4 + x} + \sqrt{4 - x})}{2x}$

$= \lim\limits_{x \to 0} 10(\sqrt{4 + x} + \sqrt{4 - x})$

$= 10(\sqrt{4} + \sqrt{4}) = 40$ 답 40

I 함수의 극한과 연속

핵심유형
SET 01
SET 02
SET 03
SET 04
SET 05
SET 06
SET 07
SET 08

유형 04 미정계수의 결정(1) - $\frac{0}{0}$ 꼴

대표기출4 _ 2014학년도 6월 평가원 A형 25번

두 상수 a, b에 대하여 $\lim\limits_{x \to 2} \dfrac{\sqrt{x+a}-2}{x-2} = b$일 때, $10a+4b$의 값을 구하시오. [3점]

| 풀이 | $\lim\limits_{x \to 2} \dfrac{\sqrt{x+a}-2}{x-2}$ 의 극한값이 존재하고 (분모)$\to 0$이므로 (분자)$\to 0$이다.

따라서 $\lim\limits_{x \to 2}(\sqrt{x+a}-2) = \sqrt{2+a}-2 = 0$, 즉 $a=2$이다.

$$\lim_{x \to 2}\frac{\sqrt{x+a}-2}{x-2} = \lim_{x \to 2}\frac{\sqrt{x+2}-2}{x-2}$$
$$= \lim_{x \to 2}\frac{(x+2)-4}{(x-2)(\sqrt{x+2}+2)}$$
$$= \lim_{x \to 2}\frac{1}{\sqrt{x+2}+2} = \frac{1}{4} = b$$

$\therefore\ 10a+4b = 10 \times 2 + 4 \times \dfrac{1}{4} = 21$

답 21

유형 05 미정계수의 결정(2) - 다항함수의 추론

대표기출5 _ 2022학년도 9월 평가원 8번

삼차함수 $f(x)$가
$$\lim_{x \to 0}\frac{f(x)}{x} = \lim_{x \to 1}\frac{f(x)}{x-1} = 1$$
을 만족시킬 때, $f(2)$의 값은? [3점]

① 4 ② 6 ③ 8
④ 10 ⑤ 12

| 풀이 | $\lim\limits_{x \to 0} \dfrac{f(x)}{x} = 1$에서 극한값이 존재하고, $x \to 0$일 때 (분모)$\to 0$이므로

(분자)$\to 0$이어야 한다. $\therefore\ \lim\limits_{x \to 0} f(x) = f(0) = 0$

또한 $\lim\limits_{x \to 1} \dfrac{f(x)}{x-1} = 1$에서 같은 이유로 $\lim\limits_{x \to 1} f(x) = f(1) = 0$

따라서 삼차함수 $f(x)$를
$f(x) = x(x-1)(ax+b)$ (a, b는 상수)
로 놓을 수 있으므로

$\lim\limits_{x \to 0} \dfrac{f(x)}{x} = \lim\limits_{x \to 0}(x-1)(ax+b) = -b = 1$에서 $b = -1$

$\lim\limits_{x \to 1} \dfrac{f(x)}{x-1} = \lim\limits_{x \to 1}x(ax+b) = a+b = 1$에서 $a = 2$ ($\because\ b=-1$)

따라서 $f(x) = x(x-1)(2x-1)$이므로 $f(2) = 2 \times 1 \times 3 = 6$

답 ②

유형 06 함수의 극한의 활용

대표기출6 _ 2023학년도 9월 평가원 12번

실수 t $(t>0)$에 대하여 직선 $y=x+t$와 곡선 $y=x^2$이 만나는 두 점을 A, B라 하자. 점 A를 지나고 x축에 평행한 직선이 곡선 $y=x^2$과 만나는 점 중 A가 아닌 점을 C, 점 B에서 선분 AC에 내린 수선의 발을 H라 하자. $\lim\limits_{t \to 0+}\dfrac{\overline{\mathrm{AH}} - \overline{\mathrm{CH}}}{t}$ 의 값은? (단, 점 A의 x좌표는 양수이다.) [4점]

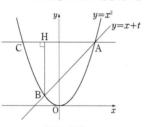

① 1 ② 2 ③ 3
④ 4 ⑤ 5

| 풀이 | 두 점 A, B의 x좌표를 각각 a, b $(b<0<a)$라 하면
점 C의 x좌표는 $-a$이므로
$\overline{\mathrm{AH}} = a-b$, $\overline{\mathrm{CH}} = b-(-a) = a+b$
$\therefore\ \overline{\mathrm{AH}} - \overline{\mathrm{CH}} = a-b-(a+b) = -2b$ ······㉠
이때 두 점 A, B는 직선 $y=x+t$와 곡선 $y=x^2$의 교점이므로 방정식
$x+t = x^2$, 즉 $x^2-x-t=0$의 두 근이 a, b이다.

이차방정식의 근의 공식에 의하여 $b = \dfrac{1-\sqrt{1+4t}}{2}$ 이므로 ㉠에서
$\overline{\mathrm{AH}} - \overline{\mathrm{CH}} = \sqrt{1+4t}-1$

$$\therefore\ \lim_{t \to 0+}\frac{\overline{\mathrm{AH}} - \overline{\mathrm{CH}}}{t} = \lim_{t \to 0+}\frac{\sqrt{1+4t}-1}{t}$$
$$= \lim_{t \to 0+}\frac{(\sqrt{1+4t}-1)(\sqrt{1+4t}+1)}{t(\sqrt{1+4t}+1)}$$
$$= \lim_{t \to 0+}\frac{4t}{t(\sqrt{1+4t}+1)}$$
$$= \lim_{t \to 0+}\frac{4}{\sqrt{1+4t}+1} = \frac{4}{1+1} = 2$$

답 ②

2 함수의 연속

함수의 연속과 불연속

1. 구간

두 실수 a, b $(a < b)$에 대하여 다음 집합을 구간이라 한다.

구간	$\{x \mid a \leq x \leq b\}$	$\{x \mid a \leq x < b\}$	$\{x \mid a < x \leq b\}$	$\{x \mid a < x < b\}$
기호	$[a, b]$	$[a, b)$	$(a, b]$	(a, b)

– 닫힌구간 : $[a, b]$
– 열린구간 : (a, b)
– 반닫힌(반열린)구간 : $[a, b)$, $(a, b]$

구간	$\{x \mid x \leq a\}$	$\{x \mid x < a\}$	$\{x \mid x \geq a\}$	$\{x \mid x > a\}$	$\{x \mid x$는 실수$\}$
기호	$(-\infty, a]$	$(-\infty, a)$	$[a, \infty)$	(a, ∞)	$(-\infty, \infty)$

2. 함수의 연속과 불연속

함수 $f(x)$가 실수 a에 대하여

$x = a$에서 연속	$x = a$에서 불연속 ($x = a$에서 연속이 아닌 경우)
❶ 함숫값 $f(a)$가 존재하고	❶ 함숫값 $f(a)$가 존재하지 않거나
❷ 극한값 $\lim\limits_{x \to a} f(x)$가 존재하며 (좌극한)=(우극한)	❷ 극한값 $\lim\limits_{x \to a} f(x)$가 존재하지 않거나 (좌극한)$\neq$(우극한)
❸ $\lim\limits_{x \to a} f(x) = f(a)$	❸ $\lim\limits_{x \to a} f(x) \neq f(a)$
일 때, 함수 $f(x)$는 $x = a$에서 연속이라고 한다.	일 때, 함수 $f(x)$는 $x = a$에서 불연속이라고 한다.

└ ❶~❸ 모두 만족하는 경우   └ ❶~❸ 중 한 가지 이상을 만족하는 경우

유형 07 그래프가 주어진 함수의 연속

대표기출7 _ 2014학년도 6월 평가원 A형 11번

함수 $y = f(x)$의 그래프가 그림과 같다.
〈보기〉에서 옳은 것만을 있는 대로 고른 것은? [3점]

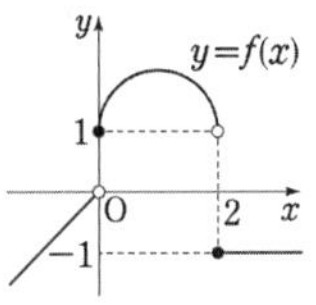

─── 〈보기〉 ───

ㄱ. $\lim\limits_{x \to 0+} f(x) = 1$ ㄴ. $\lim\limits_{x \to 2-} f(x) = -1$

ㄷ. 함수 $|f(x)|$는 $x = 2$에서 연속이다.

① ㄱ   ② ㄴ   ③ ㄱ, ㄷ

④ ㄴ, ㄷ   ⑤ ㄱ, ㄴ, ㄷ

| 풀이 | ㄱ. $\lim\limits_{x \to 0+} f(x) = 1$ (참)   ㄴ. $\lim\limits_{x \to 2-} f(x) = 1$ (거짓)

ㄷ. 함수 $y = |f(x)|$의 그래프는 오른쪽 그림과 같다
$\lim\limits_{x \to 2-} |f(x)| = \lim\limits_{x \to 2+} |f(x)| = 1$, $|f(2)| = 1$이므로
$\lim\limits_{x \to 2} |f(x)| = |f(2)|$, 즉 함수 $|f(x)|$는 $x = 2$에서
연속이다. (참) 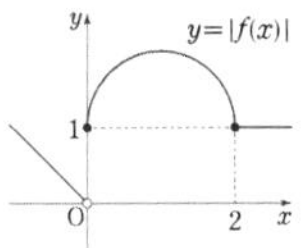
따라서 옳은 것은 ㄱ, ㄷ이다.

답 ③

연속함수의 성질

1. 연속함수의 성질

두 함수 $f(x)$, $g(x)$가 $x = a$에서 연속이면 다음 함수도 $x = a$에서 연속이다.

❶ $cf(x)$ (단, c는 상수)

❷ $f(x) + g(x)$, $f(x) - g(x)$

❸ $f(x)g(x)$

❹ $\dfrac{f(x)}{g(x)}$ (단, $g(a) \neq 0$)

유형 08 연속함수의 성질과 판정

대표기출8 _ 2013학년도 9월 평가원 나형 13번

함수 $f(x)$가

$$f(x) = \begin{cases} a & (x \leq 1) \\ -x+2 & (x > 1) \end{cases}$$

일 때, 〈보기〉에서 옳은 것만을 있는 대로 고른 것은?

(단, a는 상수이다.) [3점]

〈보기〉
ㄱ. $\lim\limits_{x \to 1+} f(x) = 1$

ㄴ. $a = 0$이면 함수 $f(x)$는 $x = 1$에서 연속이다.

ㄷ. 함수 $y = (x-1)f(x)$는 실수 전체의 집합에서 연속이다.

① ㄱ ② ㄴ ③ ㄱ, ㄷ

④ ㄴ, ㄷ ⑤ ㄱ, ㄴ, ㄷ

| 풀이 | ㄱ. $\lim\limits_{x \to 1+} f(x) = \lim\limits_{x \to 1+} (-x+2) = 1$ (참)

ㄴ. $a = 0$이면 $\lim\limits_{x \to 1-} f(x) = \lim\limits_{x \to 1-} a = 0$, $\lim\limits_{x \to 1+} f(x) = 1$

따라서 $\lim\limits_{x \to 1} f(x)$의 값이 존재하지 않으므로 $x = 1$에서 불연속이다. (거짓)

ㄷ. $x \neq 1$일 때 함수 $y = x - 1$, $y = f(x)$가 모두 연속이므로

함수 $y = (x-1)f(x)$가 실수 전체의 집합에서 연속이려면

$x = 1$일 때 연속인 것만 확인하면 된다.

x	$x - 1$	$f(x)$	$(x-1)f(x)$
$1+$	0	1	0
$1-$	0	a	0
1	0	a	0

위의 표에서 $\lim\limits_{x \to 1} (x-1)f(x) = (1-1)f(1)$이므로

함수 $(x-1)f(x)$는 $x = 1$에서 연속이다. (참)

따라서 옳은 것은 ㄱ, ㄷ이다.

답 ③

유형 09 함수의 연속과 미정계수의 결정

대표기출9 _ 2022학년도 6월 평가원 8번

함수

$$f(x) = \begin{cases} -2x+6 & (x < a) \\ 2x-a & (x \geq a) \end{cases}$$

에 대하여 함수 $\{f(x)\}^2$이 실수 전체의 집합에서 연속이 되도록 하는 모든 상수 a의 값의 합은? [3점]

① 2 ② 4 ③ 6

④ 8 ⑤ 10

| 풀이 | $\{f(x)\}^2 = \begin{cases} (-2x+6)^2 & (x < a) \\ (2x-a)^2 & (x \geq a) \end{cases}$ 에서

두 다항함수 $(-2x+6)^2$, $(2x-a)^2$은 실수 전체의 집합에서 연속이다.

따라서 함수 $\{f(x)\}^2$이 실수 전체의 집합에서 연속이려면

$x = a$에서 연속이면 되므로

$\lim\limits_{x \to a-} \{f(x)\}^2 = \lim\limits_{x \to a+} \{f(x)\}^2 = \{f(a)\}^2$이어야 한다.

$\lim\limits_{x \to a-} \{f(x)\}^2 = (-2a+6)^2$, $\lim\limits_{x \to a+} \{f(x)\}^2 = \{f(a)\}^2 = (2a-a)^2$이므로

$(-2a+6)^2 = a^2$에서 $3a^2 - 24a + 36 = 0$

$a^2 - 8a + 12 = 0$, $(a-2)(a-6) = 0$

$\therefore a = 2$ 또는 $a = 6$

따라서 구하는 모든 상수 a의 값의 합은 $2 + 6 = 8$이다.

답 ④

유형 10 합성함수의 극한과 연속

대표기출10 _ 2012학년도 9월 평가원 가형 11번

정의역이 $\{x \mid 0 \leq x \leq 4\}$인 함수 $y = f(x)$의 그래프가 그림과 같다.

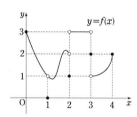

$\displaystyle\lim_{x \to 0+} f(f(x)) + \lim_{x \to 2+} f(f(x))$의 값은? [3점]

① 1   ② 2   ③ 3

④ 4   ⑤ 5

| 풀이 |

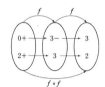

$\therefore \displaystyle\lim_{x \to 0+} f(f(x)) + \lim_{x \to 2+} f(f(x)) = 3 + 2 = 5$

답 ⑤

유형 11 불연속점의 개수

대표기출11 _ 2013학년도 6월 평가원 나형 19번

함수 $f(x) = \begin{cases} x & (|x| \geq 1) \\ -x & (|x| < 1) \end{cases}$에 대하여, 〈보기〉에서 옳은 것만을 있는 대로 고른 것은? [4점]

〈보기〉

ㄱ. 함수 $f(x)$가 불연속인 점은 2개이다.
ㄴ. 함수 $(x-1)f(x)$는 $x = 1$에서 연속이다.
ㄷ. 함수 $\{f(x)\}^2$은 실수 전체의 집합에서 연속이다.

① ㄱ   ② ㄴ   ③ ㄱ, ㄴ
④ ㄱ, ㄷ   ⑤ ㄱ, ㄴ, ㄷ

| 풀이 | $f(x) = \begin{cases} x & (|x| \geq 1) \\ -x & (|x| < 1) \end{cases} = \begin{cases} x & (x \geq 1, \ x \leq -1) \\ -x & (-1 < x < 1) \end{cases}$

이므로 함수 $y = f(x)$의 그래프는 오른쪽 그림과 같다.

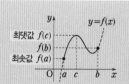

ㄱ. 함수 $f(x)$는 $x = -1$, $x = 1$에서 불연속이다. (참)

ㄴ.

x	$x-1$	$f(x)$	$(x-1)f(x)$
$1+$	0	1	0
$1-$	0	-1	0
1	0	1	0

위의 표에서 $\displaystyle\lim_{x \to 1}(x-1)f(x) = (1-1)f(1)$이므로
함수 $(x-1)f(x)$는 $x = 1$에서 연속이다. (참)

ㄷ. $\{f(x)\}^2 = \begin{cases} x^2 & (x \geq 1, \ x \leq -1) \\ (-x)^2 & (-1 < x < 1) \end{cases}$

즉, 모든 실수 x에 대하여 $\{f(x)\}^2 = x^2$이므로 ($\because (-x)^2 = x^2$)
함수 $\{f(x)\}^2$은 실수 전체의 집합에서 연속이다. (참)

따라서 옳은 것은 ㄱ, ㄴ, ㄷ이다.

답 ⑤

---

2. 최대·최소 정리 닫힌구간에서 연속이 아니면 최댓값 또는 최솟값이 존재하지 않을 수 있다.

함수 $f(x)$가 닫힌구간 $[a, b]$에서 연속이면 함수 $f(x)$는
이 구간에서 반드시 최댓값과 최솟값을 가진다.

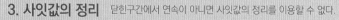

3. 사잇값의 정리 닫힌구간에서 연속이 아니면 사잇값의 정리를 이용할 수 없다.

❶ 함수 $f(x)$가 닫힌구간 $[a, b]$에서 연속이고 $f(a) \neq f(b)$일 때,
   $f(a)$와 $f(b)$ 사이의 임의의 값 k에 대하여
   $f(c) = k$인 c가 열린구간 (a, b)에 적어도 하나 존재한다.

❷ 사잇값의 정리의 응용
   함수 $f(x)$가 닫힌구간 $[a, b]$에서 연속이고 $f(a)f(b) < 0$이면
   사잇값의 정리에 의하여 $f(x) = 0$인 x가 a와 b 사이에 적어도 하나 존재한다.
   따라서 방정식 $f(x) = 0$은 열린구간 (a, b)에서
   적어도 하나의 실근을 가진다.

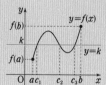
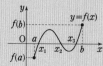

001

짝기출 001 유형 01

닫힌구간 $[-1, 3]$에서 정의된 함수 $y = f(x)$의 그래프는 그림과 같다.

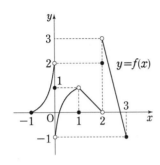

$$\lim_{x \to 0-} \frac{f(x)}{x-1} + \lim_{x \to 1} f(x) + f(2)$$의 값은?

① 1   ② 2   ③ 3

④ 4   ⑤ 5

002

짝기출 002 유형 09

함수

$$f(x) = \begin{cases} (2a-1)x - 12 & (x \le a) \\ x^2 - x + a & (x > a) \end{cases}$$

가 실수 전체의 집합에서 연속이 되도록 하는 상수 a의 최댓값은?

① 1   ② 2   ③ 3

④ 4   ⑤ 5

003

짝기출 003 유형 04

등식

$$\lim_{x \to -1} \frac{x^2 + (1-a)x - a}{x^2 + bx} = 4$$

를 만족시키는 상수 a, b에 대하여 ab의 값을 구하시오.

004

짝기출 004　유형 03

함수 $f(x)$에 대하여

$$\lim_{x \to 0} \frac{f(x)}{\sqrt{4-x}-2} = -6$$

일 때, $\lim_{x \to 0} \dfrac{f(x)}{x}$ 의 값은?

① $\dfrac{1}{2}$　　　　② 1　　　　③ $\dfrac{3}{2}$

④ 2　　　　⑤ $\dfrac{5}{2}$

005

짝기출 005　유형 09

함수

$$f(x) = \begin{cases} \dfrac{x^2 + ax - 12}{x-2} & (x \neq 2) \\ b & (x = 2) \end{cases}$$

가 실수 전체의 집합에서 연속일 때, $a+b$의 값을 구하시오.

(단, a와 b는 상수이다.)

006

유형 09

두 상수 a, b $(a \neq 1)$에 대하여 함수 $f(x)$가

$$f(x) = \begin{cases} x + a & (x \geq -1) \\ (x+1)(x+b) & (x < -1) \end{cases}$$

이다. 함수 $g(x) = f(x)f(x-2)$가 실수 전체의 집합에서 연속일 때, $g(0)$의 값은?

① $\dfrac{5}{2}$　　　　② 2　　　　③ $\dfrac{3}{2}$

④ 1　　　　⑤ $\dfrac{1}{2}$

I
함수의 극한과 연속

핵심유형

SET 01
SET 02
SET 03
SET 04
SET 05
SET 06
SET 07
SET 08

007

유형 02

함수 $f(x)$에 대하여 $\lim\limits_{x \to 1} \dfrac{f(x)}{x+1} = 12$일 때,

$\lim\limits_{x \to 1} \dfrac{(x^2-1)f(x)}{x^2+x-2}$ 의 값을 구하시오.

008

짝기출 006 유형 05

다항함수 $f(x)$가 다음 조건을 만족시킨다.

> (가) $\lim\limits_{x \to \infty} \dfrac{f(x) - x^3}{x^2} = 0$
>
> (나) $\lim\limits_{x \to 0} \dfrac{f(x)}{x} = -4$

$f(3)$의 값은?

① 11   ② 12   ③ 13

④ 14   ⑤ 15

009

찍기출 007 유형 06

1보다 큰 실수 t에 대하여 직선 $y = x$ 위의 점 $A(t, t)$를 지나고 x축, y축에 각각 평행한 직선이 곡선 $y = \sqrt{x}$와 만나는 점을 각각 B, C라 하자. $\displaystyle\lim_{t \to 1+} \frac{\overline{AC}}{\overline{AB}}$의 값은?

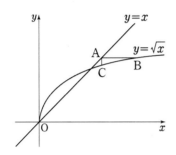

① $\dfrac{1}{6}$ ② $\dfrac{1}{5}$ ③ $\dfrac{1}{4}$

④ $\dfrac{1}{3}$ ⑤ $\dfrac{1}{2}$

010

찍기출 008 유형 11

닫힌구간 $[-2, 2]$에서 정의된 함수 $y = f(x)$의 그래프가 그림과 같을 때, ⟨보기⟩에서 옳은 것만을 있는 대로 고른 것은?

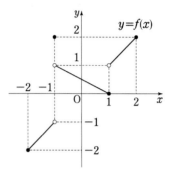

⟨보기⟩

ㄱ. $\displaystyle\lim_{x \to -1} |f(x)| = 1$

ㄴ. 함수 $f(x) - |f(x)|$는 $x = 1$에서 연속이다.

ㄷ. 함수 $f(x)\{f(x) - |f(x)|\}$가 불연속인 점의 개수는 1이다.

① ㄱ   ② ㄱ, ㄴ   ③ ㄱ, ㄷ

④ ㄴ, ㄷ   ⑤ ㄱ, ㄴ, ㄷ

I 함수의 극한과 연속

핵심유형
SET 01
SET 02
SET 03
SET 04
SET 05
SET 06
SET 07
SET 08

011

유형 01

함수 $y = f(x)$의 그래프가 그림과 같다.

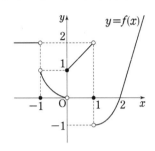

$\lim\limits_{x \to -1-} f(x+1) + \lim\limits_{x \to 0+} f(x-1)$의 값은?

① -1 ② 0 ③ 1

④ 2 ⑤ 3

012

짝기출 009 유형 04

자연수 n과 상수 a에 대하여 $\lim\limits_{x \to 1} \dfrac{x^n - a}{x^2 - 1} = 4$일 때, an의

값을 구하시오.

013

유형 03

함수 $f(x)$가 모든 양의 실수 x에 대하여 부등식

$$8x - 32 \leq f(x) \leq x^2 - 16$$

을 만족시킬 때, $\lim\limits_{x \to 4+} \dfrac{f(x)}{\sqrt{x} - 2}$의 값을 구하시오.

014

짝기출 010 유형 06

그림과 같이 함수 $y = |x^2 - t|$ $(t > 0)$의 그래프가 y축과 만나는 점을 A, x축과 만나는 두 점을 각각 B, C라 하자. 삼각형 ABC의 둘레의 길이를 $l(t)$, 넓이를 $S(t)$라 할 때, $\lim\limits_{t \to \infty} \dfrac{\sqrt{t} \times l(t)}{S(t)}$의 값을 구하시오.

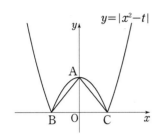

015

유형 11

두 자연수 a, b에 대하여 함수 $f(x)$를

$$f(x) = \begin{cases} x^2 + ax + b & (|x| \leq 3) \\ 2x & (|x| > 3) \end{cases}$$

라 하자. 함수 $f(x)$가 $x = k$에서만 불연속일 때, $a + b$의 최솟값은? (단, k는 실수이다.)

① 8   ② 9   ③ 10

④ 11   ⑤ 12

016

유형 05

최고차항의 계수가 양수인 삼차함수 $y = f(x)$의 그래프와 직선 $y = x + 2$가 만나는 세 점의 x좌표는 각각 -1, 0, 2이다. $\lim\limits_{x \to 2} \dfrac{x-2}{f(x)-x-2} = \dfrac{1}{2}$ 일 때, $f(3)$의 값을 구하시오.

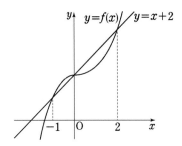

017

짝기출 011 유형 09

함수

$$f(x) = \begin{cases} 2x - 3 & (x \leq 2) \\ \dfrac{a\sqrt{x+2}+b}{x-2} & (x > 2) \end{cases}$$

가 실수 전체의 집합에서 연속일 때, $a + b$의 값은? (단, a와 b는 상수이다.)

① -4 ② -3 ③ -2

④ -1 ⑤ 0

018

짝기출 012 유형 02

함수 $f(x)$가 $\lim\limits_{x \to -1} (x-1)f(x+1) = 3$을 만족시킬 때, $\lim\limits_{x \to 0} \dfrac{\{f(x)\}^2}{x^2+1}$의 값은?

① $\dfrac{9}{8}$ ② $\dfrac{9}{4}$ ③ $\dfrac{9}{2}$

④ 9 ⑤ 18

019

유형 07

함수 $y = f(x)$의 그래프가 다음 그림과 같다.

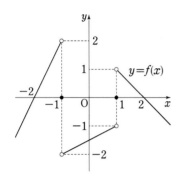

함수 $g(x) = f(x) + k\,f(x+2)$가 $x = -1$에서 연속일 때, 상수 k의 값은?

① -2 ② -1 ③ 0

④ 1 ⑤ 2

020

유형 08

실수 m에 대하여 직선 $y = m(x+2)$가 함수

$$f(x) = \begin{cases} x^2 + x + 2 & (x \geq -1) \\ 2x & (x < -1) \end{cases}$$

의 그래프와 만나는 점의 개수를 $g(m)$이라 하자. 함수 $h(x) = (x^2 + ax + b)g(x)$가 실수 전체의 집합에서 연속이 되도록 하는 상수 a, b에 대하여 $a - b$의 값은?

① 1 ② 2 ③ 3

④ 4 ⑤ 5

I 함수의 극한과 연속

핵심유형
SET 01
SET 02
SET 03
SET 04
SET 05
SET 06
SET 07
SET 08

021

유형 01

함수 $y = f(x)$의 그래프가 그림과 같다.

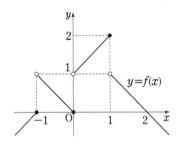

$\displaystyle\lim_{x \to 0+} f(x) + \lim_{x \to -1+} f(-x)$의 값은?

① -1 ② 0 ③ 1

④ 2 ⑤ 3

022

찍기출 013 유형 04

두 상수 a, b에 대하여 $\displaystyle\lim_{x \to 2} \frac{\sqrt{x^2 + ax + b} - x}{x - 2} = 2$일 때,

$a + b$의 값은?

① -8 ② -7 ③ -6

④ -5 ⑤ -4

023

찍기출 014 유형 09

상수 k에 대하여 실수 전체의 집합에서 연속인 함수 $f(x)$가

$$(x - 2)f(x) = x^3 + x + k$$

를 만족시킬 때, $f(2)$의 값을 구하시오.

024

유형 03

공역이 양의 실수 전체의 집합인 함수 $f(x)$가 모든 실수 x에 대하여

$$x^2 - x + 1 \le \{f(x)\}^2 \le x^2 - x + 3$$

을 만족시킬 때, $\lim_{x\to\infty}\{x - f(x)\}$의 값은?

① $\dfrac{1}{4}$ ② $\dfrac{1}{2}$ ③ $\dfrac{3}{4}$

④ 1 ⑤ $\dfrac{5}{4}$

025

짝기출 015 유형 02

함수 $f(x)$에 대하여

$$\lim_{x\to 1}\frac{f(x)-2}{x-1} = \frac{4}{3}$$

일 때, $\lim_{x\to 1}\dfrac{xf(x)-f(x)}{\{f(x)\}^2-4} = \dfrac{q}{p}$ 이다. $p+q$의 값을 구하시오. (단, p와 q는 서로소인 자연수이다.)

026

짝기출 016 유형 09

함수

$$f(x) = \begin{cases} x+1 & (x < a) \\ x^2-1 & (x \ge a) \end{cases}$$

에 대하여 함수 $|f(x)|$가 실수 전체의 집합에서 연속이 되도록 하는 실수 a의 값의 개수를 구하시오.

I 함수의 극한과 연속

핵심유형
SET 01
SET 02
SET 03
SET 04
SET 05
SET 06
SET 07
SET 08

027

짝기출 017 | 018 유형 05

다항함수 $f(x)$가 다음 조건을 만족시킬 때, $f(-1)$의 값을 구하시오.

(가) $\lim\limits_{x \to \infty} \dfrac{f(x) - 2x^3}{3x^2 + 1} = 2$

(나) $\lim\limits_{x \to 1} \dfrac{x^2 + x - 2}{f(x)} = \dfrac{1}{5}$

028

짝기출 019 유형 07

함수

$$f(x) = \begin{cases} x & (x < 0) \\ x^2 - 4x + 3 & (0 \le x \le 2) \\ x - 2 & (x > 2) \end{cases}$$

에 대하여 함수 $f(x)f(x-a)$가 $x = a$에서 연속이 되도록 하는 상수 a의 값은?

① -2 ② -1 ③ 0

④ 1 ⑤ 2

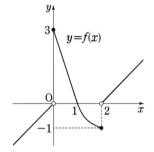

029

빡기출 020 유형 09

두 함수

$$f(x) = \begin{cases} x + a & (x < 0) \\ 2 & (x \geq 0) \end{cases},$$

$$g(x) = \begin{cases} -3 & (x < b) \\ x^2 - 5x + 3 & (x \geq b) \end{cases}$$

에 대하여 함수 $f(x)g(x)$가 실수 전체의 집합에서 연속이 되도록 하는 모든 순서쌍 (a, b)의 개수는? (단, $b > 0$)

① 1　　　　　② 2　　　　　③ 3

④ 4　　　　　⑤ 5

030

유형 06

그림과 같이 두 함수 $y = \sqrt{x+1} - 1$, $y = -\dfrac{x}{x+1}$의 그래프가 직선 $x = t$ $(t > 0)$와 만나는 점을 각각 P, Q라 하고, 직선 $x = t$가 x축과 만나는 점을 R라 하자. 원점 O에 대하여 두 삼각형 ORP, OQR의 넓이를 각각 $A(t)$, $B(t)$라 할 때, $\displaystyle\lim_{t \to 0+} \dfrac{A(t)}{B(t)}$의 값은?

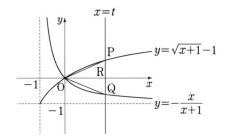

① $\dfrac{1}{4}$　　　　　② $\dfrac{1}{2}$　　　　　③ 1

④ 2　　　　　⑤ 4

I 함수의 극한과 연속

핵심유형
SET 01
SET 02
SET 03
SET 04
SET 05
SET 06
SET 07
SET 08

031

유형 01

닫힌구간 $[-2, 2]$에서 정의된 함수 $y = f(x)$의 그래프는 그림과 같다.

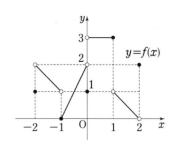

$\lim\limits_{x \to a+} f(x) = 1$, $\lim\limits_{x \to b-} f(x-1) = 2$를 만족시키는 두 정수 a, b에 대하여 $a - b$의 값은?

(단, $-2 \le a \le 2$, $-2 \le b \le 2$)

① -1 ② 0 ③ 1

④ 2 ⑤ 3

032

유형 05

최고차항의 계수가 1인 삼차함수 $f(x)$가 모든 실수 x에 대하여 $f(-x) = -f(x)$를 만족시킨다. $f(2) = -10$일 때, $\lim\limits_{x \to -3} \dfrac{f(x)}{x+3}$의 값은?

① 16 ② 18 ③ 20

④ 22 ⑤ 24

033

유형 04

양수 a에 대하여 $f(a)$를

$$f(a) = \lim_{x \to a} \frac{x^3 - ax^2 + x - a}{x^2 - a^2}$$

라 할 때, 함수 $f(a)$의 최솟값을 구하시오.

034

픽기출 021 유형 05

자연수 n에 대하여 다항함수 $f(x)$가

$$\lim_{x \to \infty} \frac{f(x)}{x^2} = 3, \ \lim_{x \to n} \frac{f(x)}{x-n} = 24$$

를 만족시킨다. $f(2n) = 195$일 때, $f(-n)$의 값은?

① 20   ② 30   ③ 40

④ 50   ⑤ 60

035

유형 02

두 함수 $f(x)$, $g(x)$가 다음 조건을 만족시킬 때,

$\displaystyle\lim_{x \to \infty} \frac{f(x) - 2g(x)}{4x^2 + g(x)}$의 값은?

(가) $\displaystyle\lim_{x \to \infty} \frac{f(x)}{x^2} = \infty$

(나) $\displaystyle\lim_{x \to \infty} \{3f(x) - g(x)\} = 4$

---

① $-\dfrac{5}{3}$ ② -1 ③ $-\dfrac{1}{3}$

④ $\dfrac{1}{3}$ ⑤ 1

036

유형 10

실수 전체의 집합에서 정의된 함수 $y = f(x)$의 그래프는 그림과 같다. 함수 $g(x) = ax^3 + bx^2 + cx + 3$에 대하여 합성함수 $(g \circ f)(x)$가 $x = 1$에서 연속일 때, $g(-1) + g(2)$의 값을 구하시오. (단, a, b, c는 상수이다.)

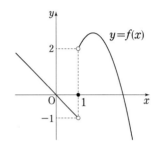

037

픽기출 022 · 유형 09

실수 전체의 집합에서 정의된 두 함수 $f(x)$와 $g(x)$에 대하여

$$f(x)g(x) = \begin{cases} -x^2 + x + 2 & (x < 1) \\ 3x^4 + 2x^2 - 1 & (x \geq 1) \end{cases}$$

이다. 함수 $f(x)$가 $x = 1$에서 연속이고

$\lim\limits_{x \to 1-} g(x) + \lim\limits_{x \to 1+} g(x) = 4$일 때, $f(1)$의 값은?

① $\dfrac{1}{2}$　　　② 1　　　③ $\dfrac{3}{2}$

④ 2　　　⑤ $\dfrac{5}{2}$

038

유형 09

두 자연수 a, b에 대하여 실수 전체의 집합에서 연속인 함수 $f(x)$가 다음 조건을 만족시킨다.

(가) $0 \leq x < 2$에서 $f(x) = ax^2 - 2bx + 4$이다.
(나) 모든 실수 x에 대하여 $f(x+2) = f(x)$이다.

$-4 \leq x \leq 4$일 때, 방정식 $f(x) = |x|$의 서로 다른 실근의 개수가 4 이하가 되도록 하는 $a + b$의 최댓값은?

① 2　　　② 4　　　③ 6

④ 8　　　⑤ 10

039

찍기출 023 유형 11

두 함수

$$f(x) = \begin{cases} 1-x & (x \le 2) \\ x^2 - x - 6 & (x > 2) \end{cases},$$

$$g(x) = (x+1)(x-1)(x-3)$$

에 대하여 함수 $\dfrac{g(x)}{f(x)}$ 가 불연속이 되는 모든 x의 값의 합을 구하시오.

040

찍기출 024 유형 08

함수

$$f(x) = \begin{cases} -x+a & (|x| < 1) \\ x^2 + x - 2 & (|x| \ge 1) \end{cases}$$

에 대하여 〈보기〉에서 옳은 것만을 있는 대로 고른 것은?

(단, a는 상수이다.)

---- 〈보기〉 ----

ㄱ. $\displaystyle\lim_{x \to -1-} f(x) = -2$

ㄴ. $a = 1$일 때, 함수 $\{f(x)\}^2$은 $x = -1$에서 연속이다.

ㄷ. 함수 $f(x)\{f(x)+2\}$가 실수 전체의 집합에서 연속이 되도록 하는 a의 값은 2개이다.

---

① ㄱ ② ㄷ ③ ㄱ, ㄴ

④ ㄴ, ㄷ ⑤ ㄱ, ㄴ, ㄷ

Ⅰ 함수의 극한과 연속

핵심유형

SET 01
SET 02
SET 03
SET 04
SET 05
SET 06
SET 07
SET 08

041

유형 01

함수 $y = f(x)$의 그래프가 그림과 같다.

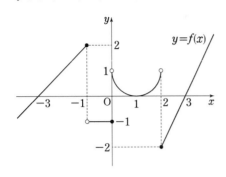

$\lim_{x \to -1+} |f(x)| + \lim_{x \to 0} |f(x)| + |f(2)|$의 값은?

① 1   ② 2   ③ 3

④ 4   ⑤ 5

042

유형 03

양수 a와 실수 b에 대하여

$$\lim_{x \to \infty} (\sqrt{ax^2 + 6x} - bx) = \frac{1}{2}$$

일 때, $a + b$의 값을 구하시오.

043

유형 02

함수 $f(x)$가

$$\lim_{x \to 0} \frac{f(x)}{x} = 6, \ \lim_{x \to 2} \frac{f(x)}{x - 2} = 4$$

를 만족시킬 때, $\lim_{x \to 0} \dfrac{f(x)}{f(x + 2)} = a$라 하자. $20a$의 값을 구하시오.

044

짝기출 025 유형 05

다항함수 $f(x)$가 다음 조건을 만족시킨다.

(가) $\lim\limits_{x \to \infty} \dfrac{f(x)}{x^2 + x} = 1$

(나) $\lim\limits_{x \to 2} \dfrac{f(x) + x - 2}{f(x) - x + 2} = \dfrac{4}{3}$

$\lim\limits_{x \to \infty} f\left(\dfrac{1}{x}\right)$의 값은?

① -12 ② -10 ③ -8

④ -6 ⑤ -4

045

유형 06

양수 t에 대하여 두 점 $A(0, 3)$, $B(4, 0)$과 곡선 $y = \dfrac{1}{2}x^3 + ax \ (a > 0)$ 위의 점 $P\left(t, \dfrac{1}{2}t^3 + at\right)$가 있다. 삼각형 AOP의 넓이를 S_1, 삼각형 BOP의 넓이를 S_2라 할 때, $\displaystyle\lim_{t \to 0+} \dfrac{S_2}{S_1} = 4$이다. a의 값은? (단, O는 원점이다.)

① $\dfrac{8}{3}$ ② 3 ③ $\dfrac{10}{3}$

④ $\dfrac{11}{3}$ ⑤ 4

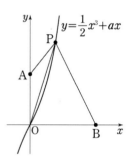

046

짝기출 026   유형 09

함수

$$f(x) = \begin{cases} ax & (x < 1) \\ 2x - a^2 & (x \geq 1) \end{cases}$$

이 $x = 1$에서 불연속이고, 함수 $\{f(x)\}^2$이 $x = 1$에서 연속이 되도록 하는 모든 상수 a의 값의 합은?

① -2 ② -1 ③ 0

④ 1 ⑤ 2

I 함수의 극한과 연속

핵심유형

SET 01
SET 02
SET 03
SET 04
SET 05
SET 06
SET 07
SET 08

047

함수

$$f(x) = \begin{cases} 2x + a & (x > 1) \\ bx(x-3) & (-1 < x \le 1) \\ x + 5 & (x \le -1) \end{cases}$$

에 대하여 함수 $g(x) = \dfrac{f(x) + |f(x)|}{2}$ 가 실수 전체의

집합에서 연속일 때, $a + b$의 최댓값은?

(단, a, b는 상수이다.)

① -5 ② -4 ③ -3

④ -2 ⑤ -1

048

최고차항의 계수가 1인 이차함수 $f(x)$에 대하여

$$\lim_{x \to -1} \frac{f(x-1)f(x+1)}{(x-1)(x+1)^2} = 2$$

일 때, $f(4)$의 값은?

① 21 ② 22 ③ 23

④ 24 ⑤ 25

049

찍기출 028 유형 09

0이 아닌 상수 a와 다항함수 $f(x)$에 대하여 실수 전체의 집합에서 연속인 함수

$$g(x) = \begin{cases} ax\left(x + \dfrac{3}{2}\right) & (x < a) \\ f(x) & (x \geq a) \end{cases}$$

는 $\displaystyle\lim_{x \to \infty} \dfrac{g(x)}{x^3} = 1$, $\displaystyle\lim_{x \to -2} \dfrac{g(x)}{x + 2} = 6$을 만족시킨다.

$g(-1) = 2$일 때, a^2의 값을 구하시오.

050

유형 07

정의역이 $\{x \mid -3 \leq x \leq 3\}$인 함수 $y = f(x)$의 그래프는 그림과 같다.

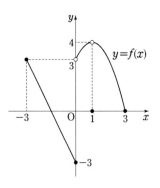

최고차항의 계수가 1인 이차함수 $g(x)$에 대하여 함수 $f(x)\{f(x) - g(x)\}$가 $-3 \leq x \leq 3$에서 연속일 때, $g(5)$의 값은?

① 30   ② 35   ③ 40

④ 45   ⑤ 50

I
함수의 극한과 연속

핵심유형
SET 01
SET 02
SET 03
SET 04
SET 05
SET 06
SET 07
SET 08

051

유형 01

함수 $y = f(x)$의 그래프가 그림과 같다.

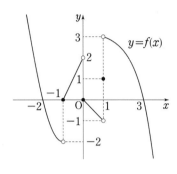

부등식 $\displaystyle\lim_{x \to a-} f(x) < \lim_{x \to a+} f(x)$를 만족시키는 상수 a의

값의 개수를 구하시오.

052

짝기출 029 유형 02

$x \neq 1$인 모든 실수 x에서 정의된 두 함수 $f(x)$, $g(x)$에 대하여

$$\lim_{x \to 1}\{f(x) + 2g(x)\} = 3, \ \lim_{x \to 1} g(x) = \infty$$

가 성립할 때, $\displaystyle\lim_{x \to 1} \dfrac{2f(x) - g(x)}{f(x) + 3g(x)}$ 의 값은?

① -5 ② -4 ③ -3

④ -2 ⑤ -1

053

짝기출 030 유형 05

삼차함수 $f(x)$가

$$\lim_{x \to -1} \frac{f(x)}{x + 1} = \lim_{x \to 2} \frac{f(x + 1)}{x - 2} = 8$$

을 만족시킬 때, $f(4)$의 값은?

① 11   ② 13   ③ 15

④ 17   ⑤ 19

054

짝기출 031 유형 09

최고차항의 계수가 1인 이차함수 $f(x)$와 함수

$$g(x) = \begin{cases} x - 1 & (x \neq 1) \\ 1 & (x = 1) \end{cases}$$

에 대하여 함수 $\dfrac{f(x)}{g(x)}$가 실수 전체의 집합에서 연속이다.

$f(5)$의 값을 구하시오.

055

짝기출 032 유형 09

함수 $f(x) = (x-2)^2$에 대하여 함수

$$g(x) = \begin{cases} a - f(x) & (f(x) \le x) \\ bf(5-x) + 1 & (f(x) > x) \end{cases}$$

$(a, b$는 상수$)$

가 실수 전체의 집합에서 연속일 때, $a+b$의 값은?

① 6   ② 7   ③ 8
④ 9   ⑤ 10

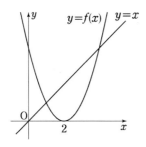

056

짝기출 033 유형 01

실수 전체의 집합에서 정의된 함수 $y = f(x)$의 그래프가 구간 $(-\infty, 0]$에서 그림과 같고, 모든 실수 x에 대하여 $f(x) = f(-x)$이다. $\lim\limits_{x \to 1} f(x) + \lim\limits_{x \to 2-} f(x)$의 값은?

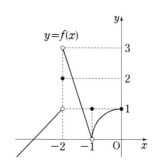

① 1   ② 2   ③ 3
④ 4   ⑤ 5

057

유형 06

그림과 같이 함수 $y = \dfrac{2}{x}\,(x > 0)$의 그래프 위를 움직이는

점 $\mathrm{A}\left(t, \dfrac{2}{t}\right)$에 대하여 선분 OA의 중점 M을 지나고

기울기가 -2인 직선을 l이라 하자. 직선 l이 x축, y축과

만나는 점을 각각 P, Q라 할 때, $\displaystyle\lim_{t\to\infty}\dfrac{t\times\overline{\mathrm{OQ}}-\overline{\mathrm{OP}}}{\overline{\mathrm{OP}}\times\overline{\mathrm{OQ}}}$의

값은? (단, O는 원점이다.)

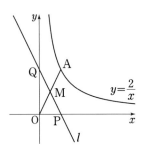

① $\dfrac{1}{4}$ ② $\dfrac{1}{2}$ ③ 1

④ 2 ⑤ 4

058

유형 09

실수 전체의 집합에서 연속인 함수 $f(x)$가 모든 실수 x에
대하여

$$(x+a)f(x) = (x-1)|x+a|$$

를 만족시킬 때, $f(a)$의 값은? (단, a는 상수이다.)

① -2 ② -1 ③ 0

④ 1 ⑤ 2

059

짝기출 034 · 유형 02

사차함수 $f(x)$에 대하여 $f(0) = 0$이고 극한값

$$\lim_{x \to n} \frac{f(x)}{f(x-1)} \ (n = 1, 2, 3)$$

이 모두 존재할 때, $\displaystyle\lim_{x \to 0} \frac{f(-x)}{f(x+2)}$ 의 값은?

① -1 ② -2 ③ -3

④ -4 ⑤ -5

060

짝기출 035 · 유형 05

다항함수 $f(x)$가 다음 조건을 만족시킨다.

(가) $\displaystyle\lim_{x \to 0+} \frac{x^2 + ax}{x^2 f\left(\dfrac{1}{x}\right) - 1} = \frac{1}{4}$ ($a \neq 0$인 상수)

(나) $\displaystyle\lim_{x \to 1} \frac{f(x)}{x-1} = 10$

$f(a)$의 값은?

① 8   ② 9   ③ 10

④ 11   ⑤ 12

I 함수의 극한과 연속

핵심유형
SET 01
SET 02
SET 03
SET 04
SET 05
SET 06
SET 07
SET 08

061

^{짝기출 036} 유형 09

함수

$$f(x) = \begin{cases} x+1 & (x \le a) \\ x^2-1 & (x > a) \end{cases}$$

에 대하여 함수 $g(x) = (x+2)f(x)$가 $x = a$에서 연속이 되도록 하는 모든 실수 a의 값의 합은?

① -2 ② -1 ③ 0

④ 1 ⑤ 2

062

^{짝기출 037} 유형 09

다항함수 $f(x)$에 대하여 함수

$$g(x) = \begin{cases} \dfrac{f(x)-x^2}{x-1} & (x \ne 1) \\ 6 & (x = 1) \end{cases}$$

이 실수 전체의 집합에서 연속이고, $\displaystyle\lim_{x \to \infty} \dfrac{g(x)}{x} = 2$이다.

$f(3)$의 값을 구하시오.

063

유형 09

실수 전체의 집합에서 연속인 함수 $f(x)$가

$$x^2 f(x) = \sqrt{x^2 + ax + 9} - bx - 3$$

을 만족시킨다. $f(0) = -4$일 때, 양수 a, b에 대하여 $a+b$의 값은?

① 31 ② 32 ③ 33

④ 34 ⑤ 35

064

픽기출 038 유형 05

일차함수 $f(x)$와 다항함수 $g(x)$가 다음 조건을 만족시킬 때, $h(x)=f(x)+g(x)$라 하자. $h(-1)$의 최댓값은?

(가) $f(0) \neq 0$, $f(1)=2$

(나) $\displaystyle\lim_{x \to \infty} \frac{g(x)}{x^2 f(x)} = 1$, $\displaystyle\lim_{x \to 0} \frac{f(x)g(x)}{x^3} = -3$

① -7 ② -4 ③ -1

④ 2 ⑤ 5

065

유형 10

다항함수 $f(x)$가 다음 조건을 만족시킬 때, $f(5)$의 값을 구하시오.

(가) $\displaystyle\lim_{x \to \infty} \frac{(f \circ f)(x)}{\{f(x)\}^2} = 2$

(나) $\displaystyle\lim_{x \to 1} \frac{f(x)}{x^2-1} = 3$

066

유형 10

두 함수

$$f(x) = \begin{cases} -x + a & (x \geq 0) \\ 2x - 5 & (x < 0) \end{cases},$$

$$g(x) = x^2 + 4x$$

에 대하여 함수 $(g \circ f)(x)$가 실수 전체의 집합에서 연속이 되도록 하는 상수 a의 최댓값은?

① 1 ② 2 ③ 3

④ 4 ⑤ 5

I 함수의 극한과 연속

핵심유형
SET 01
SET 02
SET 03
SET 04
SET 05
SET 06
SET 07
SET 08

067

유형 02

두 다항함수 $f(x)$, $g(x)$는 모든 실수 x에 대하여

$$f(-x)=-f(x),\ g(-x)=g(x)$$

를 만족시킨다. $\displaystyle\lim_{x\to 3}\frac{f(x)}{g(x)}=\frac{1}{2}$ 일 때, $\displaystyle\lim_{x\to -3}\frac{x^3 g(x)}{f(x)}$ 의

값을 구하시오.

068

유형 06

그림과 같이 양의 실수 t에 대하여 곡선 $y=3\sqrt{x}$ 위의 한 점 $\mathrm{P}(t,\ 3\sqrt{t})$에서 x축에 내린 수선의 발을 H라 하고 선분 PH를 $2:1$로 내분하는 점을 Q라 하자. 점 Q를 지나고 x축에 평행한 직선이 곡선 $y=3\sqrt{x}$ 와 만나는 점을 R라 할 때, $\displaystyle\lim_{t\to\infty}(\overline{\mathrm{PR}}-\overline{\mathrm{QR}})$의 값은?

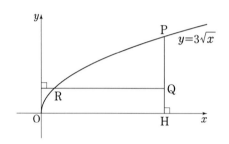

① $\dfrac{3}{2}$ 　　② $\dfrac{7}{4}$ 　　③ 2

④ $\dfrac{9}{4}$ 　　⑤ $\dfrac{5}{2}$

069

짝기출 039 유형 08

두 함수

$$f(x) = x^2 - 1, \; g(x) = \begin{cases} x+1 & (x \le 1) \\ x-1 & (x > 1) \end{cases}$$

에 대하여 〈보기〉에서 옳은 것만을 있는 대로 고른 것은?

─── 〈보기〉 ───

ㄱ. $\displaystyle\lim_{x \to -1} \dfrac{f(x)}{g(x)} = -2$

ㄴ. 함수 $\dfrac{f(x)}{g(x)}$ 가 불연속인 점은 2개이다.

ㄷ. 함수 $\dfrac{(x-1)f(x)}{g(x^2)}$ 는 실수 전체의 집합에서
연속이다.

① ㄱ   ② ㄴ   ③ ㄱ, ㄴ

④ ㄱ, ㄷ   ⑤ ㄱ, ㄴ, ㄷ

070

짝기출 040 유형 11

실수 t에 대하여 직선 $y = t$가 곡선 $y = |x^2 + 4x|$와 만나는 점의 개수를 $f(t)$라 하자. 최고차항의 계수가 1인 이차함수 $g(t)$에 대하여 함수 $f(t)g(t)$가 $t = 0$에서만 불연속이고 $g(-2) = f(2)$일 때, $g(1)$의 값은?

① -9 ② -7 ③ -5

④ -3 ⑤ -1

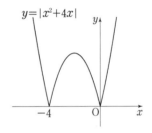

I 함수의 극한과 연속

핵심유형

SET 01
SET 02
SET 03
SET 04
SET 05
SET 06
SET 07
SET 08

071

짝기출 041 유형 09

두 다항함수 $f(x)$, $g(x)$가 모든 실수 x에 대하여

$$(x-2)f(x) = g(x) + x^2 - 2x$$

를 만족시키고 $f(2) = 5$일 때, $\displaystyle\lim_{x \to 2} \frac{f(x)g(x)}{x-2}$ 의 값은?

① 10   ② 15   ③ 20

④ 25   ⑤ 30

072

짝기출 042 유형 07

함수

$$f(x) = \begin{cases} -x+1 & (x < 1) \\ x^2 - 4 & (x \geq 1) \end{cases}$$

의 그래프는 그림과 같다.

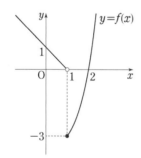

함수 $g(x) = f(x)\{|f(x)| + k\}$가 $x = 1$에서 연속이 되도록 하는 상수 k의 값은?

① -3 ② -1 ③ 1

④ 3   ⑤ 5

073

유형 01

실수 전체의 집합에서 정의된 함수 $y = f(x)$의 그래프가 $-1 \leq x < 2$일 때 그림과 같고, 모든 실수 x에 대하여 $f(x+3) = f(x) + 2$가 성립한다.

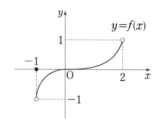

$\displaystyle\lim_{x \to 11} f(x)$의 값을 구하시오.

074

짝기출 043 유형 08

열린구간 $(0, 2)$에서 정의된 함수 $f(x)$가

$$f(x) = \begin{cases} \dfrac{1}{x^3} - 1 & (0 < x \le 1) \\ \dfrac{1}{(x-1)^2} - 1 & (1 < x < 2) \end{cases}$$

일 때, 함수 $y = f(x)g(x)$가 $x = 1$에서 연속이 되도록 하는 함수 $g(x)$를 〈보기〉에서 있는 대로 고른 것은?

─────── 〈보기〉 ───────

ㄱ. $g(x) = (x-1)^2 \ (0 < x < 2)$

ㄴ. $g(x) = (x-1)^3 \ (0 < x < 2)$

ㄷ. $g(x) = \begin{cases} \dfrac{1}{3(1-x)} & (0 < x < 1) \\ (x-1)^2 & (1 \le x < 2) \end{cases}$

① ㄱ   ② ㄴ   ③ ㄱ, ㄷ

④ ㄴ, ㄷ   ⑤ ㄱ, ㄴ, ㄷ

075

유형 02

10 이하의 자연수 n에 대하여 $\displaystyle\lim_{x \to 6} \frac{|x-n| - n + 6}{x - 6}$ 의 값이 존재하도록 하는 모든 자연수 n의 값의 합을 구하시오.

076

짝기출 044 유형 05

일차함수 $f(x)$와 이차함수 $g(x)$가 모든 실수 x에 대하여

$$f(x) + g(x) = x^2 + 5x - 6$$

을 만족시키고, $\displaystyle\lim_{x \to 1} \frac{f(x) - g(x)}{x - 1} = 1$ 일 때, $f(2) + g(3)$의 값을 구하시오.

Ⅰ

함수의 극한과 연속

핵심유형

SET 01

SET 02

SET 03

SET 04

SET 05

SET 06

SET 07

SET 08

077

유형 05

상수항과 계수가 모두 자연수인 두 다항함수 $f(x)$, $g(x)$가
다음 조건을 만족시킨다.

(가) $\lim\limits_{x \to \infty} \dfrac{f(x)+g(x)}{x^2} = 3$

(나) $\lim\limits_{x \to -1} \dfrac{f(x)g(x)}{(x+1)^3} = 6$

$f(1)+g(1)$의 최댓값과 최솟값의 합은?

① 40   ② 42   ③ 44

④ 46   ⑤ 48

078

작기출 045   유형 06

그림과 같이 좌표평면 위에 원 $x^2 + y^2 = 1$과 기울기가
$m\,(m > 0)$이고 점 $A(0, 1)$을 지나는 직선 l이 있다.
직선 l이 원 $x^2 + y^2 = 1$과 만나는 점 중 A가 아닌 점을 P,
x축과 만나는 점을 Q라 하자. $\lim\limits_{m \to 0+} (\overline{AP} \times \overline{PQ})$의 값은?

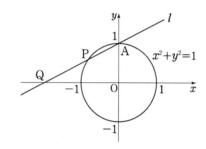

① $\dfrac{1}{2}$ ② $\dfrac{\sqrt{2}}{2}$ ③ 1

④ $\sqrt{2}$ ⑤ 2

079

실수 전체의 집합에서 연속인 함수 $f(x)$가 모든 실수 x에 대하여 다음 조건을 만족시킬 때, 모든 $f(1)$의 값의 곱은?

(가) $|f(x)|^3 - |x|\{f(x)\}^2 - 4|f(x)| + 4|x| = 0$
(나) 함수 $f(x)$의 최댓값은 2, 최솟값은 -2이다.

---

① -4 ② -2 ③ -1

④ 1 ⑤ 2

080

실수 t에 대하여 직선 $y = t$와 곡선 $y = \left| \dfrac{5x}{x-1} \right| - 2$가 만나는 점의 개수를 $f(t)$라 하자. 함수 $f(x)$와 최고차항의 계수가 1인 이차함수 $g(x)$에 대하여 함수 $f(x)g(x)$가 실수 전체의 집합에서 연속일 때, $g(5)$의 값은?

① 10 ② 11 ③ 12

④ 13 ⑤ 14

Ⅱ

미분

1 미분계수와 도함수

미분계수

1. 평균변화율

- 함수 $y = f(x)$에서 x의 값이 a에서 b까지 변할 때 평균변화율은

$$\frac{f(b) - f(a)}{b - a}$$

- 기하적 의미 : 곡선 $y = f(x)$ 위의 두 점 $(a, f(a))$, $(b, f(b))$를 지나는 직선의 기울기

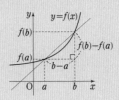

2. 미분계수(순간변화율)

- 함수 $y = f(x)$의 $x = a$에서의 순간변화율 또는 미분계수는

$$f'(a) = \lim_{x \to a} \frac{f(x) - f(a)}{x - a}$$

$$= \lim_{h \to 0} \frac{f(a + h) - f(a)}{h}$$

- 기하적 의미 : 곡선 $y = f(x)$ 위의 점 $\underset{\text{접점}}{(a, f(a))}$에서의 접선 l의 기울기

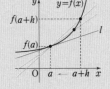

유형 01 미분계수의 뜻

대표기출12 _ 2012학년도 6월 평가원 나형 11번

다항함수 $f(x)$에 대하여 $\lim\limits_{x \to 1} \dfrac{f(x) - 2}{x^2 - 1} = 3$일 때, $\dfrac{f'(1)}{f(1)}$의 값은?

[3점]

① 3　　　　② $\dfrac{7}{2}$　　　　③ 4

④ $\dfrac{9}{2}$　　　　⑤ 5

| 풀이 | $\lim\limits_{x \to 1} \dfrac{f(x) - 2}{x^2 - 1} = 3$에서 극한값이 존재하고
(분모)$\to 0$이므로 (분자)$\to 0$이다.
따라서 $\lim\limits_{x \to 1} \{f(x) - 2\} = 0$에서 $f(1) = 2$이다.

$$\lim_{x \to 1} \frac{f(x) - 2}{x^2 - 1} = \lim_{x \to 1} \frac{f(x) - f(1)}{(x - 1)(x + 1)}$$

$$= \lim_{x \to 1} \left\{ \frac{f(x) - f(1)}{x - 1} \times \frac{1}{x + 1} \right\}$$

$$= f'(1) \times \frac{1}{2} = 3$$

즉, $f'(1) = 6$이므로

$$\frac{f'(1)}{f(1)} = \frac{6}{2} = 3$$

답 ①

미분가능성과 연속성

1. 미분가능성과 연속성

- **미분가능성**

  ❶ 함수 $f(x)$의 $x=a$에서의 미분계수 $f'(a)$가 존재할 때, $\displaystyle\lim_{x \to a}\frac{f(x)-f(a)}{x-a}$ 의 값이 존재하는 경우

  함수 $f(x)$는 $x=a$에서 미분가능하다.

  ❷ 함수 $y=f(x)$가 어떤 열린구간에 속하는 모든 x에서 미분가능하면

  함수 $y=f(x)$는 그 구간에서 미분가능하다.

- **미분가능성과 연속성의 관계**

  함수 $f(x)$가 $x=a$에서 미분가능하면 $f(x)$는 $x=a$에서 연속이다.

  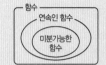

  [주의] 역은 성립하지 않는다.

  　즉, 함수 $f(x)$가 $x=a$에서 연속이라고 해서 반드시 함수 $f(x)$가 미분가능한 것은 아니다.

  　(반례) 함수 $f(x)=|x|$는 $x=0$에서 연속이지만 미분가능하지 않다.

핵심유형

SET **09**

SET **10**

SET **11**

SET **12**

SET **13**

SET **14**

SET **15**

SET **16**

도함수

1. 도함수

- **함수 $y=f(x)$의 도함수**

  함수 $y=f(x)$가 정의역에 속하는 모든 x에서 미분가능할 때,

  정의역에 속하는 각 x에 미분계수 $f'(x)$를 대응시킨 새로운 함수

  $$f'(x)=\lim_{h \to 0}\frac{f(x+h)-f(x)}{h}$$ 　$f'(x)$의 다른 표현 : y', $\dfrac{dy}{dx}$, $\dfrac{d}{dx}f(x)$

2. 함수 $f(x)=x^n$ (n은 양의 정수)과 상수함수의 도함수

❶ $f(x)=x^n$ ($n \geq 2$인 정수)이면 $f'(x)=nx^{n-1}$

❷ $f(x)=x$이면 $f'(x)=1$

❸ $f(x)=c$ (c는 상수)이면 $f'(x)=0$

3. 함수의 실수배, 합, 차, 곱의 미분

함수 $f(x)$, $g(x)$가 미분가능할 때,

❶ $\{cf(x)\}'=cf'(x)$ (단, c는 상수)

❷ $\{f(x)+g(x)\}'=f'(x)+g'(x)$

❸ $\{f(x)-g(x)\}'=f'(x)-g'(x)$

❹ $\{f(x)g(x)\}'=f'(x)g(x)+f(x)g'(x)$ 　$\{f(x)g(x)h(x)\}'=f'(x)g(x)h(x)+f(x)g'(x)h(x)+f(x)g(x)h'(x)$

🔑 단축Key 조건을 만족하는 다항식 $f(x)$ 구하기

(1) 항등식의 성질 이용

다항식 $f(x)$의 미정계수는 x에 대한 항등식을 세워 다음 방법으로 구할 수 있다.

- 계수비교법 : 양변의 계수를 비교하여 미지의 계수를 구하는 방법

- 수치대입법 : x에 적당한 수를 대입하여 미지의 계수를 구하는 방법

한편, 'x에 대한 항등식'을 의미하는 표현은 다음과 같다.

- '모든 실수 x에 대하여', '임의의 실수 x에 대하여'

   예) 함수 $f(x) = ax + b$가 모든 실수 x에 대하여 $f(x) = 2x + 3f'(x)$를 만족시키는 경우
   항등식 $ax + b = 2x + 3a$에서
   계수비교법에 의하여 $a = 2$, $b = 3a = 6$이다.

(2) 인수정리 이용

다항식 $f(x)$에 대하여

$f(a) = 0$ (a는 상수)이면 $f(x)$는 $x - a$를 인수로 가지므로

$f(x) = (x - a)g(x)$이다. (단, $g(x)$는 다항식)

   예) 최고차항의 계수가 1인 이차함수 $f(x)$가 $f(2) = 0$을 만족시키는 경우
   $f(x) = (x - 2)(x - k)$ (k는 상수)이다.

유형 02 다항함수의 도함수

대표기출13 _ 2019학년도 6월 평가원 나형 17번

함수 $f(x) = ax^2 + b$가 모든 실수 x에 대하여

$$4f(x) = \{f'(x)\}^2 + x^2 + 4$$

를 만족시킨다. $f(2)$의 값은? (단, a, b는 상수이다.) [4점]

① 3　　　　② 4　　　　③ 5
④ 6　　　　⑤ 7

| 풀이 | $f(x) = ax^2 + b$, $f'(x) = 2ax$ 이므로
$4f(x) = \{f'(x)\}^2 + x^2 + 4$에 대입하면
$4ax^2 + 4b = (4a^2 + 1)x^2 + 4$
이는 x에 대한 항등식이므로
$4a = 4a^2 + 1$, $4b = 4$에서
$a = \dfrac{1}{2}$, $b = 1$이고 $f(x) = \dfrac{1}{2}x^2 + 1$ 이다.
$\therefore f(2) = 3$　　　　　　　　　　　　**답** ①

유형 03 도함수와 미분계수

대표기출14 _ 2016학년도 6월 평가원 A형 11번

함수 $f(x) = x^2 + 8x$에 대하여

$$\lim_{h \to 0} \frac{f(1 + 2h) - f(1)}{h}$$

의 값은? [3점]

① 16　　　　② 17　　　　③ 18
④ 19　　　　⑤ 20

| 풀이 | $f(x) = x^2 + 8x$에서 $f'(x) = 2x + 8$이므로
$\displaystyle\lim_{h \to 0} \frac{f(1 + 2h) - f(1)}{h} = \lim_{h \to 0}\left\{\frac{f(1 + 2h) - f(1)}{2h} \times 2\right\}$
$= 2f'(1)$
$= 2 \times 10 = 20$　　　　**답** ⑤

유형 04 곱의 미분법

대표기출15 _ 2024학년도 6월 평가원 5번

다항함수 $f(x)$에 대하여 함수 $g(x)$를

$$g(x) = (x^3 + 1)f(x)$$

라 하자. $f(1) = 2$, $f'(1) = 3$일 때, $g'(1)$의 값은? [3점]

① 12　　　　② 14　　　　③ 16
④ 18　　　　⑤ 20

| 풀이 | 곱의 미분법에 의하여
$g'(x) = 3x^2 f(x) + (x^3 + 1)f'(x)$
$\therefore g'(1) = 3f(1) + 2f'(1)$
$= 3 \times 2 + 2 \times 3 \ (\because f(1) = 2, f'(1) = 3)$
$= 12$　　　　**답** ①

🔑 단축Key 구간별로 정의된 함수의 미분가능성

함수 $f(x) = \begin{cases} g(x) & (x < a) \\ h(x) & (x \geq a) \end{cases}$ 의 $x = a$에서 미분가능성은 다음 순서로 확인한다.

(단, $g(x)$, $h(x)$는 $x = a$에서 미분가능한 함수이다.)

[1단계] $x = a$에서 연속인지 확인한다.

$$\lim_{x \to a-} g(x) = \lim_{x \to a+} h(x) = h(a)$$ 에서 $g(a) = h(a)$이어야 한다.

[2단계] $x = a$에서 미분계수가 존재하는지 확인한다.

$$\lim_{x \to a-} \frac{g(x) - g(a)}{x - a} = \lim_{x \to a+} \frac{h(x) - h(a)}{x - a}$$ 에서 $g'(a) = h'(a)$이어야 한다.

[3단계] [1단계], [2단계] 모두 만족해야 한다.

유형 05 미분가능한 함수의 미정계수 결정

대표기출16 _ 2021학년도 9월 평가원 나형 10번

함수

$$f(x) = \begin{cases} x^3 + ax + b & (x < 1) \\ bx + 4 & (x \geq 1) \end{cases}$$

이 실수 전체의 집합에서 미분가능할 때, $a + b$의 값은?

(단, a, b는 상수이다.) [3점]

① 6   ② 7   ③ 8
④ 9   ⑤ 10

| 풀이 | 함수 $f(x)$가 실수 전체의 집합에서 미분가능하려면
$x = 1$에서 미분가능해야 한다.
$g(x) = x^3 + ax + b$, $h(x) = bx + 4$라 하면
함수 $f(x)$가 $x = 1$에서 연속이어야 하므로
$g(1) = h(1)$이어야 한다.
$1 + a + b = b + 4$, 즉 $a = 3$이다.   ······㉠
또한 함수 $f(x)$가 $x = 1$에서 미분계수를 가져야 하므로
$g'(1) = h'(1)$이어야 한다.
$g'(x) = 3x^2 + a$, $h'(x) = b$에서
$3 + a = b$, 즉 $b = 6$이다. ($\because$ ㉠)
$\therefore a + b = 9$ 답 ④

2 도함수의 활용

접선의 방정식

1. 접선의 방정식

함수 $f(x)$가 $x = a$에서 미분가능할 때, 곡선 $y = f(x)$ 위의 점 $P(a, f(a))$에서의 접선의
방정식은

$$y - f(a) = f'(a)(x - a) \quad f'(a) : \text{접선의 기울기}$$

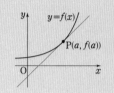

유형 06 접선의 방정식

대표기출17 _ 2024학년도 9월 평가원 10번

최고차항의 계수가 1인 삼차함수 $f(x)$에 대하여 곡선 $y = f(x)$
위의 점 $(-2, f(-2))$에서의 접선과 곡선 $y = f(x)$ 위의 점
$(2, 3)$에서의 접선이 점 $(1, 3)$에서 만날 때, $f(0)$의 값은? [4점]

① 31   ② 33   ③ 35

④ 37   ⑤ 39

| 풀이 | 곡선 $y = f(x)$ 위의 점 $(2, 3)$에서의 접선이 점 $(1, 3)$을 지나므로
이 접선의 기울기는 0이다.
즉, $f(2) = 3$, $f'(2) = 0$이므로
$f(x) = (x - 2)^2(x + k) + 3$ (단, k는 상수)
$f'(x) = 2(x - 2)(x + k) + (x - 2)^2$
이라 할 수 있다.
$f(-2) = 16(-2 + k) + 3 = 16k - 29$
$f'(-2) = -8(-2 + k) + 16 = 32 - 8k$
이므로 곡선 $y = f(x)$ 위의 점 $(-2, f(-2))$에서의 접선의 방정식은
$y = (32 - 8k)(x + 2) + 16k - 29$
이 직선이 점 $(1, 3)$을 지나므로
$3 = 3(32 - 8k) + 16k - 29$에서 $8k = 64$ ∴ $k = 8$
따라서 $f(x) = (x - 2)^2(x + 8) + 3$이므로
$f(0) = 32 + 3 = 35$

답 ③

유형 07 접선의 방정식의 활용

대표기출18 _ 2021학년도 9월 평가원 나형 18번

최고차항의 계수가 a인 이차함수 $f(x)$가 모든 실수 x에 대하여

$$|f'(x)| \leq 4x^2 + 5$$

를 만족시킨다. 함수 $y = f(x)$의 그래프의 대칭축이 직선 $x = 1$일
때, 실수 a의 최댓값은? [4점]

① $\dfrac{3}{2}$ ② 2   ③ $\dfrac{5}{2}$

④ 3   ⑤ $\dfrac{7}{2}$

| 풀이 | 이차함수 $f(x)$의 최고차항의 계수가 a이고,
함수 $y = f(x)$의 그래프의 대칭축이 직선 $x = 1$이므로
직선 $y = f'(x)$의 기울기는 $2a$이고 점 $(1, 0)$을 지난다.
          ⋯⋯㉠
한편 $g(x) = 4x^2 + 5$라 할 때 $|f'(x)| \leq g(x)$를
만족시키려면
함수 $y = |f'(x)|$의 그래프와 곡선 $y = g(x)$가 만나지
않거나 그림과 같이 한 점에서 접해야 한다.   ⋯⋯㉡
이때 접점의 x좌표를 t라 하자. (단, $t < 0$)
$g'(x) = 8x$이므로 곡선 $y = g(x)$ 위의 점 $(t, 4t^2 + 5)$에서의 접선의 방정식은
$y = 8t(x - t) + 4t^2 + 5$이다.
이 직선이 점 $(1, 0)$을 지나므로 $0 = 8t(1 - t) + 4t^2 + 5$에서
$4t^2 - 8t - 5 = 0$, $(2t + 1)(2t - 5) = 0$ ∴ $t = -\dfrac{1}{2}$ (∵ $t < 0$)
즉, 접선의 기울기는 $8 \times \left(-\dfrac{1}{2}\right) = -4$이므로
㉡을 만족시키려면 ㉠에 의하여
$-|2a| \geq -4$, 즉 $-2 \leq a \leq 2$이어야 한다.
따라서 구하는 실수 a의 최댓값은 2이다.

답 ②

평균값 정리

1. 롤의 정리

함수 $f(x)$가 닫힌구간 $[a, b]$에서 연속이고 열린구간 (a, b)에서 미분가능할 때,
$f(a) = f(b)$이면 $f'(c) = 0$인 c가 a와 b 사이에 적어도 하나 존재한다.

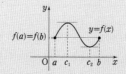

구간 (a, b)에서 기울기가 0인 접선이 있다.

2. 평균값 정리 $f(a) = f(b)$일 때 롤의 정리가 된다.

함수 $f(x)$가 닫힌구간 $[a, b]$에서 연속이고 열린구간 (a, b)에서 미분가능할 때,

$$\frac{f(b) - f(a)}{b - a} = f'(c)$$인 c가 a와 b 사이에 적어도 하나 존재한다.

x의 값이 a에서 b까지
변할 때의 평균변화율
$x = c$에서의
순간변화율

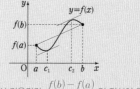

구간 (a, b)에서 기울기가 $\dfrac{f(b) - f(a)}{b - a}$인 접선이 있다.

SET 09 / SET 10 / SET 11 / SET 12 / SET 13 / SET 14 / SET 15 / SET 16

함수의 증가와 감소, 극대와 극소

1. 함수의 증가와 감소

	증가	감소
정의	함수 $f(x)$가 어떤 구간에 속하는 임의의 두 실수 x_1, x_2에서	
	$x_1 < x_2$일 때, $f(x_1) < f(x_2)$이면 $f(x)$는 이 구간에서 증가한다.	$x_1 < x_2$일 때, $f(x_1) > f(x_2)$이면 $f(x)$는 이 구간에서 감소한다.
$f'(x)$의 판정법	함수 $f(x)$가 어떤 열린구간에서 미분가능하고, 이 구간에 속하는 모든 x에서	
	$f'(x) > 0$이면 $f(x)$는 이 구간에서 증가한다.	$f'(x) < 0$이면 $f(x)$는 이 구간에서 감소한다.

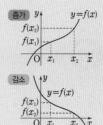

🔑 단축Key 함수 $f(x)$가 증가(또는 감소)할 때, $f'(x)$의 부호

함수 $f(x)$가 어떤 열린구간에서 미분가능하고, 이 구간에서

(1) 증가하면 $f'(x) \geq 0$이다.

(2) 감소하면 $f'(x) \leq 0$이다.

[주의] 역은 성립하지 않는다.
즉, 어떤 열린구간에서 $f'(x) \geq 0$ $(f'(x) \leq 0)$이라고 해서 함수 $f(x)$가
이 구간에서 증가(감소)하는 것은 아니다.
(반례) 함수 $f(x) = 1$은 실수 전체의 구간에서 $f'(x) = 0$이지만
이 구간에서 증가(감소)하지 않는다.

유형 08 함수의 증가와 감소

대표기출19 _ 2016학년도 6월 평가원 A형 27번

함수 $f(x) = \dfrac{1}{3}x^3 - 9x + 3$이 열린구간 $(-a, a)$에서 감소할 때,
양수 a의 최댓값을 구하시오. [4점]

| 풀이 | 열린구간 $(-a, a)$에서 함수 $f(x)$가 감소하려면 $f'(x) \leq 0$이어야 한다.

$f(x) = \dfrac{1}{3}x^3 - 9x + 3$에서 $f'(x) = x^2 - 9$이므로

$x^2 - 9 = (x + 3)(x - 3) \leq 0$

$\therefore -3 \leq x \leq 3$

따라서 구하는 양수 a의 최댓값은 3이다.   **답** 3

2. 함수의 극대와 극소

	극대	극소
정의	함수 $f(x)$가 $x=a$를 포함하는 어떤 열린구간에 속하는 모든 x에서 $f(x) \leq f(a)$이면 함수 $f(x)$는 $x=a$에서 극대, $f(a)$는 극댓값이라고 한다.	$f(x) \geq f(a)$이면 함수 $f(x)$는 $x=a$에서 극소, $f(a)$는 극솟값이라고 한다.
극값과 미분계수	미분가능한 함수 $f(x)$가 $x=a$에서 극값을 가지면 $f'(a)=0$이다. └ 극댓값, 극솟값	

(극댓값) ≤ (극솟값)일 수도 있다.

$f'(x)$의 판정법

x	$\cdots$	a	$\cdots$
$f'(x)$	$+$	0	$-$
$f(x)$	↗	극대	↘

x	$\cdots$	a	$\cdots$
$f'(x)$	$-$	0	$+$
$f(x)$	↘	극소	↗

⟨$x=a$에서 극값을 가져도 $f'(a) \neq 0$인 경우⟩

함수 $f(x)=|x|$는 $x=0$에서 극소이지만 $f'(0)$은 존재하지 않는다.

⟨$f'(a)=0$이어도 $x=a$에서 극값을 갖지 않는 경우⟩

함수 $f(x)=x^3$은 $f'(0)=0$이지만 $x=0$에서 극값을 갖지 않는다.

유형 09 함수의 극대와 극소

대표기출20 _ 2024학년도 9월 평가원 6번

함수 $f(x)=x^3+ax^2+bx+1$은 $x=-1$에서 극대이고, $x=3$에서 극소이다. 함수 $f(x)$의 극댓값은? (단, a, b는 상수이다.) [3점]

① 0   ② 3   ③ 6

④ 9   ⑤ 12

| 풀이 | $f(x)=x^3+ax^2+bx+1$에서

$f'(x)=3x^2+2ax+b$ ······㉠

이때 함수 $f(x)$가 $x=-1$에서 극대이고, $x=3$에서 극소이므로

$f'(-1)=f'(3)=0$

즉, $f'(x)=3(x+1)(x-3)=3x^2-6x-9$이므로 ㉠에서

$a=-3$, $b=-9$이다.

$\therefore f(x)=x^3-3x^2-9x+1$

따라서 함수 $f(x)$의 극댓값은

$f(-1)=-1-3+9+1=6$ 답 ③

함수의 그래프와 활용

1. 함수의 그래프

미분가능한 함수 $y = f(x)$의 그래프의 개형은 다음과 같은 순서로 그린다.

❶ 도함수 $f'(x)$를 구하여 $f'(x) = 0$인 x의 값을 구한다.

❷ $f'(x)$의 부호를 조사하여 함수 $f(x)$의 증가와 감소를 표로 나타낸다.

❸ 함수 $f(x)$의 극대와 극소를 조사한다.

❹ 함수 $y = f(x)$의 그래프와 x축, y축의 교점의 좌표를 구한 뒤 그래프의 개형을 그린다.

2. 함수의 최대와 최소

함수 $f(x)$가 닫힌구간 $[a, b]$에서 연속일 때, 이 구간의
'극댓값, 극솟값, $f(a)$, $f(b)$' 중에서 가장 큰 값이 최댓값, 가장 작은 값이 최솟값이다.

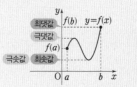

II 미분

핵심유형

SET 09
SET 10
SET 11
SET 12
SET 13
SET 14
SET 15
SET 16

🔑 단축Key **삼차·사차함수의 그래프 개형**

(1) 삼차함수 $y = f(x)$의 그래프 개형 (단, 최고차항의 계수는 양수)

(2) 사차함수 $y = f(x)$의 그래프 개형 (단, 최고차항의 계수는 양수)

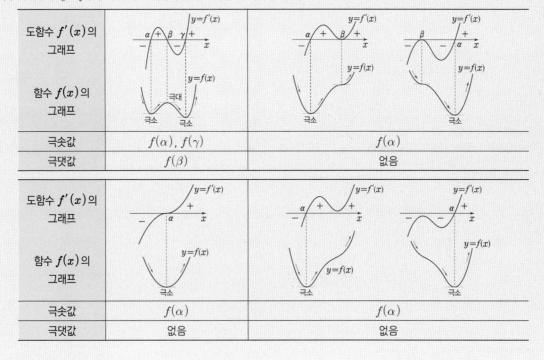

대표기출21 _ 2018학년도 6월 평가원 나형 10번

닫힌구간 $[-1, 3]$에서 함수 $f(x) = x^3 - 3x + 5$의 최솟값은? [3점]

① 1   ② 2   ③ 3

④ 4   ⑤ 5

| 풀이 | $f(x) = x^3 - 3x + 5$에서

$f'(x) = 3x^2 - 3 = 3(x+1)(x-1)$이므로

$x = -1$ 또는 $x = 1$일 때 $f'(x) = 0$이다.

닫힌구간 $[-1, 3]$에서 함수 $f(x)$의 증가와 감소를 표로 나타내면 다음과 같다.

x	-1	$\cdots$	1	$\cdots$	3
$f'(x)$		$-$	0	$+$	
$f(x)$	7	$\searrow$	3	$\nearrow$	23

따라서 닫힌구간 $[-1, 3]$에서 함수 $f(x)$는 $x = 1$일 때 최솟값 3을 갖는다. **답** ③

대표기출22 _ 2017학년도 6월 평가원 나형 28번

양수 a에 대하여 함수 $f(x) = x^3 + ax^2 - a^2x + 2$가 닫힌구간 $[-a, a]$에서 최댓값 M, 최솟값 $\dfrac{14}{27}$를 갖는다. $a + M$의 값을 구하시오. [4점]

| 풀이 | $f(x) = x^3 + ax^2 - a^2x + 2$에서

$f'(x) = 3x^2 + 2ax - a^2 = (x+a)(3x-a)$이므로

$x = -a$ 또는 $x = \dfrac{a}{3}$일 때 $f'(x) = 0$이다.

닫힌구간 $[-a, a]$에서 함수 $f(x)$의 증가와 감소를 표로 나타내면 다음과 같다.

x	$-a$	$\cdots$	$\dfrac{a}{3}$	$\cdots$	a
$f'(x)$		$-$	0	$+$	
$f(x)$	$a^3 + 2$	$\searrow$	$-\dfrac{5}{27}a^3 + 2$	$\nearrow$	$a^3 + 2$

따라서 닫힌구간 $[-a, a]$에서 함수 $f(x)$는 $x = \dfrac{a}{3}$일 때 최솟값 $\dfrac{14}{27}$,

$x = -a$, $x = a$일 때 최댓값 $a^3 + 2$를 갖는다.

따라서 $f\left(\dfrac{a}{3}\right) = -\dfrac{5}{27}a^3 + 2 = \dfrac{14}{27}$에서 $a^3 = 8$, 즉 $a = 2$이고

$M = a^3 + 2 = 2^3 + 2 = 10$이다.

$\therefore a + M = 2 + 10 = 12$ **답** 12

대표기출23 _ 2018학년도 9월 평가원 나형 29번

두 삼차함수 $f(x)$와 $g(x)$가 모든 실수 x에 대하여

$$f(x)g(x) = (x-1)^2(x-2)^2(x-3)^2$$

을 만족시킨다. $g(x)$의 최고차항의 계수가 3이고, $g(x)$가

$x = 2$에서 극댓값을 가질 때, $f'(0) = \dfrac{q}{p}$이다. $p + q$의 값을 구하시오. (단, p와 q는 서로소인 자연수이다.) [4점]

| 풀이 | 모든 실수 x에 대하여 $f(x)g(x) = (x-1)^2(x-2)^2(x-3)^2$을 만족시키므로

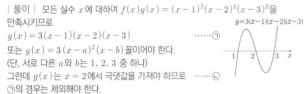

$g(x) = 3(x-1)(x-2)(x-3)$ ······ ㉠

또는 $g(x) = 3(x-a)^2(x-b)$ 꼴이어야 한다.

(단, 서로 다른 a와 b는 1, 2, 3 중 하나)

그런데 $g(x)$는 $x = 2$에서 극댓값을 가져야 하므로 ······ ㉡

㉠의 경우는 제외해야 한다.

따라서 함수 $y = g(x)$의 그래프의 개형으로 가능한 것은 다음 그림과 같다.

(i)   (ii)

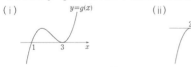

(i) $g(x) = 3(x-1)(x-3)^2$이므로

$\quad g'(x) = 3(x-3)(3x-5)$에서 $g'(2) \neq 0$이므로 ㉡을 만족시키지 않는다.

(ii) $g(x) = 3(x-2)^2(x-3)$이므로 ㉡을 만족시킨다.

(i), (ii)에 의하여 $g(x) = 3(x-2)^2(x-3)$이므로

$f(x) = \dfrac{1}{3}(x-1)^2(x-3)$이다.

따라서 $f'(x) = \dfrac{1}{3}(x-1)(3x-7)$이므로 $f'(0) = \dfrac{7}{3}$이다.

$\therefore p + q = 3 + 7 = 10$ **답** 10

대표기출24 _ 2010학년도 6월 평가원 가형 24번

사차함수 $f(x)$가 다음 조건을 만족시킬 때, $\dfrac{f'(5)}{f'(3)}$의 값을 구하시오. [4점]

> (가) 함수 $f(x)$는 $x = 2$에서 극값을 갖는다.
>
> (나) 함수 $|f(x) - f(1)|$은 오직 $x = a$ $(a > 2)$에서만 미분가능하지 않다.

| 풀이 | 조건 (나)에서 함수 $y = |f(x) - f(1)|$의 그래프는 사차함수 $y = f(x)$의 그래프에서 직선 $y = f(1)$의 아래쪽에 놓인 부분을 위쪽으로 접어올린 것과 같다.

조건 (가)에 의하여 $x = 2$에서 극값을 갖는 사차함수 $f(x)$이면서

함수 $|f(x) - f(1)|$이 오직 $x = a$ $(a > 2)$에서만 미분가능하지 않으려면

함수 $y = f(x)$의 그래프는 직선 $y = f(1)$과 $x = 1$에서 접하고,

$x = a$에서는 접하지 않으면서 만나야 한다.

그리고 $x = 1$ 또는 $x = a$가 아닌 점에서는 두 그래프가 서로 만나지 않아야 한다.

$f(x) - f(1) = k(x-1)^3(x-a)$라

하면 (단, $k > 0$)

$f'(x) = k(x-1)^2(4x - 3a - 1)$

이므로

$f'(2) = 0$에서 $k(7 - 3a) = 0$,

즉 $a = \dfrac{7}{3}$이고 $f'(x) = k(x-1)^2(4x - 8)$이다.

$\therefore \dfrac{f'(5)}{f'(3)} = \dfrac{k \times 4^2 \times 12}{k \times 2^2 \times 4} = 12$ **답** 12

방정식과 부등식에의 활용

1. 방정식에의 활용

방정식 문제는 다음과 같이 그래프로 생각하여 풀이한다.

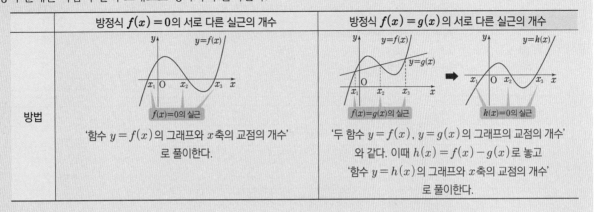

	방정식 $f(x)=0$의 서로 다른 실근의 개수	방정식 $f(x)=g(x)$의 서로 다른 실근의 개수
방법	'함수 $y=f(x)$의 그래프와 x축의 교점의 개수'로 풀이한다.	'두 함수 $y=f(x)$, $y=g(x)$의 그래프의 교점의 개수'와 같다. 이때 $h(x)=f(x)-g(x)$로 놓고 '함수 $y=h(x)$의 그래프와 x축의 교점의 개수'로 풀이한다.

2. 부등식에의 활용

부등식 문제는 다음과 같이 그래프로 생각하여 풀이한다.

	어떤 구간에서 부등식 $f(x) \geq 0$ 성립	어떤 구간에서 부등식 $f(x) \geq g(x)$ 성립
방법	그 구간에서 $(f(x)$의 최솟값$) \geq 0$임을 보인다.	$h(x)=f(x)-g(x)$로 놓고, 그 구간에서 $(h(x)$의 최솟값$) \geq 0$임을 보인다.

🔑 단축Key **삼차·사차방정식의 실근의 개수와 그래프의 관계**

(1) '삼차방정식 $f(x)=0$의 실근의 개수' ⟺ '곡선 $y=f(x)$와 x축의 교점의 개수'

	3개		2개	1개	
방정식 실근 개수	α, β, γ		α(중근), β	α (삼중근)	α, 허근 2개
	$f(x)$ $=a(x-\alpha)(x-\beta)(x-\gamma)$		$f(x)=a(x-\alpha)^2(x-\beta)$ $(f'(\alpha)=0)$	$f(x)=a(x-\alpha)^3$ $(f'(\alpha)=0)$	$f(x)=a(x-\alpha)i(x)$ (단, 이차방정식 $i(x)=0$의 판별식은 $D<0$)
그래프 교점 개수	$\alpha<\beta<\gamma$일 때 $y=f(x)$		$\alpha<\beta$일 때 $y=f(x)$	$y=f(x)$	$y=f(x)$ $y=f(x)$

(2) '사차방정식 $f(x)=0$의 실근의 개수' $\Leftrightarrow$ '곡선 $y=f(x)$와 x축의 교점의 개수'

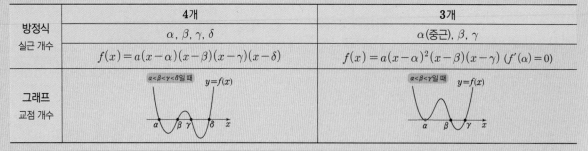

	4개	3개
방정식 실근 개수	$\alpha,\ \beta,\ \gamma,\ \delta$	α(중근), $\beta,\ \gamma$
	$f(x)=a(x-\alpha)(x-\beta)(x-\gamma)(x-\delta)$	$f(x)=a(x-\alpha)^2(x-\beta)(x-\gamma)\ (f'(\alpha)=0)$
그래프 교점 개수	(그래프) $\alpha<\beta<\gamma<\delta$일 때 $y=f(x)$	(그래프) $\alpha<\beta<\gamma$일 때 $y=f(x)$

	2개		
방정식 실근 개수	α(중근), β(중근)	α(삼중근), β	$\alpha,\ \beta,$ 허근 2개
	$f(x)=a(x-\alpha)^2(x-\beta)^2$ $(f'(\alpha)=0,\ f'(\beta)=0)$	$f(x)=a(x-\alpha)^3(x-\beta)$ $(f'(\alpha)=0)$	$f(x)=a(x-\alpha)(x-\beta)i(x)$ (단, 이차방정식 $i(x)=0$의 판별식은 $D<0$)
그래프 교점 개수	(그래프) $\alpha<\beta$일 때 $y=f(x)$	(그래프) $\alpha<\beta$일 때 $y=f(x)$	(그래프) $\alpha<\beta$일 때 $y=f(x)$ / $y=f(x)$ / $y=f(x)$

	1개	
방정식 실근 개수	α(중근), 허근 2개	α(사중근)
	$f(x)=a(x-\alpha)^2i(x)\ (f'(\alpha)=0)$ (단, 이차방정식 $i(x)=0$의 판별식은 $D<0$)	$f(x)=a(x-\alpha)^4\ (f'(\alpha)=0)$
그래프 교점 개수	(그래프) $y=f(x)$	(그래프) $y=f(x)$

유형 13 방정식과 부등식

대표기출25 _ 2023학년도 수능 19번

방정식 $2x^3-6x^2+k=0$의 서로 다른 양의 실근의 개수가 2가
되도록 하는 정수 k의 개수를 구하시오. [3점]

대표기출26 _ 2023학년도 6월 평가원 9번

두 함수 $f(x)=x^3-x+6$, $g(x)=x^2+a$가 있다. $x\geq0$인 모든
실수 x에 대하여 부등식 $f(x)\geq g(x)$가 성립할 때, 실수 a의
최댓값은? [4점]

① 1　　　　② 2　　　　③ 3
④ 4　　　　⑤ 5

| 풀이 | $f(x)=2x^3-6x^2$이라 할 때, 방정식 $2x^3-6x^2+k=0$, 즉 방정식
$f(x)=-k$의 서로 다른 양의 실근의 개수가 2가 되려면 삼차함수 $y=f(x)$의
그래프와 직선 $y=-k$가 $x>0$에서 서로 다른 두 점에서 만나야 한다. ⋯⋯㉠
$f'(x)=6x^2-12x=6x(x-2)$이므로
$x=0$ 또는 $x=2$일 때 $f'(x)=0$이다.
이때 함수 $f(x)$의 증가와 감소를 표로 나타내면 다음과 같다.

x	$\cdots$	0	$\cdots$	2	$\cdots$
$f'(x)$	+	0	−	0	+
$f(x)$	↗	극대	↘	극소	↗

즉, 함수 $f(x)$는 $x=0$에서 극댓값 $f(0)=0$을 갖고, $x=2$에서
극솟값 $f(2)=-8$을 갖는다.
㉠을 만족시키려면 그림과 같이 $-8<-k<0$이어야 하므로
$0<k<8$이다.
따라서 정수 k는 1, 2, 3, ⋯, 7로 그 개수는 7이다.

답 7

| 풀이 | $x\geq0$인 모든 실수 x에 대하여 부등식 $f(x)\geq g(x)$, 즉
$f(x)-g(x)\geq0$이 성립하려면
$h(x)=f(x)-g(x)=x^3-x^2-x+6-a$
라 할 때, $x\geq0$에서 (함수 $h(x)$의 최솟값)≥0이어야 한다. ⋯⋯㉠
$h'(x)=3x^2-2x-1=(3x+1)(x-1)$이므로
$x=1$일 때 $h'(x)=0$이다. ($\because\ x\geq0$)
이때 $x\geq0$에서 함수 $h(x)$의 증가와 감소를 표로 나타내면 다음과 같다.

x	0	$\cdots$	1	$\cdots$
$h'(x)$		−	0	+
$h(x)$		↘	극소	↗

$x\geq0$에서 함수 $h(x)$는 $x=1$일 때 극소이자 최소이므로
㉠을 만족시키려면 $h(1)=5-a\geq0$에서 $a\leq5$
따라서 실수 a의 최댓값은 5이다.

답 ⑤

속도와 가속도

1. 수직선 위를 움직이는 점의 속도와 가속도

수직선 위를 움직이는 점 P 의 시각 t에서의 위치를 $x = f(t)$라고 할 때,
시각 t에서의 점 P 의

$|v|$: 시각 t에서의 점 P 의 속력

- 속도 : $v = \dfrac{dx}{dt} = f'(t)$

- 가속도 : $a = \dfrac{dv}{dt}$

2. 수직선 위를 움직이는 점의 운동 방향

수직선 위를 움직이는 점 P 의 속도 v의 부호에 따른 운동 방향은 다음과 같다.

❶ $v > 0$일 때 양의 방향으로 움직인다.

❷ $v < 0$일 때 음의 방향으로 움직인다.

❸ $v = 0$일 때 운동 방향이 바뀌거나 정지한다.

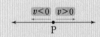

$v = f'(a) = 0$이고
$t = a$의 좌우에서 $f'(t)$의 부호가 바뀌면
$t = a$에서 운동 방향이 바뀐다.

유형 14 속도와 가속도

대표기출27 _ 2015학년도 6월 평가원 A형 14번

수직선 위를 움직이는 점 P의 시각 t에서의 위치 x가

$$x = -t^2 + 4t$$

이다. $t = a$에서 점 P의 속도가 0일 때, 상수 a의 값은? [4점]

① 1   ② 2   ③ 3

④ 4   ⑤ 5

| 풀이 | 점 P 의 시각 t 에서의 속도를 v 라 하면
위치 x가 $x = -t^2 + 4t$ 이므로

$v = \dfrac{dx}{dt} = -2t + 4$

$t = a$ 에서의 속도가 0 이므로

$-2a + 4 = 0$

$\therefore a = 2$ **답** ②

대표기출28 _ 2019학년도 6월 평가원 나형 16번

수직선 위를 움직이는 점 P의 시각 t $(t \geq 0)$에서의 위치 x가

$$x = t^3 + at^2 + bt \ (a, b는 \ 상수)$$

이다. 시각 $t = 1$에서 점 P가 운동 방향을 바꾸고, 시각 $t = 2$에서
점 P의 가속도는 0이다. $a + b$의 값은? [4점]

① 3   ② 4   ③ 5

④ 6   ⑤ 7

| 풀이 | 점 P 의 시각 t $(t \geq 0)$에서의 위치 x가 $x = t^3 + at^2 + bt$ 이므로
속도 v는 $v = 3t^2 + 2at + b$이고, 가속도 a는 $a = 6t + 2a$이다.
$t = 1$에서 점 P의 운동 방향이 바뀌므로
$t = 1$의 좌우에서 속도의 부호가 바뀌어야 한다.
따라서 $t = 1$일 때 속도는 0, 즉 $3 + 2a + b = 0$ ······㉠
$t = 2$에서 가속도가 0이므로 $12 + 2a = 0$ ······㉡
㉠, ㉡을 연립하여 풀면 $a = -6$, $b = 9$
$\therefore a + b = 3$ **답** ①

081

짝기출 048 유형 04

다항함수 $f(x)$가 $\lim\limits_{x \to -1} \dfrac{f(x)-3}{x+1} = 7$을 만족시킨다.

$g(x) = (x-1)f(x)$라 할 때, $g'(-1)$의 값은?

① -11 ② -10 ③ -9

④ -8 ⑤ -7

082

짝기출 049 유형 06

곡선 $y = x^3 + 2x - 1$ 위의 점 $(1, 2)$에서의 접선이

점 $(3, a)$를 지날 때, a의 값을 구하시오.

083

짝기출 050 유형 09

양수 a에 대하여 함수 $f(x) = x^3 - ax$가 $x = -2$에서

극댓값 b를 가질 때, $a+b$의 값을 구하시오.

084

짝기출 051 유형 02

닫힌구간 $[3, 6]$에서 정의된 함수 $f(x) = x^2 - 4x + 6$과 이 구간에 속하는 임의의 두 실수 $a, b\ (a < b)$에 대하여 $\dfrac{f(b) - f(a)}{b - a} = k$를 만족시키는 정수 k의 값의 개수는?

① 3   ② 4   ③ 5

④ 6   ⑤ 7

085

짝기출 052 유형 03

두 함수 $f(x) = x^3 + 5x^2 - x$, $g(x) = x^2 - 4x + 8$에 대하여 $\displaystyle\lim_{h \to 0} \dfrac{f(1 + 3h) - g(1 - 2h)}{h}$ 의 값은?

① 16   ② 20   ③ 24

④ 28   ⑤ 32

086

짝기출 053 유형 05

함수

$$f(x) = \begin{cases} x^3 + 1 & (x < 2) \\ ax + b & (x \geq 2) \end{cases}$$

가 실수 전체의 집합에서 미분가능할 때, $a + b$의 값은?

(단, a, b는 상수이다.)

① -1 ② -2 ③ -3

④ -4 ⑤ -5

Ⅱ 미분

핵심유형
SET 09
SET 10
SET 11
SET 12
SET 13
SET 14
SET 15
SET 16

087

닫힌구간 $[-1, 2]$에서 함수 $f(x) = x^4 - \dfrac{4}{3}x^3 - 4x^2 + a$ 의 최댓값을 M, 최솟값을 m이라 하자. $M + m = 6$일 때, 상수 a의 값은?

① $\dfrac{19}{3}$ ② 7 ③ $\dfrac{23}{3}$

④ $\dfrac{25}{3}$ ⑤ 9

088

수직선 위를 움직이는 두 점 P, Q의 시각 t $(t \geq 0)$에서의 위치는 각각

$$P(t) = -t^3 + 3t^2,$$
$$Q(t) = \frac{1}{2}t^2 - 2t + k \ (k는 상수)$$

이다. 두 점 P와 Q의 속도가 같아지는 순간 두 점 사이의 거리가 10일 때, 모든 k의 값의 곱은?

① -68 ② -64 ③ -60

④ -56 ⑤ -52

089

짝기출 056 유형 13

두 함수

$$f(x) = x^4 - 3x^3 + x^2 + 3x + k,$$
$$g(x) = x^3 + 3x^2 - 9x$$

가 있다. $x \geq -1$에 대하여 $f(x) \geq g(x)$가 성립하도록
하는 정수 k의 최솟값은?

① 6   ② 7   ③ 8

④ 9   ⑤ 10

090

짝기출 057 유형 13

방정식 $x^3 - \dfrac{3}{2}x^2 - 6x - a = 0$이 서로 다른 두 개의 양의
실근과 한 개의 음의 실근을 갖도록 하는 모든 정수 a의
개수를 구하시오.

II
미분

핵심유형

SET 09
SET 10
SET 11
SET 12
SET 13
SET 14
SET 15
SET 16

091

찍기출 058 유형 01

다항함수 $f(x)$에 대하여 $\lim\limits_{x \to 2} \dfrac{f(x) - 8}{x^2 - 4} = \dfrac{1}{2}$ 일 때,

$f(2)f'(2)$의 값은?

① 12   ② 14   ③ 16

④ 18   ⑤ 20

092

찍기출 059 유형 09

함수 $f(x)$의 도함수 $f'(x)$는 $f'(x) = -x^2 + 4$이다.
함수 $g(x) = f(x) - ax + 5$가 $x = 1$에서 극댓값을 가질 때, 상수 a의 값을 구하시오.

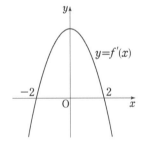

093

유형 06

곡선 $y = x^3 - 6x^2 + 8x + 5$의 기울기가 -4인 접선의 방정식이 x축, y축과 만나는 점을 각각 A, B라 하자. 원점 O에 대하여 삼각형 OAB의 넓이가 $\dfrac{q}{p}$일 때, $p + q$의 값을 구하시오. (단, p와 q는 서로소인 자연수이다.)

094

찍기출 060 유형 14

같은 지점에서 동시에 출발하여 수직선 위를 움직이는 두 점 P, Q의 시각 t ($t \geq 0$)에서의 위치는 각각

$$p(t) = 4t^3 - 24t + k, \; q(t) = -6t^2 - 48t + k$$

이고 선분 PQ의 중점을 M이라 하자. 두 점 P, Q가 출발한 후 점 M의 운동 방향이 원점에서 바뀔 때, 상수 k의 값은?

① 25 　　　　② 36 　　　　③ 49

④ 64 　　　　⑤ 81

095

찍기출 061 유형 02

함수 $f(x) = ax^2 - x + b$가 모든 실수 x에 대하여

$$2f(x) = \{f'(x)\}^2 + 3$$

을 만족시킬 때, $f(4)$의 값은? (단, a, b는 상수이다.)

① 2 　　　　② 3 　　　　③ 4

④ 5 　　　　⑤ 6

096

찍기출 062 유형 09

함수 $f(x) = x^3 - 3x^2 - 9x + 2$는 $x = \alpha$, $x = \beta$에서 극값을 가진다. 함수 $f(x)$에 대하여 x의 값이 α에서 β까지 변할 때의 평균변화율이 $x = a$에서의 미분계수와 같게 되도록 하는 모든 실수 a의 값의 곱은? (단, $\alpha < \beta$)

① $-\dfrac{5}{3}$ 　　　　② $-\dfrac{4}{3}$ 　　　　③ -1

④ $-\dfrac{2}{3}$ 　　　　⑤ $-\dfrac{1}{3}$

Ⅱ 미분

핵심유형
SET 09
SET 10
SET 11
SET 12
SET 13
SET 14
SET 15
SET 16

097

유형 05

함수 $f(x) = x^3 + 3x^2 - 1$에 대하여 함수 $g(x)$를

$$g(x) = \begin{cases} f(x) & (x \geq a) \\ b - f(x) & (x < a) \end{cases}$$

라 하자. 함수 $g(x)$가 실수 전체의 집합에서 미분가능하도록 하는 두 상수 a, b에 대하여 $a + b$의 값은? (단, $a < 0$)

① -8　　　　② -6　　　　③ -4

④ 4　　　　⑤ 6

098

찍기출 063　유형 13

두 함수 $f(x) = x^4 + 3x + a$, $g(x) = -x^3 + 2x$의 그래프가 오직 한 점에서 만날 때, 상수 a의 값을 구하시오.

099

삼차함수 $f(x) = ax^3 + bx^2 + cx + 4$가 다음 조건을 만족시킬 때, $f(x)$의 극댓값을 구하시오.

(가) 모든 실수 x에 대하여 $f'(x) = f'(-x)$이다.
(나) 함수 $f(x)$는 $x = -2$에서 극솟값 -4를 갖는다.

100

유형 12

최고차항의 계수가 1인 사차함수 $y = f(x)$가 다음 조건을 만족시킨다.

(가) 모든 실수 x에 대하여 $f(3+x) = f(3-x)$이다.
(나) 함수 $f(x)$는 $x = 4$에서 극솟값을 갖는다.
(다) 함수 $f(x)$의 극댓값은 0이다.

$f(0)$의 값을 구하시오.

101

짝기출 065 유형 14

수직선 위를 움직이는 점 P의 시각 t $(t \geq 0)$에서의 위치 x가

$$x = t^3 - 6t^2 + at \ (a는 \ 상수)$$

이다. 점 P의 가속도가 0일 때 점 P의 위치는 원점이다. a의 값은?

① 2   ② 4   ③ 6

④ 8   ⑤ 10

102

짝기출 066 유형 09

실수 전체의 집합에서 미분가능한 함수 $f(x)$가 $x = -1$에서 극솟값 2를 가질 때, 곡선 $y = (x^2 + 3)f(x)$ 위의 $x = -1$인 점에서의 접선의 y절편은?

① 0   ② 1   ③ 2

④ 3   ⑤ 4

103

짝기출 067 유형 06

점 $(1, 1)$에서 곡선 $y = x^3 - 4x$에 그은 접선이 y축과 만나는 점의 좌표를 $(0, a)$라 할 때, a의 값은?

① $\dfrac{3}{2}$ ② 2   ③ $\dfrac{5}{2}$

④ 3   ⑤ $\dfrac{7}{2}$

104

짝기출 068 유형 01

다항함수 $f(x)$에 대하여 $\lim\limits_{x \to 3} \dfrac{f(-x+1)+4}{x^2-9} = 1$일 때,

$f(-2)f'(-2)$의 값을 구하시오.

105

짝기출 069 유형 04

두 다항함수 $f(x), g(x)$가

$$\lim_{x \to 0} \frac{f(x)-2g(x)}{3x} = 2, \ \lim_{x \to 0} \frac{xf(x)}{g(x)-2} = 4$$

를 만족시킨다. 함수 $h(x) = f(x)g(x)$에 대하여 $h'(0)$의

값은?

① 16 ② 17 ③ 18

④ 19 ⑤ 20

106

유형 04

최고차항의 계수가 1인 이차함수 $f(x)$에 대하여 방정식

$f(x) = 0$이 오직 하나의 실근을 가진다. 함수

$g(x) = (x^2 + 2x)f'(x)$에 대하여 곡선 $y = g(x)$가

원점에 대하여 대칭일 때, $f(4)$의 값을 구하시오.

핵심유형

SET 09
SET 10
SET 11
SET 12
SET 13
SET 14
SET 15
SET 16

107

이차함수 $f(x)$에 대하여

$$\lim_{x \to -1} \frac{f(x)}{(x+1)\{f(x)+f'(x)\}^2} = \frac{1}{2}$$

이 성립하고 $f(1)=8$일 때, $f(2)$의 값은?

① 10   ② 15   ③ 20

④ 25   ⑤ 30

108

최고차항의 계수가 1인 사차함수 $f(x)$가 다음 조건을 만족시킬 때, $f(1)$의 값은?

> (가) 모든 실수 x에 대하여 $f(-x)=f(x)$이다.
> (나) 함수 $f(x)$는 $x=1$에서 극솟값을 갖는다.
> (다) 함수 $|f(x)|$는 $x=2$에서 극솟값을 갖는다.

① -1 ② -3 ③ -5

④ -7 ⑤ -9

109

짝기출 071 유형 07

곡선 $y = x^3 - x + 2$ 위의 서로 다른 두 점 A, B에서의 접선을 각각 l, m이라 하면 두 직선의 기울기는 모두 2이다. 두 직선 l, m이 곡선과 만나는 접점이 아닌 점을 각각 C, D라 할 때, 사각형 ACBD의 넓이는?

① 11   ② 12   ③ 13

④ 14   ⑤ 15

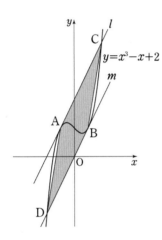

110

짝기출 072 유형 13

방정식 $2x^3 - 3x^2 + a = 0$이 $|x| \leq 1$에서 오직 한 개의 실근만 갖도록 하는 정수 a의 개수는?

① 3   ② 4   ③ 5

④ 6   ⑤ 7

II 미분

핵심유형
SET 09
SET 10
SET 11
SET 12
SET 13
SET 14
SET 15
SET 16

111

짝기출 073 유형 06

점 $(1, 0)$에서 곡선 $y = x^3 - 2x^2 + 1$에 그은 모든 접선의 기울기의 곱은?

① $-\dfrac{5}{4}$　　　　② $-\dfrac{4}{5}$　　　　③ 1

④ $\dfrac{4}{5}$　　　　⑤ $\dfrac{5}{4}$

112

짝기출 074 유형 14

수직선 위를 움직이는 점 P의 시각 t $(t \geq 0)$에서의 위치 x가

$$x = -t^3 + at^2 - 12t + b \ (a, \ b\text{는 상수})$$

이다. 시각 $t = 1$에서 점 P가 처음으로 운동 방향을 바꾸고, 두 번째로 운동 방향을 바꿀 때 점 P의 위치는 12이다. ab의 값을 구하시오.

113

짝기출 075 유형 09

삼차함수 $f(x)$의 도함수 $y = f'(x)$의 그래프와 이차함수 $g(x)$의 도함수 $y = g'(x)$의 그래프가 그림과 같을 때, 함수 $h(x) = f(x) - g(x)$는 $x = a$에서 극소이다. 실수 a의 값은?

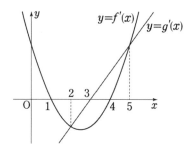

① 1　　　　② 2　　　　③ 3

④ 4　　　　⑤ 5

114

짝기출 076 유형 08

실수 전체의 집합에서 감소하는 다항함수 $f(x)$가 다음 조건을
만족시킬 때, $f'(0)$의 값은?

(가) $f(0) = 0$

(나) $f'(0) = \lim_{x \to 0} \dfrac{f(x) + 6x}{f(x) + 2x}$

---

① -1　　　　② -2　　　　③ -3

④ -4　　　　⑤ -5

115

유형 10

최고차항의 계수가 1인 삼차함수 $f(x)$에 대하여 함수

$$g(x) = \begin{cases} f(x) & (x \geq 0) \\ -f(x) & (x < 0) \end{cases}$$

가 다음 조건을 만족시킬 때, 닫힌구간 $[0, \ 2]$에서 함수
$f(x)$의 최댓값과 최솟값의 곱은?

(가) 함수 $g(x)$는 실수 전체의 집합에서 미분가능하다.

(나) $g'(-1) = -5$

---

① $-\dfrac{2}{3}$　　　② $-\dfrac{16}{27}$　　　③ $-\dfrac{14}{27}$

④ $-\dfrac{4}{9}$　　　⑤ $-\dfrac{10}{27}$

116

유형 02

최고차항의 계수가 1인 이차함수 $f(x)$가 다음 조건을
만족시킬 때, $f(3)$의 값을 구하시오.

(가) $f'(1) = 0$

(나) 다항식 $f(x)$는 다항식 $f'(x)$로 나누어떨어진다.

117

유형 03

다항함수 $f(x)$가 다음 조건을 만족시킬 때, $f(0)f'(0)$의
값은?

(가) $\displaystyle\lim_{x \to \infty} \frac{f(x) + 2x^3}{x^2} = 3$

(나) $\displaystyle\lim_{x \to 1} \frac{f(x) - 7}{x^3 - 1} = \frac{4}{3}$

---

① 4　　　　　② 6　　　　　③ 8

④ 10　　　　　⑤ 12

118

딱기출 077 유형 13

닫힌구간 $[0,\ 2]$에 대하여 부등식

$$|x^3 - 6x^2 + 9x + 2k| \le 10 - k$$

가 항상 성립하도록 하는 정수 k의 개수는?

① 11　　　　　② 13　　　　　③ 15

④ 17　　　　　⑤ 19

119

유형 09

함수 $f(x) = 2x^3 - 9x^2 + 12x$에 대하여 함수 $g(x)$를

$$g(x) = \frac{f(x) + |f(x)|}{2}$$

라 하자. 곡선 $y = g(x)$와 곡선 $y = 2x^2 + k$가 만나는 점의 개수가 2가 되도록 하는 음수 k의 값은?

① -9 ② -7 ③ -5

④ -3 ⑤ -1

120

짝기출 078 유형 11

함수

$$f(x) = (x+1)(x^2 + ax + b)$$

가 있다. 함수 $y = |f(x)|$가 다음 조건을 만족시키는 실수 a, b에 대하여 $a+b$의 최댓값을 M, 최솟값을 m이라 하자. $M - m$의 값을 구하시오.

(가) $x = -1$에서 미분가능하다.
(나) 구간 $(-\infty, -1)$에서 감소하고,
구간 $(2, \infty)$에서 증가한다.

II
미분

핵심유형

SET 09
SET 10
SET 11
SET 12
SET 13
SET 14
SET 15
SET 16

121

찍기출 079 유형 06

두 다항함수 $f(x)$, $g(x)$에 대하여 두 곡선 $y = f(x)$, $y = g(x)$의 교점 $(3, 2)$에서의 접선은 서로 일치한다. 곡선 $h(x) = f(x)g(x)$ 위의 점 $(3, h(3))$에서의 접선의 기울기가 2일 때, $f'(3)$의 값은?

① $\dfrac{1}{6}$　　　② $\dfrac{1}{5}$　　　③ $\dfrac{1}{4}$

④ $\dfrac{1}{3}$　　　⑤ $\dfrac{1}{2}$

122

유형 14

수직선 위를 움직이는 점 P의 시각 t $(t \geq 0)$에서의 위치 x가

$$x = t^4 - 8t^3 + 28t^2$$

이다. 점 P의 가속도가 최소인 시각에서의 점 P의 속도는?

① 42　　　② 44　　　③ 46

④ 48　　　⑤ 50

123

찍기출 080 유형 08

삼차함수 $f(x) = x^3 + 3ax^2 + 6ax + 1$의 역함수가 존재하도록 하는 모든 정수 a의 값의 합은?

① 1　　　② 3　　　③ 5

④ 7　　　⑤ 9

124

찍기출 058 유형 01

다항함수 $f(x)$에 대하여 $\displaystyle\lim_{x \to 1} \dfrac{f(x) - x^3}{x^2 - 1} = 2$일 때, $f(1) + f'(1)$의 값은?

① 5　　　② 6　　　③ 7

④ 8　　　⑤ 9

125

찍기출 081 유형 04

두 다항함수 $f(x)$, $g(x)$가 다음 조건을 만족시킨다.

(가) $\displaystyle\lim_{x\to\infty}\frac{f(x)}{x^3}=1$, $\displaystyle\lim_{x\to 0}\frac{f(x)}{x^2}=2$

(나) $\displaystyle\lim_{x\to 1}\frac{f(x)g(x)-3}{x-1}=4$

$g'(1)$의 값은?

① -1 ② -2 ③ -3

④ -4 ⑤ -5

126

유형 05

삼차함수 $f(x)$에 대하여 함수 $g(x)$가

$$g(x)=\begin{cases} x^2-2x+1 & (x<1) \\ f(x) & (1\le x<3) \\ -4x+12 & (x\ge 3) \end{cases}$$

이다. 함수 $g(x)$가 실수 전체의 집합에서 미분가능할 때, $f(2)$의 값은?

① 1   ② 3   ③ 5

④ 7   ⑤ 9

II
미분

핵심유형

SET 09
SET 10
SET 11
SET 12
SET 13
SET 14
SET 15
SET 16

127

두 곡선 $y = 2x^3 - 8x^2 + 7x - 2$, $y = 4x^2 - 11x + k$가 만나는 점의 개수가 3이 되도록 하는 모든 정수 k의 값의 합은?

① 11   ② 12   ③ 13

④ 14   ⑤ 15

128

양수 a에 대하여 닫힌구간 $[0, 2]$에서 함수 $f(x) = 2x^3 - 3ax^2 + 2$의 최댓값이 6일 때, $f(x)$의 최솟값은?

① -2 ② -1 ③ 0

④ 1 ⑤ 2

129

유형 12

최고차항의 계수가 1인 삼차함수 $f(x)$에 대하여 실수 전체의 집합에서 연속인 함수 $g(x)$가 다음 조건을 만족시킬 때, $g(-2)+g(1)+g(2)$의 값은?

(가) 모든 실수 x에 대하여

$(x-1)g(x) = |(x-1)f(x)| + x - 1$이다.

(나) 함수 $g(x)$는 $x = -1$에서만 미분가능하지 않다.

---

① -3　　　　② -1　　　　③ 0

④ 1　　　　⑤ 3

130

유형 13

함수 $f(x) = x^3 - 2x + a$에 대하여 닫힌구간 $[-1, 1]$에서 부등식 $f(x) \geq |x|$가 성립하도록 하는 실수 a의 최솟값은?

① 1　　　　② 2　　　　③ 3

④ 4　　　　⑤ 5

131

유형 09

다항함수 $f(x)$가 $x = -1$에서 극댓값 2를 가질 때,

$$\lim_{x \to -1} \frac{x^2 f(x) - 2}{x^2 - 1}$$ 의 값은?

① 1   ② 2   ③ 3

④ 4   ⑤ 5

132

짝기출 084 | 085 유형 06

곡선 $y = x^3 - 4x - 1$ 위의 점 A$(1, -4)$에서의 접선이 점 A가 아닌 점 B에서 곡선과 만난다. 곡선 위의 점 B에서의 접선의 x절편은?

① -2 ② $-\dfrac{15}{8}$ ③ $-\dfrac{7}{4}$

④ $-\dfrac{13}{8}$ ⑤ $-\dfrac{3}{4}$

133

짝기출 086 유형 14

수직선 위를 움직이는 점 P의 시각 t $(t \geq 0)$에서의 위치 x가

$$x = -t^3 + 4t^2 + at + 5$$

이다. 점 P가 움직이는 방향이 바뀌지 않도록 하는 정수 a의 최댓값은?

① -7 ② -6 ③ -5

④ -4 ⑤ -3

134

짝기출 057 유형 13

두 함수

$$f(x) = x^3 - 2x^2 - 6x,$$

$$g(x) = -x^3 + x^2 + 6x + a$$

에 대하여 x에 대한 부등식 $f(x) \leq g(x)$를 만족시키는 양수 x가 단 1개가 되도록 하는 상수 a의 값은?

① -15 ② -20 ③ -25

④ -30 ⑤ -35

135

짝기출 087 유형 07

중심이 곡선 $y = x^3 + x \ (x > 0)$ 위의 점이고, 직선 $y = 4x - 5$와 접하는 원 중에서 반지름의 길이가 가장 작은 원의 넓이는 $\dfrac{q}{p}\pi$이다. $p + q$의 값을 구하시오.

(단, p와 q는 서로소인 자연수이다.)

136

유형 08

함수 $f(x) = x^3 - 3x^2 + 9|x - a| + 4$가 실수 전체의 집합에서 증가하도록 하는 실수 a의 최댓값은?

① -5 ② -4 ③ -3

④ -2 ⑤ -1

Ⅱ 미분

핵심유형
SET 09
SET 10
SET 11
SET 12
SET 13
SET 14
SET 15
SET 16

137

짝기출 088 유형 09

함수 $f(x) = x^4 - 2a^2x^2 + 4$가 $x = 2b$와 $x = b+3$에서 극소일 때, $a+b$의 값은?

(단, a, b는 $a > 0$, $b < 0$인 상수이다.)

① -2 ② -1 ③ 0

④ 1 ⑤ 2

138

짝기출 069 유형 04

두 다항함수 $f(x)$, $g(x)$가

$$\lim_{x \to 2} \frac{f(x)g(x) - 2}{x - 2} = 6,$$

$$\lim_{x \to 2} \frac{f(x) - 2g(x)}{x^2 - 2x} = 5$$

를 만족시킨다. $f(2) > 0$일 때, $g'(2)$의 값은?

① -1 ② -2 ③ -3

④ -4 ⑤ -5

139

짝기출 089 유형 11

다항함수 $f(x)$와 그 도함수 $f'(x)$가 모든 실수 x에 대하여

$$f(x)f'(x) = 12(x-1)^3(x-3)(x-4)$$

를 만족시킨다. 함수 $f(x)$는 $x = 1$에서 극솟값을 가질 때, $f(2)$의 값은?

① -4 ② -2 ③ 0

④ 2 ⑤ 4

140

짝기출 090 유형 02

다항함수 $f(x)$가 다음 조건을 만족시킬 때, $f(-2)$의 최댓값을 구하시오.

(가) $\displaystyle\lim_{x \to \infty} \frac{f(x) + f'(x) - x^4}{x^3} = 2$
(나) $\displaystyle\lim_{x \to 0} \frac{f(x)f'(x)}{x^3} = 18$

141

유형 14

수직선 위를 움직이는 점 P의 시각 t $(t \geq 0)$에서의 위치 x가

$$x = \frac{1}{3}t^3 - at^2 - (16 - 8a)t$$

이다. 점 P의 운동 방향이 한 번만 바뀔 때 실수 a의 최댓값은?

① 1   ② 2   ③ 3

④ 4   ⑤ 5

142

유형 05

이차함수 $f(x)$에 대하여 함수 $g(x)$를

$$g(x) = \begin{cases} |x| & (|x| > 2) \\ f(x) & (|x| \leq 2) \end{cases}$$

라 하자. 함수 $g(x)$가 실수 전체의 집합에서 미분가능할 때, $f(1)$의 값은?

① $\frac{1}{2}$ ② $\frac{3}{4}$ ③ 1

④ $\frac{5}{4}$ ⑤ $\frac{3}{2}$

143

유형 09

함수 $f(x) = 2x^3 - 6x^2 + ax$가 극값을 갖고 모든 극값의 합이 -14일 때, 상수 a의 값은?

① -5 ② -4 ③ -3

④ -2 ⑤ -1

144

삼차함수 $f(x)$에 대하여 곡선 $y = f(x)$ 위의 점 $(0,\ 0)$ 에서의 접선이 곡선 $y = x^2 f(x)$와 점 $(1,\ 1)$에서 접할 때, $f(-1) + f'(-1)$의 값은?

① -8 ② -7 ③ -6

④ -5 ⑤ -4

146

함수 $f(x) = x^3 - 3x + 2$에 대하여 함수 $|f(x) - f(-1)|$은 $x = t$에서만 미분가능하지 않을 때, 실수 t의 값은?

① $\dfrac{3}{2}$ ② 2 ③ $\dfrac{5}{2}$

④ 3 ⑤ $\dfrac{7}{2}$

145

다음 조건을 만족시키는 모든 삼차함수 $f(x)$에 대하여 $f(6)$의 최댓값을 구하시오.

(가) $f(x)$는 $x = -3$, $x = 3$에서 극값을 가지고, 두 극값의 합이 0이다.
(나) $x_1 < x_2$인 임의의 두 실수 x_1, x_2에 대하여 $f(x_1) + x_1 < f(x_2) + x_2$이다.

147

유형 08

최고차항의 계수가 1이고 $f(1) = 3$인 이차함수 $f(x)$가
있다. 실수 t에 대하여 곡선 $y = xf(x)$와 직선
$y = 2x + t$의 교점의 개수를 $g(t)$라 하자. 함수 $g(t)$가
실수 전체의 집합에서 연속일 때, $f(-1)$의 최댓값은?

① 6   ② 7   ③ 8

④ 9   ⑤ 10

148

유형 13

함수 $f(x) = x^3 - 2x^2 + 2x + k$의 역함수를 $g(x)$라 하자.
방정식 $\{g(x)\}^2 + 11 g(x) = x$가 서로 다른 두 실근을
갖기 위한 모든 실수 k의 값의 합은?

① 21   ② 22   ③ 23

④ 24   ⑤ 25

149

짝기출 093 유형 07

최고차항의 계수가 a이고 x축과 점 $(-1, 0)$에서 접하는 이차함수 $f(x)$가 모든 실수 x에 대하여

$$|f'(x)| \le x^2 + 3$$

을 만족시킨다. 실수 a의 최댓값을 M, 최솟값을 m이라 할 때, Mm의 값은?

① -1 ② 0 ③ 1

④ 2 ⑤ 3

150

짝기출 094 유형 13

최고차항의 계수가 양수인 사차함수 $f(x)$의 도함수 $y = f'(x)$의 그래프와 최고차항의 계수가 양수인 이차함수 $g(x)$의 도함수 $y = g'(x)$의 그래프가 그림과 같고, 방정식 $f'(x) = g'(x)$는 $x = -2$를 중근, $x = 3$을 실근으로 가진다.

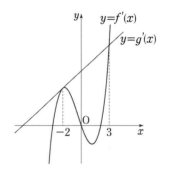

함수 $h(x)$를

$$h(x) = f(x) - g(x)$$

라 할 때, 〈보기〉에서 옳은 것만을 있는 대로 고른 것은?

〈보기〉

ㄱ. 함수 $h(x)$는 $x = 3$에서 극솟값을 갖는다.

ㄴ. $h(0) = 0$이면 방정식 $h(x) = 0$의 서로 다른 실근의 개수는 2이다.

ㄷ. $h(-2) = 0$일 때 함수 $|h(x)|$는 $x = -2$에서 미분가능하지 않다.

① ㄱ   ② ㄴ   ③ ㄱ, ㄴ

④ ㄱ, ㄷ   ⑤ ㄱ, ㄴ, ㄷ

151

유형 **03**

함수 $f(x) = x^2 + ax + b$에 대하여

$$\lim_{x \to 1} \frac{xf(x) - f'(1)}{x - 1} = 10$$

을 만족시킬 때, ab의 값은? (단, a, b는 상수이다.)

① 1   ② 2   ③ 3

④ 4   ⑤ 5

152

짝기출 095 유형 **14**

수직선 위를 움직이는 두 점 P, Q의 시각 t ($t \geq 0$)에서의
위치는 각각

$$f(t) = -t^3 + 8t^2 - 20t + 19,$$
$$g(t) = -t + 7$$

이다. 두 점 P와 Q가 서로 반대 방향으로 움직이면서 만나는
순간의 점 P의 위치를 구하시오.

153

짝기출 096 유형 **09**

최고차항의 계수가 1인 사차함수 $f(x)$가 모든 실수 x에
대하여 $f(-x) = f(x)$를 만족시킨다. 함수 $f(x)$가
$x = 1$에서 극솟값 2를 가질 때, 함수 $f(x)$의 극댓값은?

① 1   ② 2   ③ 3

④ 4   ⑤ 5

154

유형 **10**

$0 < a < 3$인 실수 a에 대하여 원점에서 곡선
$y = x(x - a)(x - 3)$에 그은 두 접선의 기울기의 곱의
최솟값은?

① -5 ② -4 ③ -3

④ -2 ⑤ -1

155

짝기출 097 유형 06

두 다항함수 $f(x)$, $g(x)$가 다음 조건을 만족시킨다.

> (가) 모든 실수 x에 대하여 $xf(x) = g(x) + 1$이다.
>
> (나) $\lim\limits_{x \to 0} \dfrac{f(x)g(x) + 1}{x} = -1$

곡선 $y = f(x)$ 위의 점 $(0, f(0))$에서의 접선과 점 $(0, g(0))$ 사이의 거리는?

① $\dfrac{\sqrt{5}}{5}$
② $\dfrac{2\sqrt{5}}{5}$
③ $\dfrac{3\sqrt{5}}{5}$

④ $\dfrac{4\sqrt{5}}{5}$
⑤ $\sqrt{5}$

156

짝기출 098 유형 09

양수 k에 대하여 함수 $f(x) = x^4 - 2kx^2$은 $x = a$, $x = b$ $(a < b)$에서 극솟값을 가지고 $x = c$에서 극댓값을 갖는다. 함수 $y = f(x)$의 그래프 위의 세 점 $\mathrm{A}(a, f(a))$, $\mathrm{B}(b, f(b))$, $\mathrm{C}(c, f(c))$를 꼭짓점으로 하는 삼각형이 정삼각형일 때, k^3의 값은?

① 1
② $\sqrt{3}$
③ 3

④ $3\sqrt{3}$
⑤ 9

II. 미분

157

함수

$$f(x) = \begin{cases} -x+1 & (x < 0) \\ x-1 & (0 \le x < 1) \\ 2x-2 & (x \ge 1) \end{cases}$$

에 대하여 함수 $f(x)g(x)$가 실수 전체의 집합에서 미분가능하도록 하는 최고차항의 계수가 1인 모든 다항함수 $g(x)$ 중에서 차수가 가장 작은 함수를 $h(x)$라 할 때, $h(3)$의 값을 구하시오.

158

함수 $f(x) = x^3 + ax^2 - x + b$에 대하여 함수

$$g(x) = \begin{cases} f(x) & (x \ge 1) \\ (x+1)f(x) & (x < 1) \end{cases}$$

가 실수 전체의 집합에서 미분가능할 때, 함수 $g(x)$의 서로 다른 모든 극값의 합은? (단, a, b는 상수이다.)

① 1   ② 3   ③ 5

④ 7   ⑤ 9

159

유형 13

함수 $f(x) = x^3 + ax^2 + bx + 1$에 대하여 함수 $g(x)$를

$$g(x) = \begin{cases} f(x) & (x \le 1) \\ f(2-x) & (x > 1) \end{cases}$$

라고 하자. 함수 $g(x)$가 실수 전체의 집합에서 미분가능하고 방정식 $g(x) = 0$이 서로 다른 세 실근을 가질 때, $f(2)$의 값은? (단, a, b는 상수이다.)

① 3 ② 4 ③ 5

④ 6 ⑤ 7

160

팍기출 100 유형 13

함수 $f(x) = \dfrac{1}{16}x^3 - \dfrac{3}{4}x$에 대하여 x에 대한 방정식

$$|f(x) + 1| - |f(x) - 1| = \frac{1}{a}\left(x - \frac{2}{9}\right)$$

의 서로 다른 실근의 개수가 짝수가 되도록 하는 모든 실수 a의 값의 합을 $\dfrac{q}{p}$라 할 때, $p+q$의 값을 구하시오.

(단, p와 q는 서로소인 자연수이다.)

II
미분

핵심유형

SET 09
SET 10
SET 11
SET 12
SET 13
SET 14
SET 15
SET 16

III

적분

1 부정적분

부정적분

1. 부정적분의 정의

함수 $F(x)$의 도함수가 $f(x)$일 때, 즉 $F'(x) = f(x)$일 때,

함수 $F(x)$를 함수 $f(x)$의 부정적분이라 한다.

이때 $F(x) + (상수)$ 꼴은 모두 함수 $f(x)$의 부정적분이고,

이를 기호로 $\displaystyle\int f(x)dx$와 같이 나타낸다. 즉,

$$\int f(x)dx = F(x) + C \text{ (단, } C\text{는 적분상수)}$$

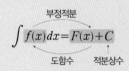

$$\int f'(x)dx = f(x) + C$$

[주의] 일반적으로 $\dfrac{d}{dx}\displaystyle\int f(x)dx \neq \displaystyle\int \left\{\dfrac{d}{dx}f(x)\right\}dx$

2. 부정적분의 계산

- 함수 $y = x^n$ (n은 양의 정수)과 상수함수 $y = 1$의 부정적분

❶ $\displaystyle\int x^n dx = \dfrac{1}{n+1}x^{n+1} + C$ (단, C는 적분상수)   ❷ $\displaystyle\int 1\, dx = x + C$ (단, C는 적분상수)

- 함수의 실수배, 합, 차의 부정적분

함수 $f(x)$, $g(x)$의 부정적분이 존재할 때

❶ $\displaystyle\int kf(x)dx = k\displaystyle\int f(x)dx$ (단, k는 0이 아닌 상수)

[주의] 일반적으로 $\displaystyle\int f(x)g(x)dx \neq \displaystyle\int f(x)dx\displaystyle\int g(x)dx$

❷ $\displaystyle\int \{f(x) + g(x)\}dx = \displaystyle\int f(x)dx + \displaystyle\int g(x)dx$

❸ $\displaystyle\int \{f(x) - g(x)\}dx = \displaystyle\int f(x)dx - \displaystyle\int g(x)dx$

❷, ❸은 세 개 이상의 함수에 대해서도 성립한다.

유형 01 다항함수의 부정적분

대표기출29 _ 2024학년도 9월 평가원 8번

다항함수 $f(x)$가

$$f'(x) = 6x^2 - 2f(1)x, \quad f(0) = 4$$

를 만족시킬 때, $f(2)$의 값은? [3점]

① 5   ② 6   ③ 7

④ 8   ⑤ 9

| 풀이 | $f(x) = \displaystyle\int f'(x)dx$

$\qquad = \displaystyle\int \{6x^2 - 2f(1)x\}dx$

$\qquad = 2x^3 - f(1)x^2 + C$ (단, C는 적분상수)

이때 $f(0) = 4$이므로 $C = 4$

또한 $f(x) = 2x^3 - f(1)x^2 + 4$에서 $x = 1$을 대입하면

$f(1) = 2 - f(1) + 4$ ∴ $f(1) = 3$

따라서 $f(x) = 2x^3 - 3x^2 + 4$이므로

$f(2) = 16 - 12 + 4 = 8$

답 ④

유형 02 다항함수의 부정적분의 활용

대표기출30 _ 2015학년도 수능 A형 26번

다항함수 $f(x)$의 도함수 $f'(x)$가 $f'(x) = 6x^2 + 4$이다. 함수 $y = f(x)$의 그래프가 점 $(0, 6)$을 지날 때, $f(1)$의 값을 구하시오. [4점]

| 풀이 | $f(x) = \displaystyle\int f'(x)dx$

$\qquad = 2x^3 + 4x + C$ (단, C는 적분상수)

이때 $f(0) = 6$이므로 $C = 6$이다.

따라서 $f(x) = 2x^3 + 4x + 6$이므로

$f(1) = 12$

답 12

---

2 정적분

정적분

1. 정적분의 정의

닫힌구간 $[a, b]$에서 연속인 함수 $f(x)$의 한 부정적분을 $F(x)$라 할 때,

$F(b) - F(a)$의 값은 $f(x)$의 한 부정적분을 무엇으로 선택하는가에 관계없이,

즉 적분상수의 값에 관계없이 항상 일정하다.

이 일정한 값 $F(b) - F(a)$를 함수 $f(x)$의 a에서 b까지의 **정적분**이라 하고,

이것을 기호로 다음과 같이 나타낸다.

$$\int_a^b f(x)dx = \left[F(x) \right]_a^b = F(b) - F(a)$$

a : 아래끝
b : 위끝

일반적으로 정적분에서 다음 등식이 성립한다.

❶ $\displaystyle\int_a^a f(x)dx = 0$

❷ $\displaystyle\int_a^b f(x)dx = -\int_b^a f(x)dx$

유형 03 다항함수의 정적분 계산

대표기출31 _ 2018학년도 수능 나형 9번

$\displaystyle\int_0^a (3x^2 - 4)dx = 0$을 만족시키는 양수 a의 값은? [3점]

① 2   ② $\dfrac{9}{4}$ ③ $\dfrac{5}{2}$

④ $\dfrac{11}{4}$ ⑤ 3

| 풀이 | $\displaystyle\int_0^a (3x^2 - 4)dx = \left[x^3 - 4x \right]_0^a$

$= a^3 - 4a = 0$

$a(a+2)(a-2) = 0$

$\therefore a = 2 \; (\because a > 0)$

답 ①

핵심유형

2. 정적분의 성질

· 함수의 실수배, 합, 차의 정적분

함수 $f(x)$, $g(x)$가 임의의 실수 a, b를 포함하는 구간에서 연속일 때

❶ $\displaystyle\int_a^b kf(x)dx = k\int_a^b f(x)dx$ (단, k는 실수)

❷ $\displaystyle\int_a^b \{f(x)+g(x)\}dx = \int_a^b f(x)dx + \int_a^b g(x)dx$

❸ $\displaystyle\int_a^b \{f(x)-g(x)\}dx = \int_a^b f(x)dx - \int_a^b g(x)dx$

❷, ❸은 세 개 이상의 함수에 대해서도 성립한다.

· 나누어진 구간에서의 정적분

함수 $f(x)$가 임의의 세 실수 a, b, c를 포함하는 닫힌구간에서 연속일 때

$$\int_a^c f(x)dx + \int_c^b f(x)dx = \int_a^b f(x)dx$$

이 성질은 a, b, c의 대소에 관계없이 성립한다.

🔑 **단축Key 우함수와 기함수의 정적분**

	우함수 $f(x)$	기함수 $g(x)$
정의	모든 실수 x에 대하여 $f(-x)=f(x)$가 성립한다.	모든 실수 x에 대하여 $g(-x)=-g(x)$가 성립한다.
다항함수	짝수차항 또는 상수항의 합	홀수차항의 합
정적분	$\displaystyle\int_{-a}^a f(x)dx = 2\int_0^a f(x)dx$	$\displaystyle\int_{-a}^a g(x)dx = 0$

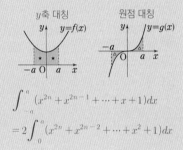

$$\int_{-a}^a (x^{2n}+x^{2n-1}+\cdots+x+1)dx$$
$$=2\int_0^a (x^{2n}+x^{2n-2}+\cdots+x^2+1)dx$$

유형 04 정적분의 성질과 계산

대표기출32 _ 2016학년도 수능 A형 20번

두 다항함수 $f(x)$, $g(x)$가 모든 실수 x에 대하여
$$f(-x)=-f(x),\ g(-x)=g(x)$$
를 만족시킨다. 함수 $h(x)=f(x)g(x)$에 대하여
$$\int_{-3}^3 (x+5)h'(x)dx = 10$$
일 때, $h(3)$의 값은? [4점]

① 1　　　　② 2　　　　③ 3
④ 4　　　　⑤ 5

대표기출33 _ 2017학년도 9월 평가원 나형 29번

구간 $[0, 8]$에서 정의된 함수 $f(x)$는
$$f(x)=\begin{cases} -x(x-4) & (0 \le x < 4) \\ x-4 & (4 \le x \le 8) \end{cases}$$
이다. 실수 a $(0 \le a \le 4)$에 대하여
$$\int_a^{a+4} f(x)dx$$의 최솟값은 $\dfrac{q}{p}$이다. $p+q$의 값을 구하시오.

(단, p와 q는 서로소인 자연수이다.) [4점]

| **풀이** | 모든 실수 x에 대하여
$h(-x)=f(-x)g(-x)=-f(x)g(x)=-h(x)$가 성립하므로
함수 $h(x)$의 모든 항은 홀수차항의 합으로 이루어진다.
따라서 함수 $h'(x)$의 모든 항은 짝수차항 또는 상수항의 합으로 이루어진다. ……㉠

$\displaystyle\int_{-3}^3 (x+5)h'(x)dx = \int_{-3}^3 \{xh'(x)+5h'(x)\}dx$
$\displaystyle\qquad = \int_{-3}^3 xh'(x)dx + 5\int_{-3}^3 h'(x)dx$
$\displaystyle\qquad = 0 + 10\int_0^3 h'(x)dx\ (\because\ ㉠)$
$\displaystyle\qquad = 10\{h(3)-h(0)\} = 10$

이때 $f(0)=-f(0)$, 즉 $f(0)=0$이므로 $h(0)=f(0)g(0)=0$이다.
따라서 $10h(3)=10$에서 $h(3)=1$이다.

답 ①

| **풀이** | $g(a) = \displaystyle\int_a^{a+4} f(x)dx$라 하면 $0 \le a \le 4$이므로

$g(a) = \displaystyle\int_a^4 f(x)dx + \int_4^{a+4} f(x)dx$
$\displaystyle\qquad = \int_a^4 \{-x(x-4)\}dx + \int_4^{a+4}(x-4)dx$
$\displaystyle\qquad = \left[-\frac{1}{3}x^3+2x^2\right]_a^4 + \left[\frac{1}{2}x^2-4x\right]_4^{a+4} = \frac{a^3}{3}-\frac{3}{2}a^2+\frac{32}{3}$

따라서 $g'(a)=a^2-3a=a(a-3)$이고
$a=3$의 좌우에서 함수 $g'(a)$의 부호가 음에서 양으로 바뀌므로
$0 \le a \le 4$일 때 $g(a)$의 극솟값이자 최솟값은 $g(3)=\dfrac{37}{6}$

$\therefore\ p+q = 6+37 = 43$

답 43

① 단축Key 절댓값 기호를 포함한 함수의 정적분

(1) $a \leq x \leq b$에서

$f(x) \geq 0$이면 $\displaystyle\int_a^b |f(x)|dx = \int_a^b f(x)dx$

$f(x) \leq 0$이면 $\displaystyle\int_a^b |f(x)|dx = \int_a^b \{-f(x)\}dx$

(2) $\displaystyle\int_a^b |f(x)|dx$는 $f(x)$의 부호에 따라 구간을 나누어 적분한다.

예 $a \leq k \leq b$일 때,

$\displaystyle\int_a^b |x-k|dx = \int_a^k \{-(x-k)\}dx + \int_k^b (x-k)dx$

유형 05 절댓값 기호를 포함한 함수의 정적분 계산

대표기출34 _ 2019학년도 수능 나형 25번

$\displaystyle\int_1^4 (x+|x-3|)dx$의 값을 구하시오. [3점]

대표기출35 _ 2016학년도 수능 A형 29번

이차함수 $f(x)$가 $f(0) = 0$이고 다음 조건을 만족시킨다.

(가) $\displaystyle\int_0^2 |f(x)|dx = -\int_0^2 f(x)dx = 4$

(나) $\displaystyle\int_2^3 |f(x)|dx = \int_2^3 f(x)dx$

$f(5)$의 값을 구하시오. [4점]

| 풀이 | $1 \leq x \leq 3$일 때 $|x-3| = -(x-3)$
$3 \leq x \leq 4$일 때 $|x-3| = x-3$

$\therefore \displaystyle\int_1^4 (x+|x-3|)dx$

$= \displaystyle\int_1^3 \{x-(x-3)\}dx + \int_3^4 \{x+(x-3)\}dx$

$= \Big[3x\Big]_1^3 + \Big[x^2-3x\Big]_3^4$

$= 6+4 = 10$

답 10

| 풀이 | 조건 (가)에서 $\displaystyle\int_0^2 |f(x)|dx = -\int_0^2 f(x)dx$ 이므로

구간 $[0, 2]$ 에서 $f(x) \leq 0$ 이고 ······㉠

조건 (나)에서 $\displaystyle\int_2^3 |f(x)|dx = \int_2^3 f(x)dx$ 이므로

구간 $[2, 3]$ 에서 $f(x) \geq 0$ 이다.

즉, $x = 2$의 좌우에서 $f(x)$의 부호가 바뀌므로 $f(2) = 0$이고
주어진 조건에 의하여 $f(0) = 0$이므로
최고차항의 계수를 a 라 하면
$f(x) = ax(x-2)$ 이다.

$\displaystyle\int_0^2 |f(x)|dx = -\int_0^2 ax(x-2)dx \ (\because ㉠)$

$= -\Big[\dfrac{a}{3}x^3 - ax^2\Big]_0^2 = \dfrac{4}{3}a = 4$

에서 $a = 3$이므로 $f(x) = 3x(x-2)$ 이다.

$\therefore f(5) = 45$

답 45

3. 정적분과 미분의 관계

함수 $f(x)$가 닫힌구간 $[a, b]$에서 연속일 때,

$$\frac{d}{dx}\int_a^x f(t)dt = f(x) \;(\text{단, } a < x < b)$$

① 단축Key 정적분으로 정의된 함수의 극한

함수 $f(x)$의 한 부정적분을 $F(x)$라 하면

(1) $\displaystyle\lim_{x \to 0}\frac{1}{x}\int_a^{x+a}f(t)dt = \lim_{x \to 0}\frac{F(x+a)-F(a)}{x}$

$$= F'(a) = f(a)$$

(2) $\displaystyle\lim_{x \to a}\frac{1}{x-a}\int_a^x f(t)dt = \lim_{x \to a}\frac{F(x)-F(a)}{x-a}$

$$= F'(a) = f(a)$$

① 단축Key 정적분으로 정의된 함수

(1) $\displaystyle\int_a^x f(t)dt = g(x)$ 꼴

[1단계] 양변에 $x = a$를 대입한다.

이때 $\displaystyle\int_a^a f(t)dt = 0$을 이용한다.

[2단계] 양변을 x에 대하여 미분한다.

이때 $\dfrac{d}{dx}\displaystyle\int_a^x f(t)dt = f(x)$를 이용한다.

특히, $\displaystyle\int_a^x (x-t)f(t)dt = g(x)$ 꼴은

$x\displaystyle\int_a^x f(t)dt - \int_a^x tf(t)dt$로 변형한 후 계산한다.

(2) $f(x) = g(x) + \displaystyle\int_a^b f(t)dt$ 꼴

[1단계] $\displaystyle\int_a^b f(t)dt = k\;(k\text{는 상수})$로 놓는다.

이때 $f(x) = g(x) + k$이다.

[2단계] $\displaystyle\int_a^b \{g(x)+k\}dx = k$를 계산하여 k와 $f(x)$를 구한다.

유형 06 적분과 미분의 관계

대표기출36 _ 2022학년도 9월 평가원 11번

다항함수 $f(x)$가 모든 실수 x에 대하여

$$xf(x) = 2x^3 + ax^2 + 3a + \int_1^x f(t)dt$$

를 만족시킨다. $f(1) = \displaystyle\int_0^1 f(t)dt$일 때, $a+f(3)$의 값은?

(단, a는 상수이다.) [4점]

① 5　　　　② 6　　　　③ 7
④ 8　　　　⑤ 9

대표기출37 _ 2021년 4월 시행 교육청 13번

다항함수 $f(x)$가

$$\lim_{x \to 2}\frac{1}{x-2}\int_1^x (x-t)f(t)dt = 3$$

을 만족시킬 때, $\displaystyle\int_1^2 (4x+1)f(x)dx$의 값은? [4점]

① 15　　　　② 18　　　　③ 21
④ 24　　　　⑤ 27

| 풀이 | $xf(x) = 2x^3 + ax^2 + 3a + \displaystyle\int_1^x f(t)dt$ ……㉠

㉠의 양변을 x에 대하여 미분하면

$f(x) + xf'(x) = 6x^2 + 2ax + f(x)$

$\therefore xf'(x) = 6x^2 + 2ax$

이때 $f(x)$는 다항함수이므로 $f'(x) = 6x + 2a$

$\therefore f(x) = \displaystyle\int f'(x)dx = 3x^2 + 2ax + C$ (단, C는 적분상수) ……㉡

한편 ㉠의 양변에 $x = 1$을 대입하면 $f(1) = 2 + 4a$이고,

㉠의 양변에 $x = 0$을 대입하면 $0 = 3a + \displaystyle\int_1^0 f(t)dt$, 즉 $\displaystyle\int_0^1 f(t)dt = 3a$이므로

$f(1) = \displaystyle\int_0^1 f(t)dt$에서

$2 + 4a = 3a$　$\therefore a = -2$

따라서 $f(x) = 3x^2 - 4x + C$이고 $f(1) = -6$이므로

$f(1) = -1 + C = -6$　$\therefore C = -5$

$\therefore f(x) = 3x^2 - 4x - 5$

$\therefore a + f(3) = -2 + (27 - 12 - 5) = 8$　　**답** ④

| 풀이 | $g(x) = \displaystyle\int_1^x (x-t)f(t)dt$라 하면 $\displaystyle\lim_{x \to 2}\frac{g(x)}{x-2} = 3$에서 극한값이

존재하고 $x \to 2$일 때 (분모) $\to 0$이므로 (분자) $\to 0$이어야 한다.

즉, $\displaystyle\lim_{x \to 2}g(x) = 0$이므로 $g(2) = 0$이고,

이때 $\displaystyle\lim_{x \to 2}\frac{g(x)}{x-2} = \lim_{x \to 2}\frac{g(x)-g(2)}{x-2} = g'(2) = 3$이다.

$g(x) = x\displaystyle\int_1^x f(t)dt - \int_1^x tf(t)dt$에서

$g'(x) = \left\{\displaystyle\int_1^x f(t)dt + xf(x)\right\} - xf(x) = \displaystyle\int_1^x f(t)dt$이므로

$g'(2) = 3$에서 $\displaystyle\int_1^2 f(t)dt = 3$

$g(2) = 0$에서 $2\displaystyle\int_1^2 f(t)dt - \int_1^2 tf(t)dt = 0$이므로

$\displaystyle\int_1^2 tf(t)dt = 2\int_1^2 f(t)dt = 2 \times 3 = 6$

$\therefore \displaystyle\int_1^2 (4x+1)f(x)dx = 4\int_1^2 xf(x)dx + \int_1^2 f(x)dx$

$$= 4 \times 6 + 3 = 27$$　　**답** ⑤

3 정적분의 활용

넓이

1. 곡선과 x축 또는 두 곡선 사이의 넓이

곡선과 x축 사이의 넓이	두 곡선 사이의 넓이
함수 $f(x)$가 닫힌구간 $[a, b]$에서 연속일 때, 곡선 $y=f(x)$와 x축 및 두 직선 $x=a$, $x=b$로 둘러싸인 부분의 넓이 S는 $$S=\int_a^b |f(x)|dx$$	두 함수 $f(x)$, $g(x)$가 닫힌구간 $[a, b]$에서 연속일 때, 두 곡선 $y=f(x)$, $y=g(x)$와 두 직선 $x=a$, $x=b$로 둘러싸인 부분의 넓이 S는 $$S=\int_a^b |f(x)-g(x)|dx$$

🔑 **단축Key** 이차함수의 그래프와 x축 사이의 넓이

(1) 곡선 $y=a(x-\alpha)(x-\beta)$ $(a\neq 0,\ \alpha<\beta)$와 x축으로 둘러싸인 부분의 넓이 S는
$$S=\int_\alpha^\beta |a(x-\alpha)(x-\beta)|dx = \frac{|a|(\beta-\alpha)^3}{6}$$

(2) 최고차항의 계수가 a인 이차함수 $y=f(x)$의 그래프와 직선 $y=g(x)$의 두 교점의 x좌표가 α, β일 때, 두 그래프로 둘러싸인 부분의 넓이 S는
$$S=\int_\alpha^\beta |f(x)-g(x)|dx = \frac{|a|(\beta-\alpha)^3}{6}$$

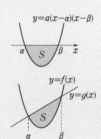

유형 07 정적분과 넓이

대표기출38 _ 2024학년도 6월 평가원 10번

양수 k에 대하여 함수 $f(x)$는 $f(x)=kx(x-2)(x-3)$이다. 곡선 $y=f(x)$와 x축이 원점 O와 두 점 P, Q $(\overline{OP}<\overline{OQ})$에서 만난다. 곡선 $y=f(x)$와 선분 OP로 둘러싸인 영역을 A, 곡선 $y=f(x)$와 선분 PQ로 둘러싸인 영역을 B라 하자.
(A의 넓이)$-$(B의 넓이)$=3$일 때, k의 값은? [4점]

① $\dfrac{7}{6}$ ② $\dfrac{4}{3}$ ③ $\dfrac{3}{2}$

④ $\dfrac{5}{3}$ ⑤ $\dfrac{11}{6}$

대표기출39 _ 2020학년도 9월 평가원 나형 15번

함수 $f(x)=x^2-2x$에 대하여 두 곡선 $y=f(x)$, $y=-f(x-1)-1$로 둘러싸인 부분의 넓이는? [4점]

① $\dfrac{1}{6}$ ② $\dfrac{1}{4}$ ③ $\dfrac{1}{3}$

④ $\dfrac{5}{12}$ ⑤ $\dfrac{1}{2}$

| 풀이 | (A의 넓이)$-$(B의 넓이)$=\displaystyle\int_0^3 f(x)dx$
이므로

$$\int_0^3 f(x)dx = \int_0^3 kx(x-2)(x-3)dx$$
$$= k\int_0^3 (x^3-5x^2+6x)dx$$
$$= k\left[\frac{1}{4}x^4-\frac{5}{3}x^3+3x^2\right]_0^3$$
$$= \frac{9}{4}k$$

따라서 $\dfrac{9}{4}k=3$에서 $k=\dfrac{4}{3}$이다.   답 ②

| 풀이 | $f(x)=x^2-2x$에서
$$-f(x-1)-1 = -\{(x-1)^2-2(x-1)\}-1$$
$$= -x^2+4x-4$$
$x^2-2x=-x^2+4x-4$에서
$2(x-1)(x-2)=0$이므로
$x=1$ 또는 $x=2$
따라서 구하는 넓이는
$$\int_1^2 \{(-x^2+4x-4)-(x^2-2x)\}dx = \left[-\frac{2}{3}x^3+3x^2-4x\right]_1^2 = \frac{1}{3}$$ 답 ③

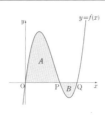

[참고]
구하는 넓이는 곡선 $y=2(x-1)(x-2)$와 x축 사이의 넓이와 같으므로
$$\frac{2\times(2-1)^3}{6} = \frac{1}{3}$$ 로 간단하게 계산할 수 있다.

🔑 단축Key **주기함수·역함수와 정적분**

(1) x축 평행이동과 주기함수

- x축 평행이동 : $\displaystyle\int_a^b f(x)dx = \int_{a+k}^{b+k} f(x-k)dx$

- 주기함수 : 모든 실수 x에 대하여 $f(x+p)=f(x)\ (p>0)$이면

$$\int_a^b f(x+np)dx = \int_{a+np}^{b+np} f(x)dx \ (n은 정수)$$

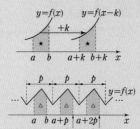

(2) 역함수

함수 $f(x)$와 역함수 $f^{-1}(x)$에 대하여

두 곡선 $y=f(x)$, $y=f^{-1}(x)$로 둘러싸인 부분의 넓이 S는

$$S = \int_a^b |f(x)-f^{-1}(x)|dx$$

$$= 2\int_a^b |f(x)-x|dx = 2\int_a^b |f^{-1}(x)-x|dx$$

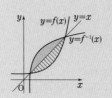

유형 08 넓이로 해석(1) – 정적분 계산

대표기출40 _ 2022학년도 수능 예시문항 12번

$0<a<b$인 모든 실수 a, b에 대하여

$$\int_a^b (x^3 - 3x + k)dx > 0$$

이 성립하도록 하는 실수 k의 최솟값은? [4점]

① 1   ② 2   ③ 3

④ 4   ⑤ 5

| 풀이 | $f(x) = x^3 - 3x + k$라 하자.
$0<a<b$인 모든 실수 a, b에 대하여

$\displaystyle\int_a^b f(x)dx > 0$이려면 오른쪽 그림과 같아야 하므로

$x \geq 0$에서 $f(x) \geq 0$이어야 한다.

즉, $x \geq 0$에서의 함수 $f(x)$의 최솟값이 0 이상이어야 한다. ……㉠

$f'(x) = 3x^2 - 3 = 3(x+1)(x-1)$

이므로 $x=-1$ 또는 $x=1$일 때 $f'(x)=0$이다.

이때 함수 $f(x)$의 증가와 감소를 표로 나타내면 다음과 같다.

x	$\cdots$	-1	$\cdots$	1	$\cdots$
$f'(x)$	$+$	0	$-$	0	$+$
$f(x)$	↗	극대	↘	극소	↗

따라서 함수 $f(x)$는 극댓값 $f(-1) = 2+k$,

극솟값 $f(1) = -2+k$를 갖는다.

즉, ㉠을 만족시키려면

$f(1) = -2+k \geq 0$에서 $k \geq 2$이다.

따라서 구하는 실수 k의 최솟값은 2이다.

답 ②

유형 09 넓이로 해석(2) – 평행이동·대칭 이용

대표기출41 _ 2015학년도 수능 A형 20번

함수 $f(x)$는 모든 실수 x에 대하여 $f(x+3)=f(x)$를 만족시키고,

$$f(x) = \begin{cases} x & (0 \leq x < 1) \\ 1 & (1 \leq x < 2) \\ -x+3 & (2 \leq x < 3) \end{cases}$$

이다. $\displaystyle\int_{-a}^{a} f(x)dx = 13$일 때, 상수 a의 값은? [4점]

① 10   ② 12   ③ 14

④ 16   ⑤ 18

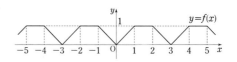

| 풀이 | 그림에서 색칠한 부분의 넓이는

$\displaystyle\int_0^3 f(x)dx = \frac{1}{2} \times 1 \times (3+1) = 2$이다.

모든 실수 x에 대하여

$f(x+3) = f(x)$를 만족시키므로

함수 $f(x)$는 주기가 3인 주기함수이다. ……㉠

따라서

$\displaystyle\int_{-3}^3 f(x)dx = 2\int_0^3 f(x)dx = 4$, $\displaystyle\int_{-6}^6 f(x)dx = 4\int_0^3 f(x)dx = 8$,

$\displaystyle\int_{-9}^9 f(x)dx = 6\int_0^3 f(x)dx = 12$이고

$\displaystyle\int_{-1}^0 f(x)dx = \int_0^1 f(x)dx = \frac{1}{2}$이므로

$\displaystyle\int_{-10}^{10} f(x)dx = \int_{-10}^{-9} f(x)dx + \int_{-9}^{9} f(x)dx + \int_9^{10} f(x)dx$

$\displaystyle\qquad = \int_{-1}^0 f(x)dx + 12 + \int_0^1 f(x)dx \ (\because ㉠)$

$\displaystyle\qquad = \frac{1}{2} + 12 + \frac{1}{2} = 13$

$\therefore a = 10$

답 ①

속도와 거리

1. 수직선 위를 움직이는 점의 위치와 움직인 거리

수직선 위를 움직이는 점 P의 시각 t에서의 속도를 $v(t)$, 시각 t_0에서의 점 P의 위치를 x_0이라고 할 때

❶ 시각 t에서의 점 P의 위치 x는

$$x = x_0 + \int_{t_0}^{t} v(t)dt$$

❷ 시각 $t=a$에서 $t=b$까지 점 P의 위치의 변화량은

$$\int_{a}^{b} v(t)dt \qquad = A - B$$

❸ 시각 $t=a$에서 $t=b$까지 점 P가 움직인 거리 s는

$$s = \int_{a}^{b} |v(t)|dt \qquad = A + B$$

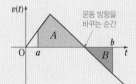

유형 **10** 속도와 거리

대표기출42 _ 2021학년도 수능 나형 14번

수직선 위를 움직이는 점 P의 시각 t $(t \geq 0)$에서의 속도 $v(t)$가

$$v(t) = 2t - 6$$

이다. 점 P가 시각 $t=3$에서 $t=k$ $(k>3)$까지 움직인 거리가 25일 때, 상수 k의 값은? [4점]

① 6   ② 7   ③ 8

④ 9   ⑤ 10

대표기출43 _ 2024학년도 9월 평가원 11번

두 점 P와 Q는 시각 $t=0$일 때 각각 점 A(1)과 점 B(8)에서 출발하여 수직선 위를 움직인다. 두 점 P, Q의 시각 t $(t \geq 0)$에서의 속도는 각각

$$v_1(t) = 3t^2 + 4t - 7, \quad v_2(t) = 2t + 4$$

이다. 출발한 시각부터 두 점 P, Q 사이의 거리가 처음으로 4가 될 때까지 점 P가 움직인 거리는? [4점]

① 10   ② 14   ③ 19

④ 25   ⑤ 32

| 풀이 | 점 P의 시각 t $(t \geq 0)$에서의 속도가 $v(t) = 2t - 6$이므로 점 P가 시각 $t=3$에서 시각 $t=k$ $(k>3)$까지 움직인 거리는

$$\int_{3}^{k} |v(t)|dt = \int_{3}^{k} (2t-6)dt$$
$$= \left[t^2 - 6t \right]_{3}^{k}$$
$$= k^2 - 6k + 9$$

이때 $k^2 - 6k + 9 = 25$이므로 $k^2 - 6k - 16 = 0$
$(k+2)(k-8) = 0$
$\therefore k = 8$ $(\because k > 3)$

답 ③

| 풀이 | 두 점 P, Q의 시각 t $(t \geq 0)$에서의 위치를 각각 $x_1(t)$, $x_2(t)$라 하면

$$x_1(t) = 1 + \int_{0}^{t} v_1(t)dt = t^3 + 2t^2 - 7t + 1 \; (\because x_1(0) = 1)$$

$$x_2(t) = 8 + \int_{0}^{t} v_2(t)dt = t^2 + 4t + 8 \; (\because x_2(0) = 8)$$

출발 전 두 점 P, Q 사이의 거리는 7이고,
점 Q가 점 P보다 오른쪽에 있는 위치에서 출발하므로
두 점 P, Q 사이의 거리가 처음으로 4가 되는 시각 t는
$x_2(t) - x_1(t) = -t^3 - t^2 + 11t + 7 = 4$에서
$(t-3)(t^2 + 4t + 1) = 0$ $\therefore t = 3$ $(\because t \geq 0)$
이때 $v_1(t) = (3t+7)(t-1)$이므로
$0 \leq t \leq 1$일 때 $v_1(t) \leq 0$, $t \geq 1$일 때 $v_1(t) \geq 0$이다.
따라서 출발한 시각부터 $t=3$까지 점 P가 움직인 거리는

$$\int_{0}^{3} |v_1(t)|dt = -\int_{0}^{1} v_1(t)dt + \int_{1}^{3} v_1(t)dt$$
$$= -\{x_1(1) - x_1(0)\} + \{x_1(3) - x_1(1)\}$$
$$= -(-3-1) + \{25 - (-3)\} = 32$$

답 ⑤

III 적분

핵심유형

SET 17
SET 18
SET 19
SET 20
SET 21
SET 22
SET 23
SET 24

161

짝기출 101 유형 01

함수 $f(x)$가

$$f(x) = \int \left(2x^3 - \frac{1}{6}x^2 + 5\right)dx + \int \left(2x^3 + \frac{1}{6}x^2\right)dx$$

이고 $f(0) = -2$일 때, $f(-1)$의 값은?

① -8 ② -7 ③ -6

④ -5 ⑤ -4

162

짝기출 102 유형 04

$\int_0^a (3x^2 + 5x)dx + \int_a^0 (x+5)dx = 6$일 때, 양수 a의 값은?

① 1 ② 2 ③ 3

④ 4 ⑤ 5

163

짝기출 103 유형 05

$\int_{-1}^1 (4x^3 + 3x^2 - 2|x| + 1)dx$의 값은?

① -2 ② -1 ③ 0

④ 1 ⑤ 2

164

짝기출 104 유형 07

곡선 $y = 3x^2 - x$와 직선 $y = -7x$로 둘러싸인 부분의 넓이는?

① $\dfrac{11}{3}$ ② 4 ③ $\dfrac{13}{3}$

④ $\dfrac{14}{3}$ ⑤ 5

165

찍기출 105 | 106 유형 10

원점을 출발하여 수직선 위를 움직이는 점 P 의 시각
$t\,(0 \le t \le 5)$에서의 속도 $v(t)$의 그래프가 그림과 같다.
점 P 가 시각 $t = 0$에서 시각 $t = 5$까지 움직인 거리는?

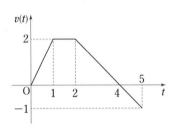

① $\dfrac{9}{2}$ ② 5 ③ $\dfrac{11}{2}$

④ 6 ⑤ $\dfrac{13}{2}$

166

찍기출 107 유형 02

실수 전체의 집합에서 연속인 함수 $f(x)$에 대하여 $x \ne 2$일
때,

$$f'(x) = \begin{cases} -x+1 & (x < 2) \\ 2x-3 & (x > 2) \end{cases}$$

이다. 함수 $y = f(x)$의 그래프가 점 $(4,\,9)$를 지날 때,
$f(1)$의 값은?

① 2 ② $\dfrac{5}{2}$ ③ 3

④ $\dfrac{7}{2}$ ⑤ 4

핵심유형

SET 17
SET 18
SET 19
SET 20
SET 21
SET 22
SET 23
SET 24

167

유형 06

다항함수 $f(x)$가 모든 실수 x에 대하여

$$xf(x) = x^2 + \int_1^x f(t)dt$$

를 만족시킬 때, $f(10)$의 값을 구하시오.

168

유형 04

최고차항의 계수가 3인 이차함수 $f(x)$가 다음 조건을 만족시킨다.

(가) 모든 실수 t에 대하여

$$\int_{2+t}^2 f(x)\,dx = \int_2^{2-t} f(x)\,dx \text{ 이다.}$$

(나) 방정식 $f(x)=0$의 모든 실근의 곱은 3이다.

$\displaystyle\int_{-3}^3 f(x)\,dx$의 값은?

① 100   ② 104   ③ 108

④ 112   ⑤ 116

169

유형 07

최고차항의 계수가 1인 삼차함수 $f(x)$가 다음 조건을 만족시킨다.

(가) 모든 실수 x에 대하여 $\displaystyle\int_{-x}^{x} f(t)dt = 0$이다.

(나) $x = 2$에서 극솟값을 갖는다.

함수 $y = f(x)$의 그래프와 x축으로 둘러싸인 부분의 넓이를 구하시오.

170

유형 06

최고차항의 계수가 1인 삼차함수 $f(x)$가 다음 조건을 만족시킬 때, 함수 $f(x)$의 극솟값은?

(가) $\displaystyle\lim_{x \to 0} \frac{1}{x}\int_{-6}^{x} f'(t)\,dt = 36$

(나) 함수 $f(x)$의 극댓값은 5이다.

---

① -30 ② -29 ③ -28

④ -27 ⑤ -26

171

$$\int_{-a}^{a} (x^3 - 6x^2 + x + 8)dx = 0$$을 만족시키는 양수 a의 값은?

① 2   ② 4   ③ 6
④ 8   ⑤ 10

172

$$\int_{0}^{4} |x(x-2)(x+2)|\,dx$$의 값을 구하시오.

173

짝기출 110 유형 03

이차함수 $f(x)$가

$$f(x) = x^2 - 6x + \int_{0}^{1} tf(t)\,dt$$

일 때, $6\int_{0}^{1} f(x)\,dx$의 값은?

① -37 ② -35 ③ -33
④ -31 ⑤ -29

174

짝기출 111 유형 07

그림과 같이 두 곡선 $y = -x^3 + 4x^2$, $y = ax^2 - 4ax$로 둘러싸인 두 부분의 넓이를 각각 S_1, S_2라 하자.
$S_2 - S_1 = 8$일 때, 상수 a의 값은? (단, $-4 < a < 0$)

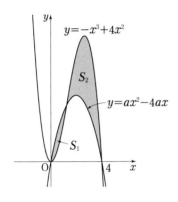

① -1

② $-\dfrac{5}{4}$

③ $-\dfrac{3}{2}$

④ $-\dfrac{7}{4}$

⑤ -2

175

짝기출 112 유형 01

상수 k에 대하여 다항함수 $f(x)$가 다음 조건을 만족시킨다.

(가) $f(0) = f(1)$

(나) $\displaystyle\lim_{h \to 0} \dfrac{f(x+h) - f(x-h)}{h} = 6x^2 + kx + 2$

$f'(k) = n^2$일 때, 자연수 n의 값을 구하시오.

176

짝기출 113 유형 06

다항함수 $f(x)$가 모든 실수 x에 대하여

$$f(x) = 2x^3 + 4x - \int_0^x \left\{ \dfrac{d}{dt} f(t) \right\} dt$$

를 만족시킬 때, $\displaystyle\int_0^2 f(x)\,dx$ 의 값은?

① 6

② 8

③ 10

④ 12

⑤ 14

177

유형 10

원점을 동시에 출발하여 수직선 위를 움직이는 두 점 P, Q의 시각 t $(0 \leq t \leq 10)$에서의 속도가 각각

$$v_{\mathrm{P}}(t) = t^2 + 6t + 5, \ v_{\mathrm{Q}}(t) = -3t^2 + 2t + 7$$

이다. 선분 PQ의 중점을 M이라 할 때, $t = 3$일 때 점 M의 위치를 구하시오.

178

팍기출 114 유형 06

다항함수 $f(x)$가 모든 실수 x에 대하여

$$x f(x) = 2x^3 - x^2 + 6a + \int_a^x f(t)dt$$

를 만족시킨다. $f(0) = 0$일 때, $f(a)$의 값은? (단, $a > 0$)

① 3 ② 7 ③ 12

④ 16 ⑤ 21

179

찍기출 115 유형 09

함수 $f(x)$는 모든 실수 x에 대하여 $f(x+2) = f(x)$를 만족시키고

$$f(x) = \begin{cases} ax^2 & (0 \le x < 1) \\ a(2-x) & (1 \le x < 2) \end{cases}$$

이다. $\int_1^4 f(x)dx = 12$일 때, $f(5)$의 값을 구하시오.

(단, a는 상수이다.)

180

찍기출 116 유형 07

1보다 큰 상수 a에 대하여 최고차항의 계수가 1인 삼차함수 $f(x)$가 다음 조건을 만족시킨다.

(가) $f(0) = f(a) = 0$

(나) $f'(1) = f'(a) = 0$

곡선 $y = f(x)$와 x축으로 둘러싸인 부분의 넓이는?

① 6　　　　② $\dfrac{25}{4}$　　　　③ $\dfrac{13}{2}$

④ $\dfrac{27}{4}$　　　　⑤ 8

181

유형 05

$\displaystyle\int_{-2}^{1}(2x^5-4|x|+3)\,dx-\int_{-2}^{-1}(2x^5+4x+3)\,dx$ 의

값은?

① 1   ② 2   ③ 3

④ 4   ⑤ 5

182

유형 02

실수 전체의 집합에서 미분가능한 함수 $F(x)$의 도함수 $f(x)$가

$$f(x)=\begin{cases} 2x & (x\ge 0) \\ kx^2-2kx & (x<0) \end{cases}$$

이다. $F(3)-F(-1)=13$일 때, $f(2)-f(-2)$의 값은?

(단, k는 상수이다.)

① -24 ② -23 ③ -22

④ -21 ⑤ -20

183

찍기출 117 유형 07

두 곡선 $y=x^2-4$, $y=-(x-2)^2$으로 둘러싸인 부분의

넓이가 $\dfrac{q}{p}$ 일 때, $p+q$의 값을 구하시오.

(단, p와 q는 서로소인 자연수이다.)

184

 유형 02

다음 조건을 만족시키는 모든 사차함수 $f(x)$에 대하여 $f(0)$의 최솟값을 구하시오.

(가) $f(x) = \int (x^3 - 3x^2 - 4x)dx$

(나) 모든 실수 x에 대하여 $f(x) \geq 0$이다.

186

짝기출 119 유형 06

상수함수가 아닌 다항함수 $f(x)$가 모든 실수 x에 대하여

$$\int_1^x (t+1)f(t)dt = \{f(x)\}^2$$

을 만족시킬 때, $f(5)$의 값은?

① 6   ② 7   ③ 8

④ 9   ⑤ 10

185

짝기출 118 유형 10

시각 $t = 0$일 때 동시에 점 $A(1)$을 출발하여 수직선 위를 움직이는 두 점 P, Q의 시각 t $(t \geq 0)$에서의 속도가 각각

$$v_1(t) = 2t - 6, \quad v_2(t) = -3t^2 + 5t$$

이다. 출발한 후 두 점 P, Q의 속도가 같아지는 순간 두 점 P, Q 사이의 거리를 구하시오.

Ⅲ 적분

핵심유형
SET 17
SET 18
SET 19
SET 20
SET 21
SET 22
SET 23
SET 24

최고차항의 계수가 1인 이차함수 $f(x)$에 대하여

$$\int_{-2}^{1} f(x)dx = \int_{-1}^{2} f(x)dx = 0$$

일 때, $f(4)$의 값을 구하시오.

삼차함수 $f(x)$가 $x=1$에서 극솟값 1을 갖고, $x=2$에서 극댓값 2를 갖는다. $\displaystyle\lim_{t \to 0} \frac{1}{t}\int_{0}^{2t} f(x)dx$의 값은?

① 6   ② 12   ③ 18

④ 24   ⑤ 30

189

짝기출 122 유형 07

두 곡선 $y = -2x^4 + 3x$, $y = 2x^4 - 2x^3 + x$로 둘러싸인 도형의 넓이가 곡선 $y = -ax^2 + (a+1)x$에 의하여 이등분될 때, 상수 a의 값은?

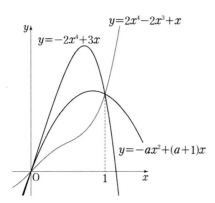

① 1

② $\dfrac{5}{4}$

③ $\dfrac{3}{2}$

④ $\dfrac{7}{4}$

⑤ 2

190

짝기출 123 유형 09

실수 전체의 집합에서 증가하는 함수 $f(x)$가 $f(3) = 2$이고

$$\int_3^6 f(x)dx + \int_{f(3)}^{f(6)} f^{-1}(x)dx = 54$$

를 만족시킨다. $f(6)$의 값을 구하시오.

191

짝기출 124 유형 06

함수 $f(x)$가

$$f(x) = \int_{-1}^{x} t(t-2)(t-a)dt$$

이고, $f'(3) = 18$일 때, $f(0)$의 값은? (단, a는 상수이다.)

① 3 ② $\dfrac{37}{12}$ ③ $\dfrac{19}{6}$

④ $\dfrac{13}{4}$ ⑤ $\dfrac{10}{3}$

192

짝기출 125 유형 07

함수 $y = 4x^3 - 4x^2 - 8x$의 그래프와 x축으로 둘러싸인 부분의 넓이는?

① 11 ② $\dfrac{34}{3}$ ③ $\dfrac{35}{3}$

④ 12 ⑤ $\dfrac{37}{3}$

193

짝기출 126 유형 04

함수 $f(x) = ax + 3 \ (a > 0)$에 대하여

$$\int_{-1}^{1} \{f(x)\}^2 dx = \left\{ \int_{-1}^{1} f(x)dx \right\}^2$$

일 때, a의 값은?

① $\dfrac{\sqrt{3}}{3}$ ② 1 ③ $\sqrt{3}$

④ 3 ⑤ $3\sqrt{3}$

194

짝기출 103 유형 05

$\int_{-2}^{2}(|x+1|+|x-1|)dx$의 값을 구하시오.

195

짝기출 127 유형 07

함수 $f(x)$의 도함수 $f'(x)$는 $f'(x)=-x^2+1$이다.
$f(1)=0$일 때, 곡선 $y=f(x)$와 x축으로 둘러싸인 부분의

넓이는 $\dfrac{q}{p}$이다. $p+q$의 값을 구하시오.

(단, p와 q는 서로소인 자연수이다.)

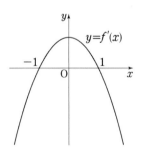

196

유형 09

실수 전체의 집합에서 연속인 함수 $f(x)$가 다음 조건을
만족시킨다.

(가) $-1 \leq x < 1$에서 $f(x)=x^2$이다.
(나) 모든 실수 x에 대하여 $f(x+2)=f(x)$이다.

함수 $g(x)$를 $g(x)=\displaystyle\int_{1}^{x}f(t)\,dt$라 할 때,

$g(k+6)-g(k)$의 값은? (단, k는 상수이다.)

① 1 ② $\dfrac{3}{2}$ ③ 2

④ $\dfrac{5}{2}$ ⑤ 3

197

최고차항의 계수가 1인 삼차함수 $f(x)$가 다음 조건을 만족시킨다.

> (가) $f(-1) = f(0) = f(4)$
>
> (나) $\displaystyle\int_0^2 f(x)dx = 4$

$f(1)$의 값은?

① $\dfrac{1}{2}$ ② 1 ③ $\dfrac{3}{2}$

④ 2 ⑤ $\dfrac{5}{2}$

198

함수 $f(x) = -\dfrac{1}{16}x^2(x-1)(x-2)$에 대하여 함수 $g(x)$를

$$g(x) = -\int_{-2}^x f(t)dt$$

라 하자. 함수 $g(x)$의 극솟값을 $\dfrac{q}{p}$라 할 때, $p+q$의 값을 구하시오. (단, p와 q는 서로소인 자연수이다.)

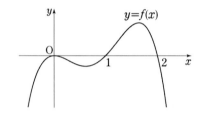

199

짝기출 129 유형 10

수직선 위를 움직이는 점 P 의 시각 t $(t \geq 0)$에서의 속도 $v(t)$가

$$v(t) = 6t^2 - 6(a+1)t + 6a \ (a > 1)$$

이다. 점 P 가 출발한 후, 첫 번째로 운동 방향이 바뀌는 순간부터 두 번째로 운동 방향이 바뀌는 순간까지 움직인 거리가 1일 때, 상수 a의 값은?

① 2   ② 3   ③ 4

④ 5   ⑤ 6

200

유형 08

함수 $f(x) = x(x+2)(x-1)(x-3)$에 대하여

$$g(x) = \begin{cases} f(x) & (x < 0) \\ |f(x)| & (x \geq 0) \end{cases}$$

라 하자. $\displaystyle\int_{-2}^{3} g(x)\,dx = \dfrac{q}{p}$라 할 때, $p+q$의 값을 구하시오.

(단, p와 q는 서로소인 자연수이다.)

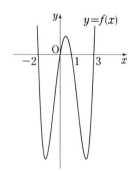

201

유형 09

다항함수 $f(x)$가 모든 실수 x에 대하여 $f(-x) = f(x)$를 만족시키고

$$\int_{-1}^{4} f(x)dx = 8, \quad \int_{-4}^{-1} f(x)dx = 4$$

일 때, $\int_{-1}^{1} f(x)dx$의 값은?

① 2 ② 4 ③ 6
④ 8 ⑤ 10

202

찍기술 130 유형 06

함수 $f(x) = x\displaystyle\int_{2}^{x}(3t^2 - 4t + 1)\,dt$에 대하여

$\displaystyle\lim_{h \to 0} \frac{1}{h} \int_{2-h}^{2+h} f'(x)dx$의 값은?

① 12 ② 14 ③ 16
④ 18 ⑤ 20

203

유형 04

이차함수 $f(x) = 3x^2 + ax + b$에 대하여

$$\int_{-1}^{1} f(x)dx = \int_{-1}^{1} xf(x)dx$$

가 성립할 때, $f\left(-\dfrac{1}{3}\right)$의 값은? (단, a, b는 상수)

① -1 ② $-\dfrac{2}{3}$ ③ $-\dfrac{1}{3}$
④ 0 ⑤ $\dfrac{1}{3}$

204

짝기출 131 유형 07

곡선 $y = x^2 + 2|x| - 8$과 x축으로 둘러싸인 부분의
넓이를 S라 할 때, $3S$의 값을 구하시오.

206

유형 02

최고차항의 계수가 1인 사차함수 $f(x)$와 다항함수 $g(x)$가
다음 조건을 만족시킬 때, $f(-1) + g(1)$의 값은?

(가) $\displaystyle\lim_{x \to 0} \frac{f(x) - 2}{x} = 4$

(나) 모든 실수 x에 대하여

$f(x) = (x^2 + 1) \displaystyle\int g(x)\, dx$이다.

① 1   ② 2   ③ 3

④ 4   ⑤ 5

205

짝기출 132 유형 10

수직선 위의 좌표가 8인 점에서 출발하여 수직선 위를
움직이는 점 P의 시각 t $(t \geq 0)$에서의 속도 $v(t)$가

이다. 시각 $t = 2$에서 점 P가 원점을 지날 때, 시각 $t = 1$에서
$t = 3$까지 점 P가 움직인 거리는? (단, m은 상수)

① 2   ② 4   ③ 6

④ 8   ⑤ 10

207

유형 03

다항함수 $f(x)$의 한 부정적분 $g(x)$가 다음 조건을 만족시킨다.

> (가) $f(x) = 6x - 2\displaystyle\int_0^1 g(t)dt$
>
> (나) $g(0) + \displaystyle\int_0^1 g(t)dt = g(1)$

$\displaystyle\int_0^2 g(x)dx$의 값은?

① 2   ② 4   ③ 6

④ 8   ⑤ 10

208

짝기출 133   유형 05

사차함수 $f(x)$가 다음 조건을 만족시킨다.

> (가) $x = 3$에서 극솟값 -16을 갖는다.
> (나) 극댓값을 갖지 않는다.
> (다) $f(0) = f(4) = 11$

$\displaystyle\int_0^4 |f'(x)|dx$의 값을 구하시오.

209

유형 06

이차함수 $f(x)$가 모든 실수 x에 대하여 $f(x) = f(-x)$를 만족시키고

$$\lim_{x \to 1} \frac{1}{x-1} \int_{-1}^{x} (t+1)f(t)dt = 8$$

이 성립한다. $f(2)$의 값은?

① 20   ② 22   ③ 24

④ 26   ⑤ 28

210

유형 07

최고차항의 계수가 양수인 이차함수 $f(x)$와 일차함수 $g(x)$는

$$f(0) = f(3) = 0,$$
$$f(0) = g(0), \; f(k) = g(k) \; (k > 3)$$

를 만족시킨다. 그림과 같이 곡선 $y = f(x)$와 x축으로 둘러싸인 부분의 넓이를 S_1, 곡선 $y = f(x)$와 직선 $y = g(x)$ 및 x축으로 둘러싸인 부분의 넓이를 S_2, 곡선 $y = f(x)$와 직선 $x = k$ 및 x축으로 둘러싸인 부분의 넓이를 S_3이라 하자. $\dfrac{S_2}{S_1} = 7$일 때, $\dfrac{S_2 + S_3}{S_1}$의 값을 구하시오.

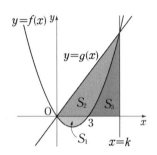

211

유형 07

두 다항함수 $f(x)$, $g(x)$는 모든 실수 x에 대하여

$$\int_{2}^{x}\{f(t)-g(t)\}dt=\frac{3}{2}x^2+3x-12,$$

$$\int_{-2}^{x}\{f(t)+g(t)\}dt=x^3-3x+2$$

를 만족시킨다. 두 곡선 $y=\dfrac{4}{3}f(x)$와 $y=2g(x)$로

둘러싸인 부분의 넓이를 S라 할 때, $6S$의 값을 구하시오.

212

짝기출 134 유형 04

함수 $f(x)$는

$$f(x)=\begin{cases} -3(x+1) & (x \le 0) \\ (x+1)(x-3) & (x > 0) \end{cases}$$

이다. 양수 t에 대하여 $\displaystyle\int_{-t}^{t} f(x)\,dx$는 $t=a$에서 최솟값

b를 가질 때, $\dfrac{b}{a}$의 값은?

① -4 ② $-\dfrac{11}{3}$ ③ $-\dfrac{10}{3}$

④ -3 ⑤ $-\dfrac{8}{3}$

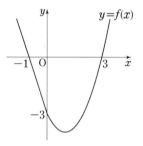

213

짝기출 135 유형 08

함수 $f(x) = x^3 - 6x^2 + k$가 $x = a$에서 극대, $x = b$에서 극소일 때,

$$\int_a^b f(x)dx > 0$$

이 성립하도록 하는 정수 k의 최솟값을 구하시오.

214

짝기출 136 유형 10

수직선 위를 움직이는 점 P의 시각 t $(t \geq 0)$에서의 속도 $v(t)$와 가속도 $a(t)$가 다음 조건을 만족시킨다.

> (가) $0 \leq t \leq 2$일 때, $v(t) = -|t-1|+1$이다.
> (나) $t \geq 2$일 때, $a(t) = 2t - 6$이다.

시각 $t = 0$에서 $t = 4$까지 점 P가 움직인 거리는?

① 2 ② $\dfrac{7}{3}$ ③ $\dfrac{8}{3}$

④ 9 ⑤ $\dfrac{10}{3}$

215

짝기출 137 유형 06

다항함수 $f(x)$가 모든 실수 x에 대하여

$$\{f(x)\}^2 + 6\int_0^x f(t)dt = x^4 + 8x^3 + 18x^2$$

을 만족시킬 때, $f(1)$의 값은?

① -2 ② 0 ③ 2

④ 4 ⑤ 6

III 적분

핵심유형
SET 17
SET 18
SET 19
SET 20
SET 21
SET 22
SET 23
SET 24

216

유형 08

최고차항의 계수가 1인 삼차함수 $f(x)$가 다음 조건을

만족시킬 때, $\int_2^x f(t)\,dt$의 최솟값은?

> (가) 모든 실수 x에 대하여
> $f(2-x)=-f(2+x)$이다.
>
> (나) $\int_1^3 f'(x)\,dx=-6$

① -5 ② -4 ③ -3

④ -2 ⑤ -1

217

유형 06

최고차항의 계수가 1인 이차함수 $f(x)$가 다음 조건을
만족시킨다.

> (가) 모든 실수 x에 대하여 $f(1-x)=f(1+x)$이다.
> (나) $\lim_{x \to 0} \dfrac{1}{x}\int_0^x f(t)\,dt=2$

$f(5)$의 값을 구하시오.

218

작기출 138 유형 05

최고차항의 계수가 2이고 $f'(0)=f'(1)=0$인 삼차함수
$f(x)$에 대하여 함수 $g(x)$를

$$g(x)=\begin{cases} f(x)-f(0) & (x \le 0) \\ f(x+1)-f(1) & (x > 0) \end{cases}$$

이라 할 때, $\int_{-1}^1 |g(x)|\,dx$의 값은?

① $\dfrac{3}{2}$ ② 3 ③ $\dfrac{9}{2}$

④ 6 ⑤ $\dfrac{15}{2}$

219

유형 09

함수 $f(x)$가 다음 조건을 만족시킬 때, $\displaystyle\int_{-30}^{30} f(x)dx$의

값은?

> (가) 모든 실수 x에 대하여
> $f(x) = f(2-x)$, $f(x) = -f(-2-x)$이다.
> (나) $f(x) = \begin{cases} x+1 & (-1 \le x < 0) \\ 1 & (0 \le x \le 1) \end{cases}$

① -2 ② -1 ③ 0

④ 1 ⑤ 2

220

짝기출 139 유형 02

삼차함수 $f(x)$의 도함수 $y = f'(x)$의 그래프는 다음과
같다.

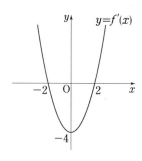

$f(0) = 0$이고 함수 $g(x) = \displaystyle\int \left[\dfrac{d}{dx}\{xf(x)\} \right] dx$의

극댓값이 3일 때, 방정식 $g(x) = k$의 서로 다른 실근의
개수가 3 이상이 되도록 하는 모든 정수 k의 값의 합은?

① -36 ② -33 ③ -30

④ -27 ⑤ -24

221

유형 05

함수 $f(x) = x^3 - 3x^2 + 2x$에 대하여

$\int_0^2 \{|f(x)| + f(x)\} dx$의 값은?

① $\dfrac{1}{8}$ ② $\dfrac{1}{4}$ ③ $\dfrac{1}{2}$

④ 1   ⑤ 2

222

쪽기출 140 유형 07

그림과 같이 함수 $f(x) = (x+1)(x-2)^2$에 대하여 곡선 $y = f(x)$와 직선 $y = ax + b \,(a > 0, b < 0)$의 한 교점의 x좌표는 3이고, 곡선 $y = f(x)$와 직선 $y = ax + b$ 및 y축으로 둘러싸인 두 부분의 넓이를 각각 S_1, S_2라 하자. $S_1 = S_2$일 때, $a + b$의 값은?

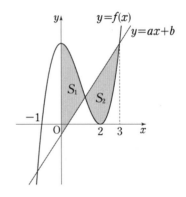

① $\dfrac{1}{2}$ ② 1   ③ $\dfrac{3}{2}$

④ 2   ⑤ $\dfrac{5}{2}$

223

픽기출 141 유형 01

다항함수 $f(x)$에 대하여 함수 $g(x)$가

$$g(x) = \int x f'(x) dx,$$

$$f(x)g(x) = 2x^3 + 2x^2 + 6x + 6$$

을 만족시킨다. $f'(1) = 2$일 때, $f(1)$의 값을 구하시오.

224

픽기출 142 유형 06

함수 $f(x) = \begin{cases} -2 & (x < 1) \\ -x+3 & (x \geq 1) \end{cases}$ 에 대하여 함수

$$g(x) = \int_{-1}^{x} (t-1)f(t) dt$$

의 최댓값은?

① $\dfrac{14}{3}$　　　② 5　　　③ $\dfrac{16}{3}$

④ $\dfrac{17}{3}$　　　⑤ 6

225

유형 07

곡선 $y = x^3 - 2x^2 - 3x$와 직선 $y = x + k$가 서로 다른 두 점에서 만날 때, 이 곡선과 직선으로 둘러싸인 도형의 넓이는? (단, $k < 0$)

① $\dfrac{4}{3}$　　　② $\dfrac{8}{3}$　　　③ $\dfrac{16}{3}$

④ $\dfrac{32}{3}$　　　⑤ $\dfrac{64}{3}$

226

실수 전체의 집합에서 증가하는 연속함수 $f(x)$가 다음 조건을 만족시킨다.

(가) 모든 실수 x에 대하여
$f(x-1) = f(x) - 2$이다.

(나) $\displaystyle\int_0^1 f(x)\,dx = 1$

함수 $y = f(x)$의 그래프와 x축 및 두 직선 $x = 2$, $x = 4$로 둘러싸인 부분의 넓이는?

① 11   ② $\dfrac{23}{2}$ ③ 12

④ $\dfrac{25}{2}$ ⑤ 13

227

다항함수 $f(x)$가 다음 조건을 만족시킨다.

(가) 모든 실수 x에 대하여
$(x-1)f(x) = -5x + 5 + 2\displaystyle\int_1^x f(t)\,dt$이다.

(나) $\displaystyle\int_{-1}^1 x f(x)\,dx = 2$

$f(3)$의 값을 구하시오.

228

최고차항의 계수가 1인 사차함수 $f(x)$와 다항함수 $g(x)$는 모든 실수 x에 대하여

$$f(-x) = f(x),\ g(-x) = -g(x)$$

를 만족시킨다.

$$\int_{-1}^1 (x-2)\{f'(x) + g'(x)\}\,dx = -\frac{2}{5}$$

이고 $f(-1) = -1$, $g(-1) = \dfrac{1}{2}$일 때, $f(2)$의 값은?

① 1   ② 2   ③ 3

④ 4   ⑤ 5

229

유형 10

원점을 출발하여 수직선 위를 움직이는 점 P 의 시각
t $(t \geq 0)$에서의 속도 $v(t)$는

$$v(t) = 3t^2 - 4at + 3a \ (a > 0)$$

이다. 점 P 가 출발한 후에는 운동 방향을 바꾸지 않는다고
할 때, 점 P 가 시각 $t = 0$에서 $t = a$까지 움직인 거리의
최댓값은?

① 1   ② 2   ③ 3

④ 4   ⑤ 5

230

짝기출 146   유형 04

실수 전체의 집합에서 연속인 두 함수 $f(x)$와 $g(x)$가 모든
실수 x에 대하여 다음 조건을 만족시킨다.

(가) $f(x) \leq g(x)$

(나) $f(x) + g(x) = 3x^2 + 2x + 1$

(다) $f(x)g(x) = 3x^2(2x + 1)$

$\displaystyle\int_{-1}^{0} g(x)dx + \int_{0}^{1} f(x)dx = \dfrac{q}{p}$ 일 때, $p + q$의 값을

구하시오. (단, p와 q는 서로소인 자연수이다.)

231

유형 07

삼차함수 $f(x) = x^3 - 3x^2 + x + 5$에 대하여 곡선
$y = f(x)$ 위의 점 $(2, f(2))$에서의 접선과 곡선
$y = f(x)$로 둘러싸인 부분의 넓이는?

① $\dfrac{21}{4}$ ② $\dfrac{23}{4}$ ③ $\dfrac{25}{4}$

④ $\dfrac{27}{4}$ ⑤ $\dfrac{29}{4}$

232

찍기출 147 유형 06

다항함수 $f(x)$가 다음 조건을 만족시킬 때, $f(1)$의 값은?

(가) 모든 실수 x에 대하여

$$\int_0^x f(t)\, dt = \frac{x}{3} f(x) + x^2 \text{이다.}$$

(나) $\displaystyle\int_0^3 f(x)\, dx = 0$

---

① 1   ② 2   ③ 3

④ 4   ⑤ 5

233

유형 05

함수 $f(x) = x^3 - x$에 대하여 함수 $g(x)$를

$$g(x) = \begin{cases} f(x) & (x \le 0) \\ f(x-1) & (x > 0) \end{cases}$$

이라 할 때, $\displaystyle\int_{-1}^{2} |g(x)|\, dx = \frac{q}{p}$이다. $p + q$의 값을
구하시오. (단, p와 q는 서로소인 자연수이다.)

234

짝기출 148 유형 08

곡선 $y = x^2 - ax \ (0 < a < 1)$와 x축 및 직선 $x = 1$로 둘러싸인 부분의 넓이가 최소가 되도록 하는 상수 a의 값은?

① $\dfrac{\sqrt{2}}{4}$　　　② $\dfrac{1}{2}$　　　③ $\dfrac{\sqrt{2}}{2}$

④ 1　　　⑤ $\sqrt{2}$

235

짝기출 149 유형 07

삼차함수 $f(x)$가 다음 조건을 만족시킨다.

(가) $f(0) = 3$
(나) $f(1) = f(3) = 0$
(다) 모든 실수 t에 대하여
$$\int_0^t f(x)dx = \int_2^t f(x)dx \text{이다.}$$

곡선 $y = f(x)$와 x축으로 둘러싸인 부분의 넓이를 구하시오.

236

유형 02

최고차항의 계수가 1인 삼차함수 $f(x)$가 다음 조건을 만족시킨다.

(가) $f'\left(\dfrac{1}{3}\right) \neq 0$

(나) 함수 $f(x)$는 $x = 3$에서 극솟값 -7을 갖는다.

(다) 방정식 $f(x) = f(-1)$은 서로 다른 두 실근을 갖는다.

$f(0)$의 값을 구하시오.

III 적분

핵심유형
SET 17
SET 18
SET 19
SET 20
SET 21
SET 22
SET 23
SET 24

237

상수 a $(a \neq 1)$와 최고차항의 계수가 1인 삼차함수 $f(x)$가 다음 조건을 만족시킨다.

> (가) $f(1) = 0$이고, 함수 $|f(x)|$는 $x = a$에서만 미분가능하지 않다.
>
> (나) 함수 $g(x) = \displaystyle\int_a^x (x^2 - t^2)|f(t)|\,dt$ 는 극값을 갖지 않는다.

$f(3)$의 값은?

① 10   ② 12   ③ 14

④ 16   ⑤ 18

238

원점을 출발하여 수직선 위를 움직이는 점 P의 시각 t $(0 \leq t \leq c)$에서의 속도 $v(t)$의 그래프가 그림과 같다.

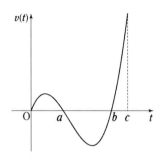

$\displaystyle\int_0^c v(t)\,dt < 0$일 때, 〈보기〉에서 옳은 것만을 있는 대로 고른 것은? (단, $v(a) = v(b) = 0$이고 $a < b < c$이다.)

> ─────── 〈보기〉 ───────
>
> ㄱ. $\displaystyle\int_0^c |v(t)|\,dt < 2\int_a^b |v(t)|\,dt$
>
> ㄴ. 점 P는 출발하고 나서 원점을 2번 지난다.
>
> ㄷ. 점 P와 원점 사이의 거리의 최댓값은 $\displaystyle\int_0^a v(t)\,dt$이다.

① ㄱ   ② ㄴ   ③ ㄱ, ㄷ

④ ㄴ, ㄷ   ⑤ ㄱ, ㄴ, ㄷ

239

유형 04

실수 전체의 집합에서 연속인 함수 $f(x)$가 모든 실수 x에 대하여

$$\{f(x)\}^2 - (x+x^2)f(x) + x^3 = 0$$

을 만족시킨다.

$$f'(-1)f'(2) > 1, \quad \int_0^1 f(x)dx < \frac{1}{2}$$

일 때, $\displaystyle\int_{-1}^2 f(x)dx = \frac{q}{p}$ 이다. $p+q$의 값을 구하시오.

(단, p와 q는 서로소인 자연수이다.)

240

 짝기출 152 유형 06

최고차항의 계수가 4인 삼차함수 $f(x)$에 대하여 함수

$$g(x) = \int_3^x f(t)dt$$

가 모든 실수 x에 대하여 다음 조건을 만족시킬 때, $g(-2)$의 값은?

(가) $g(x) \geq g(2)$
(나) $|g(x)| \geq |g(-1)|$
(다) 함수 $|g(x) - g(-1)|$의 미분가능하지 않은 점의 개수는 1이다.

① 1   ② 3   ③ 5
④ 7   ⑤ 9

III
적분

핵심유형
SET 17
SET 18
SET 19
SET 20
SET 21
SET 22
SET 23
SET 24

부록

핵심문제

짝기출

• • •

본문에 수록된 문제의 모티브가 된 수능·평가원 모의고사,
교육청 학력평가 기출문제를 세트별로 수록하였습니다.
실제로는 어떻게 출제되었는지 확인해보세요.

'짝기출'에 수록된 기출문제는
별도의 풀이 없이 정답만 제공합니다.
('빠른정답'에서 확인 가능)

001

2024학년도 9월 평가원 4번

함수 $y = f(x)$의 그래프가 그림과 같다.

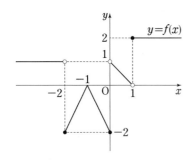

$$\lim_{x \to -2+} f(x) + \lim_{x \to 1-} f(x)$$의 값은? [3점]

① -2 ② -1 ③ 0

④ 1 ⑤ 2

002

2023학년도 9월 평가원 4번

함수

$$f(x) = \begin{cases} -2x + a & (x \le a) \\ ax - 6 & (x > a) \end{cases}$$

가 실수 전체의 집합에서 연속이 되도록 하는 모든 상수 a의 값의 합은? [3점]

① -1 ② -2 ③ -3

④ -4 ⑤ -5

003

2006학년도 수능 가형 3번

두 상수 a, b가 $\displaystyle\lim_{x \to 2} \frac{x^2 - (a+2)x + 2a}{x^2 - b} = 3$을 만족시킬

때, $a + b$의 값은? [2점]

① -6 ② -4 ③ -2

④ 0 ⑤ 2

004

2013학년도 6월 평가원 나형 9번

함수 $f(x)$에 대하여 $\displaystyle\lim_{x \to 2} \frac{f(x-2)}{x^2 - 2x} = 4$일 때,

$\displaystyle\lim_{x \to 0} \frac{f(x)}{x}$의 값은? [3점]

① 2 ② 4 ③ 6

④ 8 ⑤ 10

005

2018학년도 6월 평가원 나형 14번

함수

$$f(x) = \begin{cases} \dfrac{x^2 - 5x + a}{x - 3} & (x \ne 3) \\ b & (x = 3) \end{cases}$$

이 실수 전체의 집합에서 연속일 때, $a + b$의 값은?

(단, a와 b는 상수이다.) [4점]

① 1 ② 3 ③ 5

④ 7 ⑤ 9

006

2018학년도 9월 평가원 나형 12번

다항함수 $f(x)$가 다음 조건을 만족시킨다.

(가) $\lim_{x \to \infty} \dfrac{f(x)}{x^2} = 2$

(나) $\lim_{x \to 0} \dfrac{f(x)}{x} = 3$

$f(2)$의 값은? [3점]

① 11   ② 14   ③ 17

④ 20   ⑤ 23

007

2012학년도 수능 나형 12번

그림과 같이 직선 $y = x + 1$ 위에 두 점 $\text{A}(-1, 0)$과 $\text{P}(t, t+1)$이 있다. 점 P를 지나고 직선 $y = x + 1$에 수직인 직선이 y축과 만나는 점을 Q라 할 때,

$\lim_{t \to \infty} \dfrac{\overline{\text{AQ}}^2}{\overline{\text{AP}}^2}$ 의 값은? [3점]

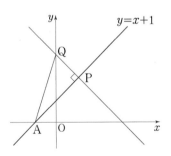

① 1   ② $\dfrac{3}{2}$ ③ 2

④ $\dfrac{5}{2}$ ⑤ 3

008

2019학년도 9월 평가원 나형 18번

닫힌구간 $[-1, 1]$에서 정의된 함수 $y = f(x)$의 그래프가 그림과 같다.

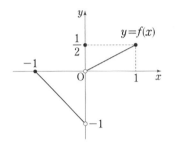

닫힌구간 $[-1, 1]$에서 두 함수 $g(x)$, $h(x)$가

$$g(x) = f(x) + |f(x)|,$$
$$h(x) = f(x) + f(-x)$$

일 때, 〈보기〉에서 옳은 것만을 있는 대로 고른 것은? [4점]

〈보기〉

ㄱ. $\lim_{x \to 0} g(x) = 0$

ㄴ. 함수 $|h(x)|$는 $x = 0$에서 연속이다.

ㄷ. 함수 $g(x)|h(x)|$는 $x = 0$에서 연속이다.

---

① ㄱ   ② ㄷ   ③ ㄱ, ㄴ

④ ㄴ, ㄷ   ⑤ ㄱ, ㄴ, ㄷ

I 함수의 극한과 연속

짝기출

SET 01
SET 02
SET 03
SET 04
SET 05
SET 06
SET 07
SET 08

009

2016학년도 6월 평가원 A형 7번

두 상수 a, b에 대하여 $\displaystyle\lim_{x \to 1} \frac{4x - a}{x - 1} = b$일 때, $a + b$의

값은? [3점]

① 8   ② 9   ③ 10

④ 11   ⑤ 12

010

2012학년도 6월 평가원 나형 18번

실수 t에 대하여 직선 $y = t$가 함수 $y = |x^2 - 1|$의

그래프와 만나는 점의 개수를 $f(t)$라 할 때, $\displaystyle\lim_{t \to 1-} f(t)$의

값은? [4점]

① 1   ② 2   ③ 3

④ 4   ⑤ 5

011

2021학년도 수능 나형 26번

함수

$$f(x) = \begin{cases} -3x + a & (x \le 1) \\ \dfrac{x+b}{\sqrt{x+3}-2} & (x > 1) \end{cases}$$

이 실수 전체의 집합에서 연속일 때, $a+b$의 값을 구하시오.
(단, a와 b는 상수이다.) [4점]

012

2018학년도 수능 나형 25번

함수 $f(x)$가 $\lim\limits_{x \to 1}(x+1)f(x) = 1$을 만족시킬 때,

$\lim\limits_{x \to 1}(2x^2+1)f(x) = a$이다. $20a$의 값을 구하시오. [3점]

013

2009학년도 9월 평가원 가형 3번

$\lim\limits_{x \to -3} \dfrac{\sqrt{x^2 - x - 3} + ax}{x + 3} = b$가 성립하도록 상수 a, b의

값을 정할 때, $a + b$의 값은? [2점]

① $-\dfrac{5}{6}$ ② $-\dfrac{1}{2}$ ③ 0

④ $\dfrac{1}{2}$ ⑤ $\dfrac{5}{6}$

014

2024학년도 6월 평가원 4번

실수 전체의 집합에서 연속인 함수 $f(x)$가

$$\lim\limits_{x \to 1} f(x) = 4 - f(1)$$

을 만족시킬 때, $f(1)$의 값은? [3점]

① 1   ② 2   ③ 3

④ 4   ⑤ 5

015

2014학년도 6월 평가원 A형 9번

함수 $f(x)$에 대하여

$$\lim\limits_{x \to 2} \dfrac{f(x) - 3}{x - 2} = 5$$

일 때, $\lim\limits_{x \to 2} \dfrac{x - 2}{\{f(x)\}^2 - 9}$ 의 값은? [3점]

① $\dfrac{1}{18}$ ② $\dfrac{1}{21}$ ③ $\dfrac{1}{24}$

④ $\dfrac{1}{27}$ ⑤ $\dfrac{1}{30}$

016

2022학년도 수능 예시문항 7번

함수

$$f(x) = \begin{cases} x - 4 & (x < a) \\ x + 3 & (x \geq a) \end{cases}$$

에 대하여 함수 $|f(x)|$가 실수 전체의 집합에서 연속일 때,
상수 a의 값은? [3점]

① -1 ② $-\dfrac{1}{2}$ ③ 0

④ $\dfrac{1}{2}$ ⑤ 1

017

2015학년도 6월 평가원 A형 29번

다항함수 $f(x)$가

$$\lim_{x \to \infty} \frac{f(x) - x^3}{x^2} = -11, \ \lim_{x \to 1} \frac{f(x)}{x-1} = -9$$

를 만족시킬 때, $\displaystyle\lim_{x \to \infty} x f\left(\frac{1}{x}\right)$의 값을 구하시오. [4점]

018

2016학년도 9월 평가원 A형 28번

다항함수 $f(x)$가 다음 조건을 만족시킬 때, $f(2)$의 값을 구하시오. [4점]

(가) $\displaystyle\lim_{x \to \infty} \frac{f(x) - x^3}{3x} = 2$

(나) $\displaystyle\lim_{x \to 0} f(x) = -7$

019

2014학년도 수능 A형 28번

함수

$$f(x) = \begin{cases} x + 1 & (x \leq 0) \\ -\dfrac{1}{2}x + 7 & (x > 0) \end{cases}$$

에 대하여 함수 $f(x)f(x-a)$가 $x = a$에서 연속이 되도록 하는 모든 실수 a의 값의 합을 구하시오. [4점]

020

2020학년도 6월 평가원 나형 15번

두 함수

$$f(x) = \begin{cases} -2x + 3 & (x < 0) \\ -2x + 2 & (x \geq 0) \end{cases},$$

$$g(x) = \begin{cases} 2x & (x < a) \\ 2x - 1 & (x \geq a) \end{cases}$$

가 있다. 함수 $f(x)g(x)$가 실수 전체의 집합에서 연속이 되도록 하는 상수 a의 값은? [4점]

① -2 ② -1 ③ 0

④ 1 ⑤ 2

021

2011학년도 9월 평가원 가형 5번

다항함수 $f(x)$가

$$\lim_{x \to \infty} \frac{f(x)}{x^3} = 0, \ \lim_{x \to 0} \frac{f(x)}{x} = 5$$

를 만족시킨다. 방정식 $f(x) = x$의 한 근이 -2일 때, $f(1)$의 값은? [3점]

① 6   ② 7   ③ 8

④ 9   ⑤ 10

022

2018학년도 9월 평가원 나형 17번

실수 전체의 집합에서 정의된 두 함수 $f(x)$와 $g(x)$에 대하여

$$x < 0일 \ 때, \ f(x) + g(x) = x^2 + 4$$
$$x > 0일 \ 때, \ f(x) - g(x) = x^2 + 2x + 8$$

이다. 함수 $f(x)$가 $x = 0$에서 연속이고
$\lim\limits_{x \to 0-} g(x) - \lim\limits_{x \to 0+} g(x) = 6$일 때, $f(0)$의 값은? [4점]

① -3 ② -1 ③ 0

④ 1   ⑤ 3

023

2019학년도 6월 평가원 나형 28번

이차함수 $f(x)$가 다음 조건을 만족시킨다.

(가) 함수 $\dfrac{x}{f(x)}$는 $x=1$, $x=2$에서 불연속이다.

(나) $\displaystyle\lim_{x\to 2}\dfrac{f(x)}{x-2}=4$

$f(4)$의 값을 구하시오. [4점]

024

2013학년도 6월 평가원 나형 19번

함수

$$f(x)=\begin{cases} x & (|x|\geq 1) \\ -x & (|x|<1) \end{cases}$$

에 대하여, 〈보기〉에서 옳은 것만을 있는 대로 고른 것은? [4점]

─── 〈보기〉 ───

ㄱ. 함수 $f(x)$가 불연속인 점은 2개이다.

ㄴ. 함수 $(x-1)f(x)$는 $x=1$에서 연속이다.

ㄷ. 함수 $\{f(x)\}^2$은 실수 전체의 집합에서 연속이다.

① ㄱ   ② ㄴ   ③ ㄱ, ㄴ

④ ㄱ, ㄷ   ⑤ ㄱ, ㄴ, ㄷ

025

2017학년도 수능 나형 18번

최고차항의 계수가 1인 이차함수 $f(x)$가

$$\lim_{x \to a} \frac{f(x)-(x-a)}{f(x)+(x-a)} = \frac{3}{5}$$

을 만족시킨다. 방정식 $f(x)=0$의 두 근을 α, β라 할 때, $|\alpha-\beta|$의 값은? (단, a는 상수이다.) [4점]

① 1   ② 2   ③ 3

④ 4   ⑤ 5

026

2022학년도 6월 평가원 8번

함수

$$f(x) = \begin{cases} -2x+6 & (x < a) \\ 2x-a & (x \ge a) \end{cases}$$

에 대하여 함수 $\{f(x)\}^2$이 실수 전체의 집합에서 연속이 되도록 하는 모든 상수 a의 값의 합은? [3점]

① 2   ② 4   ③ 6

④ 8   ⑤ 10

027

두 양수 a, b에 대하여 함수 $f(x)$가

$$f(x) = \begin{cases} x+a & (x < -1) \\ x & (-1 \le x < 3) \\ bx-2 & (x \ge 3) \end{cases}$$

이다. 함수 $|f(x)|$가 실수 전체의 집합에서 연속일 때, $a+b$의 값은? [3점]

① $\dfrac{7}{3}$ ② $\dfrac{8}{3}$ ③ 3

④ $\dfrac{10}{3}$ ⑤ $\dfrac{11}{3}$

028

다항함수 $f(x)$가

$$\lim_{x \to \infty} \frac{f(x)}{x^3} = 1, \ \lim_{x \to -1} \frac{f(x)}{x+1} = 2$$

를 만족시킨다. $f(1) \le 12$일 때, $f(2)$의 최댓값은? [4점]

① 27 ② 30 ③ 33

④ 36 ⑤ 39

Ⅰ 함수의 극한과 연속

짝기출

SET 01
SET 02
SET 03
SET 04
SET 05
SET 06
SET 07
SET 08

029

2021년 4월 시행 교육청 고3 9번

두 함수 $f(x)$, $g(x)$가

$$\lim_{x \to \infty} \{2f(x) - 3g(x)\} = 1, \ \lim_{x \to \infty} g(x) = \infty$$

를 만족시킬 때, $\lim_{x \to \infty} \dfrac{4f(x) + g(x)}{3f(x) - g(x)}$ 의 값은? [4점]

① 1   ② 2   ③ 3

④ 4   ⑤ 5

031

2017학년도 수능 나형 14번

두 함수

$$f(x) = \begin{cases} x^2 - 4x + 6 & (x < 2) \\ 1 & (x \geq 2) \end{cases},$$
$$g(x) = ax + 1$$

에 대하여 함수 $\dfrac{g(x)}{f(x)}$ 가 실수 전체의 집합에서 연속일 때, 상수 a의 값은? [4점]

① $-\dfrac{5}{4}$ ② -1 ③ $-\dfrac{3}{4}$

④ $-\dfrac{1}{2}$ ⑤ $-\dfrac{1}{4}$

030

2022학년도 9월 평가원 8번

삼차함수 $f(x)$가

$$\lim_{x \to 0} \frac{f(x)}{x} = \lim_{x \to 1} \frac{f(x)}{x - 1} = 1$$

을 만족시킬 때, $f(2)$의 값은? [3점]

① 4   ② 6   ③ 8

④ 10   ⑤ 12

032

2011학년도 6월 평가원 가형 24번

x가 양수일 때, x보다 작은 자연수 중에서 소수의 개수를 $f(x)$라 하고, 함수 $g(x)$를

$$g(x) = \begin{cases} f(x) & (x > 2f(x)) \\ \dfrac{1}{f(x)} & (x \leq 2f(x)) \end{cases}$$

라고 하자. 예를 들어, $f\left(\dfrac{7}{2}\right) = 2$이고 $\dfrac{7}{2} < 2f\left(\dfrac{7}{2}\right)$이므로 $g\left(\dfrac{7}{2}\right) = \dfrac{1}{2}$이다. $\lim\limits_{x \to 8+} g(x) = \alpha$, $\lim\limits_{x \to 8-} g(x) = \beta$라고 할 때, $\dfrac{\alpha}{\beta}$ 의 값을 구하시오. [4점]

033

2014학년도 9월 평가원 A형 15번

정의역이 $\{x \mid -2 \le x \le 2\}$인 함수 $y = f(x)$의
그래프가 구간 $[0,\,2]$에서 그림과 같고, 정의역에 속하는
모든 실수 x에 대하여 $f(-x) = -f(x)$이다.

$\displaystyle \lim_{x \to -1+} f(x) + \lim_{x \to 2-} f(x)$의 값은? [4점]

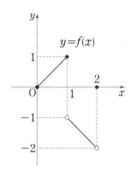

① -3 ② -1 ③ 0

④ 1 ⑤ 3

034

2015학년도 6월 평가원 A형 21번

최고차항의 계수가 1인 두 삼차함수 $f(x)$, $g(x)$가 다음
조건을 만족시킨다.

> (가) $g(1) = 0$
>
> (나) $\displaystyle \lim_{x \to n} \frac{f(x)}{g(x)} = (n-1)(n-2)$ $(n = 1,\, 2,\, 3,\, 4)$

$g(5)$의 값은? [4점]

① 4 ② 6 ③ 8

④ 10 ⑤ 12

035

2010학년도 6월 평가원 가형 19번

다항함수 $f(x)$가

$$\lim_{x \to 0+} \frac{x^3 f\left(\dfrac{1}{x}\right) - 1}{x^3 + x} = 5, \quad \lim_{x \to 1} \frac{f(x)}{x^2 + x - 2} = \frac{1}{3}$$

을 만족시킬 때, $f(2)$의 값을 구하시오. [3점]

I
함수의 극한과 연속

짝기출
SET 01
SET 02
SET 03
SET 04
SET 05
SET 06
SET 07
SET 08

036

2013학년도 9월 평가원 나형 13번

함수 $f(x)$가

$$f(x) = \begin{cases} a & (x \leq 1) \\ -x+2 & (x > 1) \end{cases}$$

일 때, 〈보기〉에서 옳은 것만을 있는 대로 고른 것은?

(단, a는 상수이다.) [3점]

─────〈보기〉─────

ㄱ. $\lim\limits_{x \to 1+} f(x) = 1$

ㄴ. $a = 0$이면 함수 $f(x)$는 $x = 1$에서 연속이다.

ㄷ. 함수 $y = (x-1)f(x)$는 실수 전체의 집합에서 연속이다.

① ㄱ ② ㄴ ③ ㄱ, ㄷ

④ ㄴ, ㄷ ⑤ ㄱ, ㄴ, ㄷ

037

2015학년도 9월 평가원 A형 25번

함수

$$f(x) = \begin{cases} \dfrac{(3x+2)(x-3)}{x-3} & (x \neq 3) \\ a & (x = 3) \end{cases}$$

가 실수 전체의 집합에서 연속일 때, 상수 a의 값을 구하시오.

[3점]

038

2020학년도 수능 나형 14번

상수항과 계수가 모두 정수인 두 다항함수 $f(x)$, $g(x)$가 다음 조건을 만족시킬 때, $f(2)$의 최댓값은? [4점]

(가) $\lim\limits_{x \to \infty} \dfrac{f(x)g(x)}{x^3} = 2$

(나) $\lim\limits_{x \to 0} \dfrac{f(x)g(x)}{x^2} = -4$

① 4 ② 6 ③ 8

④ 10 ⑤ 12

039

2013학년도 수능 나형 20번

두 함수

$$f(x)=\begin{cases}-1 & (|x|\geq 1)\\ 1 & (|x|<1)\end{cases},$$

$$g(x)=\begin{cases}1 & (|x|\geq 1)\\ -x & (|x|<1)\end{cases}$$

에 대하여 〈보기〉에서 옳은 것만을 있는 대로 고른 것은? [4점]

〈보기〉

ㄱ. $\lim_{x\to 1}f(x)g(x)=-1$

ㄴ. 함수 $g(x+1)$은 $x=0$에서 연속이다.

ㄷ. 함수 $f(x)g(x+1)$은 $x=-1$에서 연속이다.

① ㄱ　② ㄴ　③ ㄱ, ㄴ　④ ㄱ, ㄷ　⑤ ㄱ, ㄴ, ㄷ

040

2012학년도 6월 평가원 나형 18번

실수 t에 대하여 직선 $y=t$가 함수 $y=|x^2-1|$의 그래프와 만나는 점의 개수를 $f(t)$라 할 때, $\lim_{t\to 1-}f(t)$의 값은? [4점]

① 1　② 2　③ 3　④ 4　⑤ 5

041

2009학년도 6월 평가원 가형 4번

다항함수 $g(x)$에 대하여 극한값 $\lim\limits_{x \to 1} \dfrac{g(x) - 2x}{x - 1}$ 가

존재한다. 다항함수 $f(x)$가

$$f(x) + x - 1 = (x - 1)g(x)$$

를 만족시킬 때, $\lim\limits_{x \to 1} \dfrac{f(x)g(x)}{x^2 - 1}$ 의 값은? [3점]

① 1   ② 2   ③ 3

④ 4   ⑤ 5

042

2014학년도 6월 평가원 A형 13번

함수

$$f(x) = \begin{cases} x + 2 & (x \le 0) \\ -\dfrac{1}{2}x & (x > 0) \end{cases}$$

의 그래프가 그림과 같다.

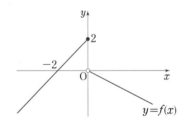

함수 $g(x) = f(x)\{f(x) + k\}$가 $x = 0$에서 연속이 되도록
하는 상수 k의 값은? [3점]

① -2 ② -1 ③ 0

④ 1   ⑤ 2

043

2007학년도 9월 평가원 가형 6번

집합 $\{x \mid 0 < x < 2\}$에서 정의된 함수 $f(x)$가

$$f(x) = \begin{cases} \dfrac{1}{x} - 1 & (0 < x \le 1) \\ \dfrac{1}{x - 1} - 1 & (1 < x < 2) \end{cases}$$

일 때, 함수 $y = f(x)g(x)$가 $x = 1$에서 연속이 되도록
하는 함수 $g(x)$를 〈보기〉에서 있는 대로 고른 것은? [3점]

〈보기〉

ㄱ. $g(x) = (x - 1)^2 \ (0 < x < 2)$

ㄴ. $g(x) = (x - 1)^3 + 1 \ (0 < x < 2)$

ㄷ. $g(x) = \begin{cases} x^2 + 1 & (0 < x \le 1) \\ (x - 1)^3 & (1 < x < 2) \end{cases}$

① ㄱ   ② ㄴ   ③ ㄱ, ㄷ

④ ㄴ, ㄷ   ⑤ ㄱ, ㄴ, ㄷ

044

2019년 10월 시행 교육청 고3 나형 24번

최고차항의 계수가 1인 이차함수 $f(x)$에 대하여

$\lim\limits_{x \to 5} \dfrac{f(x) - x}{x - 5} = 8$일 때, $f(7)$의 값을 구하시오. [3점]

045

2006학년도 6월 평가원 가형 4번

곡선 $y = \sqrt{x}$ 위의 점 $(t, \sqrt{t})$에서 점 $(1, 0)$까지의 거리를 d_1, 점 $(2, 0)$까지의 거리를 d_2라 할 때, $\lim\limits_{t \to \infty}(d_1 - d_2)$의 값은? [3점]

① 1
② $\dfrac{1}{2}$
③ $\dfrac{1}{4}$

④ $\dfrac{1}{8}$
⑤ 0

046

2022학년도 수능 12번

실수 전체의 집합에서 연속인 함수 $f(x)$가 모든 실수 x에 대하여

$$\{f(x)\}^3 - \{f(x)\}^2 - x^2 f(x) + x^2 = 0$$

을 만족시킨다. 함수 $f(x)$의 최댓값이 1이고 최솟값이 0일 때, $f\left(-\dfrac{4}{3}\right) + f(0) + f\left(\dfrac{1}{2}\right)$의 값은? [4점]

① $\dfrac{1}{2}$
② 1
③ $\dfrac{3}{2}$

④ 2
⑤ $\dfrac{5}{2}$

047

2016학년도 6월 평가원 A형 29번

실수 t에 대하여 직선 $y = t$가 곡선 $y = |x^2 - 2x|$와 만나는 점의 개수를 $f(t)$라 하자. 최고차항의 계수가 1인 이차함수 $g(t)$에 대하여 함수 $f(t)g(t)$가 모든 실수 t에서 연속일 때, $f(3) + g(3)$의 값을 구하시오. [4점]

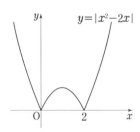

I
함수의 극한과 연속

짝기출

SET 01
SET 02
SET 03
SET 04
SET 05
SET 06
SET 07
SET 08

048

2013학년도 6월 평가원 나형 27번

다항함수 $f(x)$가 $\lim\limits_{x \to 1} \dfrac{f(x)-5}{x-1} = 9$를 만족시킨다.

$g(x) = xf(x)$라 할 때, $g'(1)$의 값을 구하시오. [4점]

049

2021학년도 6월 평가원 나형 24번

곡선 $y = x^3 - 6x^2 + 6$ 위의 점 $(1, 1)$에서의 접선이 점 $(0, a)$를 지날 때, a의 값을 구하시오. [3점]

050

2019학년도 수능 나형 9번

함수 $f(x) = x^3 - 3x + a$의 극댓값이 7일 때, 상수 a의 값은? [3점]

① 1   ② 2   ③ 3

④ 4   ⑤ 5

051

2023학년도 6월 평가원 8번

실수 전체의 집합에서 미분가능하고 다음 조건을 만족시키는 모든 함수 $f(x)$에 대하여 $f(5)$의 최솟값은? [3점]

> (가) $f(1) = 3$
> (나) $1 < x < 5$인 모든 실수 x에 대하여
> $f'(x) \geq 5$이다.

① 21   ② 22   ③ 23

④ 24   ⑤ 25

052

2016학년도 6월 평가원 A형 11번

함수 $f(x) = x^2 + 8x$에 대하여

$$\lim_{h \to 0} \frac{f(1+2h) - f(1)}{h}$$

의 값은? [3점]

① 16   ② 17   ③ 18

④ 19   ⑤ 20

053

2021학년도 9월 평가원 나형 10번

함수

$$f(x) = \begin{cases} x^3 + ax + b & (x < 1) \\ bx + 4 & (x \geq 1) \end{cases}$$

이 실수 전체의 집합에서 미분가능할 때, $a + b$의 값은?

(단, a, b는 상수이다.) [3점]

① 6   ② 7   ③ 8

④ 9   ⑤ 10

054

2013학년도 6월 평가원 나형 13번

닫힌구간 $[1, 4]$에서 함수 $f(x) = x^3 - 3x^2 + a$의 최댓값을 M, 최솟값을 m이라 하자. $M + m = 20$일 때, 상수 a의 값은? [3점]

① 1   ② 2   ③ 3

④ 4   ⑤ 5

055

2020학년도 수능 나형 27번

수직선 위를 움직이는 두 점 P, Q의 시각 t ($t \geq 0$)에서의 위치 x_1, x_2가

$$x_1 = t^3 - 2t^2 + 3t, \; x_2 = t^2 + 12t$$

이다. 두 점 P, Q의 속도가 같아지는 순간 두 점 P, Q 사이의 거리를 구하시오. [4점]

056

2020학년도 6월 평가원 나형 27번

두 함수

$$f(x) = x^3 + 3x^2 - k, \; g(x) = 2x^2 + 3x - 10$$

에 대하여 부등식

$$f(x) \geq 3g(x)$$

가 닫힌구간 $[-1, 4]$에서 항상 성립하도록 하는 실수 k의 최댓값을 구하시오. [4점]

057

2016학년도 6월 평가원 A형 17번

두 함수

$$f(x) = 3x^3 - x^2 - 3x,$$
$$g(x) = x^3 - 4x^2 + 9x + a$$

에 대하여 방정식 $f(x) = g(x)$가 서로 다른 두 개의 양의 실근과 한 개의 음의 실근을 갖도록 하는 모든 정수 a의 개수는? [4점]

① 6   ② 7   ③ 8

④ 9   ⑤ 10

058

2012학년도 6월 평가원 나형 11번

다항함수 $f(x)$에 대하여 $\lim\limits_{x \to 1} \dfrac{f(x)-2}{x^2-1} = 3$일 때,

$\dfrac{f'(1)}{f(1)}$의 값은? [3점]

① 3   ② $\dfrac{7}{2}$ ③ 4

④ $\dfrac{9}{2}$ ⑤ 5

059

2016학년도 9월 평가원 A형 13번

함수 $f(x)$의 도함수 $f'(x)$는 $f'(x) = x^2 - 1$이다.
함수 $g(x) = f(x) - kx$가 $x = -3$에서 극값을 가질 때,
상수 k의 값은? [3점]

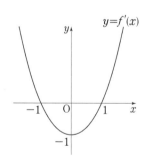

① 4   ② 5   ③ 6

④ 7   ⑤ 8

060

2018학년도 6월 평가원 나형 17번

수직선 위를 움직이는 점 P의 시각 $t\,(t > 0)$에서의 위치
x가

$$x = t^3 - 12t + k \ (k는 \ 상수)$$

이다. 점 P의 운동 방향이 원점에서 바뀔 때, k의 값은? [4점]

① 10   ② 12   ③ 14

④ 16   ⑤ 18

061

2019학년도 6월 평가원 나형 17번

함수 $f(x) = ax^2 + b$가 모든 실수 x에 대하여

$$4f(x) = \{f'(x)\}^2 + x^2 + 4$$

를 만족시킨다. $f(2)$의 값은? (단, a, b는 상수이다.) [4점]

① 3   ② 4   ③ 5

④ 6   ⑤ 7

062

2021학년도 6월 평가원 나형 26번

함수 $f(x) = x^3 - 3x^2 + 5x$에서 x의 값이 0에서 a까지 변할 때의 평균변화율이 $f'(2)$의 값과 같게 되도록 하는 양수 a의 값을 구하시오. [4점]

063

2007학년도 6월 평가원 가형 4번

두 함수 $f(x) = x^4 - 4x + a$, $g(x) = -x^2 + 2x - a$의 그래프가 오직 한 점에서 만날 때, a의 값은? [3점]

① 1   ② 2   ③ 3

④ 4   ⑤ 5

064

2008학년도 6월 평가원 가형 21번

사차함수 $f(x) = x^4 + ax^3 + bx^2 + cx + 6$이 다음 조건을 만족시킬 때, $f(3)$의 값을 구하시오. [4점]

(가) 모든 실수 x에 대하여 $f(-x) = f(x)$이다.
(나) 함수 $f(x)$는 극솟값 -10을 갖는다.

065

2019학년도 수능 나형 27번

수직선 위를 움직이는 점 P의 시각 t ($t \geq 0$)에서의 위치 x가

$$x = -\frac{1}{3}t^3 + 3t^2 + k \ (k\text{는 상수})$$

이다. 점 P의 가속도가 0일 때 점 P의 위치는 40이다. k의 값을 구하시오. [4점]

066

2015학년도 수능 A형 29번

두 다항함수 $f(x)$와 $g(x)$가 모든 실수 x에 대하여

$$g(x) = (x^3 + 2)f(x)$$

를 만족시킨다. $g(x)$가 $x = 1$에서 극솟값 24를 가질 때, $f(1) - f'(1)$의 값을 구하시오. [4점]

067

2012학년도 9월 평가원 나형 15번

점 $(0, -4)$에서 곡선 $y = x^3 - 2$에 그은 접선이 x축과 만나는 점의 좌표를 $(a, 0)$이라 할 때, a의 값은? [4점]

① $\dfrac{7}{6}$ ② $\dfrac{4}{3}$ ③ $\dfrac{3}{2}$

④ $\dfrac{5}{3}$ ⑤ $\dfrac{11}{6}$

068

2009학년도 수능 가형 18번

다항함수 $f(x)$에 대하여 $\displaystyle\lim_{x \to 2}\frac{f(x+1) - 8}{x^2 - 4} = 5$일 때, $f(3) + f'(3)$의 값을 구하시오. [3점]

069

2021학년도 수능 나형 17번

두 다항함수 $f(x)$, $g(x)$가

$$\lim_{x \to 0} \frac{f(x) + g(x)}{x} = 3, \quad \lim_{x \to 0} \frac{f(x) + 3}{x g(x)} = 2$$

를 만족시킨다. 함수 $h(x) = f(x)g(x)$에 대하여 $h'(0)$의 값은? [4점]

① 27   ② 30   ③ 33

④ 36   ⑤ 39

070

2018학년도 수능 나형 18번

최고차항의 계수가 1이고 $f(1) = 0$인 삼차함수 $f(x)$가

$$\lim_{x \to 2} \frac{f(x)}{(x-2)\{f'(x)\}^2} = \frac{1}{4}$$

을 만족시킬 때, $f(3)$의 값은? [4점]

① 4   ② 6   ③ 8

④ 10   ⑤ 12

071

2014학년도 5월 예비 시행 A형 30번

그림과 같이 정사각형 $ABCD$의 두 꼭짓점 A, C는 y축 위에 있고, 두 꼭짓점 B, D는 x축 위에 있다. 변 AB와 변 CD가 각각 삼차함수 $y = x^3 - 5x$의 그래프에 접할 때, 정사각형 $ABCD$의 둘레의 길이를 구하시오. [4점]

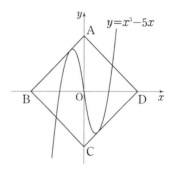

072

2021학년도 6월 평가원 나형 19번

방정식 $2x^3 + 6x^2 + a = 0$이 $-2 \le x \le 2$에서 서로 다른 두 실근을 갖도록 하는 정수 a의 개수는? [4점]

① 4   ② 6   ③ 8

④ 10   ⑤ 12

073

2022학년도 수능 예시문항 9번

원점을 지나고 곡선 $y = -x^3 - x^2 + x$에 접하는 모든 직선의 기울기의 합은? [4점]

① 2　　　　② $\dfrac{9}{4}$　　　　③ $\dfrac{5}{2}$

④ $\dfrac{11}{4}$　　　⑤ 3

074

2019학년도 6월 평가원 나형 16번

수직선 위를 움직이는 점 P의 시각 t $(t \geq 0)$에서의 위치 x가

$$x = t^3 + at^2 + bt \ (a,\ b\text{는 상수})$$

이다. 시각 $t = 1$에서 점 P가 운동 방향을 바꾸고, 시각 $t = 2$에서 점 P의 가속도는 0이다. $a + b$의 값은? [4점]

① 3　　　　② 4　　　　③ 5

④ 6　　　　⑤ 7

075

2017학년도 6월 평가원 나형 18번

삼차함수 $y = f(x)$와 일차함수 $y = g(x)$의 그래프가 그림과 같고, $f'(b) = f'(d) = 0$이다.

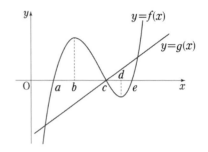

함수 $y = f(x)g(x)$는 $x = p$와 $x = q$에서 극소이다. 다음 중 옳은 것은? (단, $p < q$) [4점]

① $a < p < b$이고 $c < q < d$

② $a < p < b$이고 $d < q < e$

③ $b < p < c$이고 $c < q < d$

④ $b < p < c$이고 $d < q < e$

⑤ $c < p < d$이고 $d < q < e$

076

2007학년도 6월 평가원 가형 10번

두 다항함수 $f_1(x)$, $f_2(x)$가 다음 세 조건을 만족시킬 때, 상수 k의 값은? [4점]

(가) $f_1(0) = 0$, $f_2(0) = 0$

(나) $f_i{}'(0) = \lim\limits_{x \to 0} \dfrac{f_i(x) + 2kx}{f_i(x) + kx}$ $(i = 1, 2)$

(다) $y = f_1(x)$와 $y = f_2(x)$의 원점에서의 접선이 서로 직교한다.

---

① $\dfrac{1}{2}$ ② $\dfrac{1}{4}$ ③ 0

④ $-\dfrac{1}{4}$ ⑤ $-\dfrac{1}{2}$

077

2023학년도 6월 평가원 9번

두 함수

$$f(x) = x^3 - x + 6, \ g(x) = x^2 + a$$

가 있다. $x \geq 0$인 모든 실수 x에 대하여 부등식

$$f(x) \geq g(x)$$

가 성립할 때, 실수 a의 최댓값은? [4점]

① 1 ② 2 ③ 3

④ 4 ⑤ 5

078

2024학년도 9월 평가원 13번

두 실수 a, b에 대하여 함수

$$f(x) = \begin{cases} -\dfrac{1}{3}x^3 - ax^2 - bx & (x < 0) \\ \dfrac{1}{3}x^3 + ax^2 - bx & (x \geq 0) \end{cases}$$

이 구간 $(-\infty, \ -1]$에서 감소하고 구간 $[-1, \ \infty)$에서 증가할 때, $a + b$의 최댓값을 M, 최솟값을 m이라 하자. $M - m$의 값은? [4점]

① $\dfrac{3}{2} + 3\sqrt{2}$ ② $3 + 3\sqrt{2}$ ③ $\dfrac{9}{2} + 3\sqrt{2}$

④ $6 + 3\sqrt{2}$ ⑤ $\dfrac{15}{2} + 3\sqrt{2}$

II
미분

짝기출

SET 09
SET 10
SET 11
SET 12
SET 13
SET 14
SET 15
SET 16

079

2014학년도 6월 평가원 A형 26번

다항함수 $f(x)$에 대하여 곡선 $y = f(x)$ 위의 점 $(2, 1)$에서의 접선의 기울기가 2이다. $g(x) = x^3 f(x)$일 때, $g'(2)$의 값을 구하시오. [4점]

080

2012학년도 9월 평가원 나형 18번

함수 $f(x) = \dfrac{1}{3}x^3 - ax^2 + 3ax$의 역함수가 존재하도록 하는 상수 a의 최댓값은? [4점]

① 3 ② 4 ③ 5
④ 6 ⑤ 7

081

2008학년도 9월 평가원 가형 22번

두 다항함수 $f(x)$, $g(x)$가 다음 조건을 만족시킬 때, $g'(0)$의 값을 구하시오. [4점]

(가) $f(0) = 1$, $f'(0) = -6$, $g(0) = 4$

(나) $\displaystyle\lim_{x \to 0} \frac{f(x)g(x) - 4}{x} = 0$

082

2024학년도 6월 평가원 8번

두 곡선 $y = 2x^2 - 1$, $y = x^3 - x^2 + k$가 만나는 점의 개수가 2가 되도록 하는 양수 k의 값은? [3점]

① 1   ② 2   ③ 3

④ 4   ⑤ 5

083

2017학년도 6월 평가원 나형 28번

양수 a에 대하여 함수 $f(x) = x^3 + ax^2 - a^2x + 2$가 닫힌구간 $[-a, a]$에서 최댓값 M, 최솟값 $\dfrac{14}{27}$를 갖는다. $a + M$의 값을 구하시오. [4점]

084

2013학년도 6월 평가원 나형 17번

곡선 $y = x^3 - 5x$ 위의 점 $A(1, -4)$에서의 접선이 점 A가 아닌 점 B에서 곡선과 만난다. 선분 AB의 길이는?

[4점]

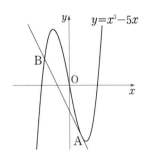

① $\sqrt{30}$

② $\sqrt{35}$

③ $2\sqrt{10}$

④ $3\sqrt{5}$

⑤ $5\sqrt{2}$

085

2014학년도 9월 평가원 A형 27번

곡선 $y = x^3 + 2x + 7$ 위의 점 $P(-1, 4)$에서의 접선이 점 P가 아닌 점 (a, b)에서 곡선과 만난다. $a + b$의 값을 구하시오. [4점]

086

2019학년도 9월 평가원 나형 14번

수직선 위를 움직이는 점 P의 시각 $t \, (t \geq 0)$에서의 위치 x가

$$x = t^3 - 5t^2 + at + 5$$

이다. 점 P가 움직이는 방향이 바뀌지 <u>않도록</u> 하는 자연수 a의 최솟값은? [4점]

① 9

② 10

③ 11

④ 12

⑤ 13

087

2015학년도 9월 평가원 A형 27번

곡선 $y = \dfrac{1}{3}x^3 + \dfrac{11}{3} \, (x > 0)$ 위를 움직이는 점 P와 직선 $x - y - 10 = 0$ 사이의 거리를 최소가 되게 하는 곡선 위의 점 P의 좌표를 (a, b)라 할 때, $a + b$의 값을 구하시오. [4점]

088

2020학년도 수능 나형 12번

함수 $f(x) = -x^4 + 8a^2x^2 - 1$이 $x = b$와 $x = 2 - 2b$에서 극대일 때, $a + b$의 값은?

(단, a, b는 $a > 0$, $b > 1$인 상수이다.) [3점]

① 3   ② 5   ③ 7

④ 9   ⑤ 11

090

2009학년도 수능 가형 11번

다항함수 $f(x)$와 두 자연수 m, n이

$$\lim_{x \to \infty} \frac{f(x)}{x^m} = 1, \quad \lim_{x \to \infty} \frac{f'(x)}{x^{m-1}} = a$$

$$\lim_{x \to 0} \frac{f(x)}{x^n} = b, \quad \lim_{x \to 0} \frac{f'(x)}{x^{n-1}} = 9$$

를 모두 만족시킬 때, 〈보기〉에서 옳은 것만을 있는 대로 고른 것은? (단, a, b는 실수이다.) [4점]

〈보기〉

ㄱ. $m \geq n$

ㄴ. $ab \geq 9$

ㄷ. $f(x)$가 삼차함수이면 $am = bn$이다.

---

① ㄱ   ② ㄷ   ③ ㄱ, ㄴ

④ ㄴ, ㄷ   ⑤ ㄱ, ㄴ, ㄷ

089

2018학년도 9월 평가원 나형 29번

두 삼차함수 $f(x)$와 $g(x)$가 모든 실수 x에 대하여

$$f(x)g(x) = (x-1)^2(x-2)^2(x-3)^2$$

을 만족시킨다. $g(x)$의 최고차항의 계수가 3이고, $g(x)$가 $x = 2$에서 극댓값을 가질 때, $f'(0) = \dfrac{q}{p}$이다. $p + q$의 값을 구하시오. (단, p와 q는 서로소인 자연수이다.) [4점]

091

2022학년도 수능 10번

삼차함수 $f(x)$에 대하여 곡선 $y = f(x)$ 위의 점 $(0, 0)$ 에서의 접선과 곡선 $y = xf(x)$ 위의 점 $(1, 2)$에서의 접선이 일치할 때, $f'(2)$의 값은? [4점]

① -18 ② -17 ③ -16

④ -15 ⑤ -14

092

2010학년도 6월 평가원 가형 24번

사차함수 $f(x)$가 다음 조건을 만족시킬 때, $\dfrac{f'(5)}{f'(3)}$의 값을 구하시오. [4점]

(가) 함수 $f(x)$는 $x = 2$에서 극값을 갖는다.

(나) 함수 $|f(x) - f(1)|$은 오직 $x = a \ (a > 2)$에서만 미분가능하지 않다.

093

최고차항의 계수가 a인 이차함수 $f(x)$가 모든 실수 x에 대하여

$$|f'(x)| \leq 4x^2 + 5$$

를 만족시킨다. 함수 $y = f(x)$의 그래프의 대칭축이 직선 $x = 1$일 때, 실수 a의 최댓값은? [4점]

① $\dfrac{3}{2}$ ② 2 ③ $\dfrac{5}{2}$

④ 3 ⑤ $\dfrac{7}{2}$

094

삼차함수 $f(x)$의 도함수의 그래프와 이차함수 $g(x)$의 도함수의 그래프가 그림과 같다. 함수 $h(x)$를 $h(x) = f(x) - g(x)$라 하자. $f(0) = g(0)$일 때, 〈보기〉에서 옳은 것만을 있는 대로 고른 것은? [4점]

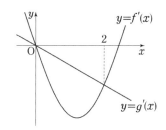

〈보기〉

ㄱ. $0 < x < 2$에서 $h(x)$는 감소한다.

ㄴ. $h(x)$는 $x = 2$에서 극솟값을 갖는다.

ㄷ. 방정식 $h(x) = 0$은 서로 다른 세 실근을 갖는다.

① ㄱ   ② ㄴ   ③ ㄱ, ㄴ

④ ㄱ, ㄷ   ⑤ ㄱ, ㄴ, ㄷ

095

2013학년도 6월 평가원 나형 10번

수직선 위를 움직이는 두 점 P, Q의 시각 t일 때의 위치는 각각 $f(t) = 2t^2 - 2t$, $g(t) = t^2 - 8t$이다. 두 점 P와 Q가 서로 반대방향으로 움직이는 시각 t의 범위는? [3점]

① $\dfrac{1}{2} < t < 4$　　② $1 < t < 5$　　③ $2 < t < 5$

④ $\dfrac{3}{2} < t < 6$　　⑤ $2 < t < 8$

096

2024학년도 6월 평가원 18번

두 상수 a, b에 대하여 삼차함수 $f(x) = ax^3 + bx + a$는 $x = 1$에서 극소이다. 함수 $f(x)$의 극솟값이 -2일 때, 함수 $f(x)$의 극댓값을 구하시오. [3점]

097

2016학년도 수능 A형 28번

두 다항함수 $f(x)$, $g(x)$가 다음 조건을 만족시킨다.

> (가) $g(x) = x^3 f(x) - 7$
>
> (나) $\displaystyle\lim_{x \to 2} \dfrac{f(x) - g(x)}{x - 2} = 2$

곡선 $y = g(x)$ 위의 점 $(2, g(2))$에서의 접선의 방정식이 $y = ax + b$일 때, $a^2 + b^2$의 값을 구하시오.

(단, a, b는 상수이다.) [4점]

098

2009학년도 6월 평가원 가형 23번

모든 계수가 정수인 삼차함수 $y = f(x)$는 다음 조건을 만족시킨다.

> (가) 모든 실수 x에 대하여 $f(-x) = -f(x)$이다.
> (나) $f(1) = 5$
> (다) $1 < f'(1) < 7$

함수 $y = f(x)$의 극댓값은 m이다. m^2의 값을 구하시오.

[3점]

099

2020학년도 수능 나형 20번

함수

$$f(x)=\begin{cases} -x & (x \le 0) \\ x-1 & (0 < x \le 2) \\ 2x-3 & (x > 2) \end{cases}$$

와 상수가 아닌 다항식 $p(x)$에 대하여 〈보기〉에서 옳은 것만을 있는 대로 고른 것은? [4점]

〈보기〉

ㄱ. 함수 $p(x)f(x)$가 실수 전체의 집합에서 연속이면 $p(0)=0$이다.

ㄴ. 함수 $p(x)f(x)$가 실수 전체의 집합에서 미분가능하면 $p(2)=0$이다.

ㄷ. 함수 $p(x)\{f(x)\}^2$이 실수 전체의 집합에서 미분가능하면 $p(x)$는 $x^2(x-2)^2$으로 나누어떨어진다.

① ㄱ ② ㄱ, ㄴ ③ ㄱ, ㄷ
④ ㄴ, ㄷ ⑤ ㄱ, ㄴ, ㄷ

100

2022학년도 9월 평가원 20번

함수 $f(x)=\frac{1}{2}x^3-\frac{9}{2}x^2+10x$에 대하여 x에 대한 방정식

$$f(x)+|f(x)+x|=6x+k$$

의 서로 다른 실근의 개수가 4가 되도록 하는 모든 정수 k의 값의 합을 구하시오. [4점]

101

2016학년도 9월 평가원 A형 10번

함수 $f(x)$가

$$f(x) = \int\left(\frac{1}{2}x^3 + 2x + 1\right)dx - \int\left(\frac{1}{2}x^3 + x\right)dx$$

이고 $f(0) = 1$일 때, $f(4)$의 값은? [3점]

① $\dfrac{23}{2}$　　　② 12　　　③ $\dfrac{25}{2}$

④ 13　　　⑤ $\dfrac{27}{2}$

102

2018학년도 수능 나형 9번

$\displaystyle\int_0^a (3x^2 - 4)dx = 0$을 만족시키는 양수 a의 값은? [3점]

① 2　　　② $\dfrac{9}{4}$　　　③ $\dfrac{5}{2}$

④ $\dfrac{11}{4}$　　　⑤ 3

103

2019학년도 수능 나형 25번

$\displaystyle\int_1^4 (x + |x - 3|)dx$의 값을 구하시오. [3점]

104

2024학년도 9월 평가원 19번

두 곡선 $y = 3x^3 - 7x^2$과 $y = -x^2$으로 둘러싸인 부분의 넓이를 구하시오. [3점]

105

2014학년도 5월 예비 시행 A형 10번

원점을 출발하여 수직선 위를 움직이는 점 P 의 시각
$t\,(0 \le t \le 6)$에서의 속도 $v(t)$의 그래프가 그림과 같다.
점 P 가 시각 $t = 0$에서 시각 $t = 6$까지 움직인 거리는? [3점]

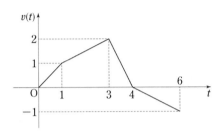

① $\dfrac{3}{2}$ ② $\dfrac{5}{2}$ ③ $\dfrac{7}{2}$

④ $\dfrac{9}{2}$ ⑤ $\dfrac{11}{2}$

106

2017학년도 수능 나형 12번

수직선 위를 움직이는 점 P 의 시각 $t\,(t \ge 0)$에서의 속도
$v(t)$가

$$v(t) = -2t + 4$$

이다. $t = 0$부터 $t = 4$까지 점 P 가 움직인 거리는? [3점]

① 8   ② 9   ③ 10

④ 11   ⑤ 12

107

2015학년도 수능 A형 26번

다항함수 $f(x)$의 도함수 $f'(x)$가 $f'(x) = 6x^2 + 4$이다.
함수 $y = f(x)$의 그래프가 점 $(0, 6)$을 지날 때, $f(1)$의
값을 구하시오. [4점]

Ⅲ
적분

짝기출

SET 17
SET 18
SET 19
SET 20
SET 21
SET 22
SET 23
SET 24

108

2014학년도 수능 A형 23번

실수 a에 대하여 $\displaystyle\int_{-a}^{a}(3x^2+2x)dx=\dfrac{1}{4}$ 일 때, $50a$의 값을 구하시오. [3점]

109

2008학년도 9월 평가원 가형 5번

$\displaystyle\int_{0}^{2}|x^2(x-1)|dx$의 값은? [3점]

① $\dfrac{3}{2}$　　　② 2　　　③ $\dfrac{5}{2}$

④ 3　　　⑤ $\dfrac{7}{2}$

110

2021학년도 6월 평가원 나형 17번

함수 $f(x)$가 모든 실수 x에 대하여

$$f(x)=4x^3+x\int_{0}^{1}f(t)\,dt$$

를 만족시킬 때, $f(1)$의 값은? [4점]

① 6　　　② 7　　　③ 8

④ 9　　　⑤ 10

111

2024학년도 6월 평가원 10번

양수 k에 대하여 함수 $f(x)$는

$$f(x)=kx(x-2)(x-3)$$

이다. 곡선 $y=f(x)$와 x축이 원점 O와 두 점 P, Q $(\overline{\mathrm{OP}}<\overline{\mathrm{OQ}})$에서 만난다. 곡선 $y=f(x)$와 선분 OP로 둘러싸인 영역을 A, 곡선 $y=f(x)$와 선분 PQ로 둘러싸인 영역을 B라 하자.

$$(A의\ 넓이)-(B의\ 넓이)=3$$

일 때, k의 값은? [4점]

① $\dfrac{7}{6}$　　　② $\dfrac{4}{3}$　　　③ $\dfrac{3}{2}$

④ $\dfrac{5}{3}$　　　⑤ $\dfrac{11}{6}$

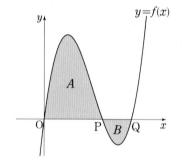

112

2024학년도 9월 평가원 8번

다항함수 $f(x)$가

$$f'(x) = 6x^2 - 2f(1)x, \quad f(0) = 4$$

를 만족시킬 때, $f(2)$의 값은? [3점]

① 5   ② 6   ③ 7

④ 8   ⑤ 9

113

2019학년도 수능 나형 14번

다항함수 $f(x)$가 모든 실수 x에 대하여

$$\int_1^x \left\{ \frac{d}{dt} f(t) \right\} dt = x^3 + ax^2 - 2$$

를 만족시킬 때, $f'(a)$의 값은? (단, a는 상수이다.) [4점]

① 1   ② 2   ③ 3

④ 4   ⑤ 5

114

2022학년도 9월 평가원 11번

다항함수 $f(x)$가 모든 실수 x에 대하여

$$xf(x) = 2x^3 + ax^2 + 3a + \int_1^x f(t)dt$$

를 만족시킨다. $f(1) = \int_0^1 f(t)dt$일 때, $a + f(3)$의

값은? (단, a는 상수이다.) [4점]

① 5   ② 6   ③ 7

④ 8   ⑤ 9

115

2015학년도 수능 A형 20번

함수 $f(x)$는 모든 실수 x에 대하여 $f(x+3) = f(x)$를
만족시키고,

$$f(x) = \begin{cases} x & (0 \le x < 1) \\ 1 & (1 \le x < 2) \\ -x + 3 & (2 \le x < 3) \end{cases}$$

이다. $\int_{-a}^{a} f(x)dx = 13$일 때, 상수 a의 값은? [4점]

① 10   ② 12   ③ 14

④ 16   ⑤ 18

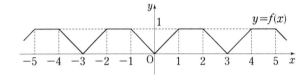

116

2013년 7월 시행 교육청 고3 A형 17번

삼차함수 $f(x)$가 다음 두 조건을 만족시킨다.

> (가) $f'(x) = 3x^2 - 4x - 4$
>
> (나) 함수 $y = f(x)$의 그래프는 점 $(2, 0)$을 지난다.

이때 함수 $y = f(x)$의 그래프와 x축으로 둘러싸인 도형의
넓이는? [4점]

① $\dfrac{56}{3}$ ② $\dfrac{58}{3}$ ③ 20

④ $\dfrac{62}{3}$ ⑤ $\dfrac{64}{3}$

117

2020학년도 9월 평가원 나형 15번

함수 $f(x) = x^2 - 2x$에 대하여 두 곡선 $y = f(x)$, $y = -f(x-1) - 1$로 둘러싸인 부분의 넓이는? [4점]

① $\dfrac{1}{6}$ ② $\dfrac{1}{4}$ ③ $\dfrac{1}{3}$

④ $\dfrac{5}{12}$ ⑤ $\dfrac{1}{2}$

119

2011년 10월 시행 교육청 고3 나형 13번

상수함수가 아닌 다항함수 $f(x)$가 모든 실수 x에 대하여

$$\int_1^x f(t)dt = \{f(x)\}^2$$

을 만족시킬 때, $f(3)$의 값은? [3점]

① 1   ② 2   ③ 3

④ 4   ⑤ 5

118

2019학년도 9월 평가원 나형 28번

시각 $t = 0$일 때 동시에 원점을 출발하여 수직선 위를 움직이는 두 점 P, Q의 시각 t $(t \geq 0)$에서의 속도가 각각

$$v_1(t) = 3t^2 + t, \ v_2(t) = 2t^2 + 3t$$

이다. 출발한 후 두 점 P, Q의 속도가 같아지는 순간 두 점 P, Q 사이의 거리를 a라 할 때, $9a$의 값을 구하시오. [4점]

120

2012학년도 수능 나형 19번

이차함수 $f(x)$는 $f(0) = -1$이고,

$$\int_{-1}^1 f(x)dx = \int_0^1 f(x)dx = \int_{-1}^0 f(x)dx$$

를 만족시킨다. $f(2)$의 값은? [4점]

① 11   ② 10   ③ 9

④ 8   ⑤ 7

121

2012년 10월 시행 교육청 고3 나형 26번

$\lim\limits_{x \to 2} \dfrac{1}{x^2-4} \displaystyle\int_2^x (t^2+3t-2)dt$ 의 값을 구하시오. [3점]

122

2010학년도 9월 평가원 가형 7번

두 곡선 $y=x^4-x^3$, $y=-x^4+x$ 로 둘러싸인 도형의
넓이가 곡선 $y=ax(1-x)$ 에 의하여 이등분될 때, 상수
a의 값은? (단, $0<a<1$) [3점]

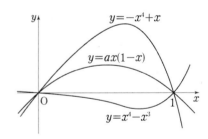

① $\dfrac{1}{4}$

② $\dfrac{3}{8}$

③ $\dfrac{5}{8}$

④ $\dfrac{3}{4}$

⑤ $\dfrac{7}{8}$

123

2012년 7월 시행 교육청 고3 나형 21번

함수 $f(x)=x^3+x-1$의 역함수를 $g(x)$라 할 때,
$\displaystyle\int_1^9 g(x)dx$의 값은? [4점]

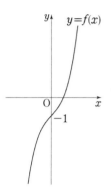

① $\dfrac{47}{4}$

② $\dfrac{49}{4}$

③ $\dfrac{51}{4}$

④ $\dfrac{53}{4}$

⑤ $\dfrac{55}{4}$

III
적분

짝기출

SET 17
SET 18
SET 19
SET 20
SET 21
SET 22
SET 23
SET 24

124

2018학년도 9월 평가원 나형 8번

함수 $f(x) = \int_1^x (t-2)(t-3)dt$ 에 대하여 $f'(4)$ 의

값은? [3점]

① 1   ② 2   ③ 3

④ 4   ⑤ 5

125

2021학년도 6월 평가원 나형 13번

곡선 $y = x^3 - 2x^2$ 과 x 축으로 둘러싸인 부분의 넓이는?

[3점]

① $\dfrac{7}{6}$ ② $\dfrac{4}{3}$ ③ $\dfrac{3}{2}$

④ $\dfrac{5}{3}$ ⑤ $\dfrac{11}{6}$

126

2013학년도 수능 나형 11번

함수 $f(x) = x + 1$ 에 대하여

$$\int_{-1}^{1} \{f(x)\}^2 dx = k\left(\int_{-1}^{1} f(x)dx\right)^2$$

일 때, 상수 k 의 값은? [3점]

① $\dfrac{1}{6}$ ② $\dfrac{1}{3}$ ③ $\dfrac{1}{2}$

④ $\dfrac{2}{3}$ ⑤ $\dfrac{5}{6}$

127

2016학년도 9월 평가원 A형 14번

함수 $f(x)$의 도함수 $f'(x)$는 $f'(x) = x^2 - 1$이다.
$f(0) = 0$일 때, 곡선 $y = f(x)$와 x축으로 둘러싸인 부분의
넓이는? [4점]

① $\dfrac{9}{8}$ ② $\dfrac{5}{4}$ ③ $\dfrac{11}{8}$

④ $\dfrac{3}{2}$ ⑤ $\dfrac{13}{8}$

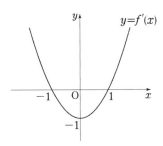

128

2013학년도 수능 나형 21번

삼차함수 $f(x) = x^3 - 3x + a$에 대하여 함수

$$F(x) = \int_0^x f(t)dt$$

가 오직 하나의 극값을 갖도록 하는 양수 a의 최솟값은? [4점]

① 1   ② 2   ③ 3

④ 4   ⑤ 5

129

2021학년도 9월 평가원 나형 13번

수직선 위를 움직이는 점 P의 시각 $t\,(t \geq 0)$에서의 속도
$v(t)$가

$$v(t) = t^2 - at \ (a > 0)$$

이다. 점 P가 시각 $t = 0$일 때부터 움직이는 방향이 바뀔
때까지 움직인 거리가 $\dfrac{9}{2}$이다. 상수 a의 값은? [3점]

① 1   ② 2   ③ 3

④ 4   ⑤ 5

Ⅲ 적분

짝기출
SET 17
SET 18
SET 19
SET 20
SET 21
SET 22
SET 23
SET 24

130

2008학년도 9월 평가원 가형 19번

곡선 $y = 6x^2 + 1$과 x축 및 두 직선 $x = 1 - h$,
$x = 1 + h \ (h > 0)$로 둘러싸인 부분의 넓이를 $S(h)$라 할

때, $\displaystyle\lim_{h \to 0+} \frac{S(h)}{h}$의 값을 구하시오. [3점]

131

2020학년도 수능 나형 26번

두 함수

$$f(x) = \frac{1}{3}x(4 - x), \ g(x) = |x - 1| - 1$$

의 그래프로 둘러싸인 부분의 넓이를 S라 할 때, $4S$의 값을
구하시오. [4점]

132

2022학년도 6월 평가원 19번

수직선 위를 움직이는 점 P의 시각 t $(t \geq 0)$에서의 속도 $v(t)$가

$$v(t) = 3t^2 - 4t + k$$

이다. 시각 $t = 0$에서 점 P의 위치는 0이고, 시각 $t = 1$에서 점 P의 위치는 -3이다. 시각 $t = 1$에서 $t = 3$까지 점 P의 위치의 변화량을 구하시오. (단, k는 상수이다.) [3점]

133

2017학년도 수능 나형 20번

최고차항의 계수가 양수인 삼차함수 $f(x)$가 다음 조건을 만족시킨다.

> (가) 함수 $f(x)$는 $x = 0$에서 극댓값, $x = k$에서 극솟값을 가진다. (단, k는 상수이다.)
> (나) 1보다 큰 모든 실수 t에 대하여
> $$\int_0^t |f'(x)|\, dx = f(t) + f(0)$$이다.

〈보기〉에서 옳은 것만을 있는 대로 고른 것은? [4점]

> ─── 〈보기〉 ───
> ㄱ. $\displaystyle\int_0^k f'(x)\, dx < 0$
> ㄴ. $0 < k \leq 1$
> ㄷ. 함수 $f(x)$의 극솟값은 0이다.

① ㄱ   ② ㄷ   ③ ㄱ, ㄴ

④ ㄴ, ㄷ   ⑤ ㄱ, ㄴ, ㄷ

134

2017학년도 9월 평가원 나형 29번

구간 $[0, 8]$에서 정의된 함수 $f(x)$는

$$f(x) = \begin{cases} -x(x-4) & (0 \le x < 4) \\ x-4 & (4 \le x \le 8) \end{cases}$$

이다. 실수 $a \, (0 \le a \le 4)$에 대하여 $\displaystyle\int_a^{a+4} f(x)dx$의

최솟값은 $\dfrac{q}{p}$이다. $p+q$의 값을 구하시오.

(단, p와 q는 서로소인 자연수이다.) [4점]

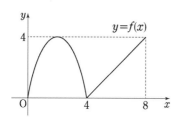

135

2022학년도 수능 예시문항 12번

$0 < a < b$인 모든 실수 a, b에 대하여

$$\int_a^b (x^3 - 3x + k)dx > 0$$

이 성립하도록 하는 실수 k의 최솟값은? [4점]

① 1 　　　　② 2 　　　　③ 3

④ 4 　　　　⑤ 5

136

2023학년도 수능 20번

수직선 위를 움직이는 점 P의 시각 $t \, (t \ge 0)$에서의 속도 $v(t)$와 가속도 $a(t)$가 다음 조건을 만족시킨다.

(가) $0 \le t \le 2$일 때, $v(t) = 2t^3 - 8t$이다.

(나) $t \ge 2$일 때, $a(t) = 6t + 4$이다.

시각 $t = 0$에서 $t = 3$까지 점 P가 움직인 거리를 구하시오.

[4점]

137

2014학년도 9월 평가원 A형 28번

다항함수 $f(x)$에 대하여

$$\int_0^x f(t)dt = x^3 - 2x^2 - 2x \int_0^1 f(t)dt$$

일 때, $f(0) = a$라 하자. $60a$의 값을 구하시오. [4점]

138

2022학년도 9월 평가원 14번

최고차항의 계수가 1이고 $f'(0) = f'(2) = 0$인 삼차함수 $f(x)$와 양수 p에 대하여 함수 $g(x)$를

$$g(x) = \begin{cases} f(x) - f(0) & (x \leq 0) \\ f(x+p) - f(p) & (x > 0) \end{cases}$$

이라 하자. 〈보기〉에서 옳은 것만을 있는 대로 고른 것은?

[4점]

---〈보기〉---

ㄱ. $p = 1$일 때, $g'(1) = 0$이다.

ㄴ. $g(x)$가 실수 전체의 집합에서 미분가능하도록 하는 양수 p의 개수는 1이다.

ㄷ. $p \geq 2$일 때, $\displaystyle\int_{-1}^{1} g(x)dx \geq 0$이다.

---

① ㄱ   ② ㄱ, ㄴ   ③ ㄱ, ㄷ

④ ㄴ, ㄷ   ⑤ ㄱ, ㄴ, ㄷ

139

2013년 7월 시행 교육청 고3 A형 21번

최고차항의 계수가 1인 삼차함수 $f(x)$가 $f(0) = 0$, $f(\alpha) = 0$, $f'(\alpha) = 0$이고 함수 $g(x)$가 다음 두 조건을 만족시킬 때, $g\left(\dfrac{\alpha}{3}\right)$의 값은? (단, α는 양수이다.) [4점]

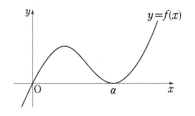

(가) 모든 실수 x에 대하여
$\quad g'(x) = f(x) + xf'(x)$이다.

(나) $g(x)$의 극댓값이 81이고 극솟값이 0이다.

① 56   ② 58   ③ 60

④ 62   ⑤ 64

140

2011년 10월 시행 교육청 고3 가형 29번

그림과 같이 삼차함수 $f(x) = -(x+1)^3 + 8$의 그래프가 x축과 만나는 점을 A라 하고, 점 A를 지나고 x축에 수직인 직선을 l이라 하자. 또, 곡선 $y = f(x)$와 y축 및 직선 $y = k \, (0 < k < 7)$로 둘러싸인 부분의 넓이를 S_1이라 하고, 곡선 $y = f(x)$와 직선 l 및 직선 $y = k$로 둘러싸인 부분의 넓이를 S_2라 하자. 이때 $S_1 = S_2$가 되도록 하는 상수 k에 대하여 $4k$의 값을 구하시오. [4점]

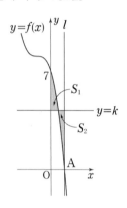

141

2013학년도 9월 평가원 나형 18번

이차함수 $f(x)$에 대하여 함수 $g(x)$가

$$g(x) = \int \{x^2 + f(x)\}dx,$$

$$f(x)g(x) = -2x^4 + 8x^3$$

을 만족시킬 때, $g(1)$의 값은? [4점]

① 1   ② 2   ③ 3

④ 4   ⑤ 5

142

2009학년도 9월 평가원 가형 10번

함수 $f(x) = \begin{cases} -1 & (x < 1) \\ -x+2 & (x \geq 1) \end{cases}$에 대하여 함수 $g(x)$를

$$g(x) = \int_{-1}^{x} (t-1)f(t)dt$$

라 하자. 〈보기〉에서 옳은 것만을 있는 대로 고른 것은? [4점]

― 〈보기〉 ―
ㄱ. $g(x)$는 구간 $(1, 2)$에서 증가한다.
ㄴ. $g(x)$는 $x = 1$에서 미분가능하다.
ㄷ. 방정식 $g(x) = k$가 서로 다른 세 실근을 갖도록 하는 실수 k가 존재한다.

① ㄴ   ② ㄷ   ③ ㄱ, ㄴ

④ ㄱ, ㄷ   ⑤ ㄱ, ㄴ, ㄷ

143

2022학년도 6월 평가원 11번

닫힌구간 $[0, 1]$에서 연속인 함수 $f(x)$가

$$f(0) = 0, \, f(1) = 1, \, \int_0^1 f(x)dx = \frac{1}{6}$$

을 만족시킨다. 실수 전체의 집합에서 정의된 함수 $g(x)$가 다음 조건을 만족시킬 때, $\int_{-3}^{2} g(x)dx$의 값은? [4점]

(가) $g(x) = \begin{cases} -f(x+1)+1 & (-1 < x < 0) \\ f(x) & (0 \leq x \leq 1) \end{cases}$
(나) 모든 실수 x에 대하여 $g(x+2) = g(x)$이다.

① $\dfrac{5}{2}$ ② $\dfrac{17}{6}$ ③ $\dfrac{19}{6}$

④ $\dfrac{7}{2}$ ⑤ $\dfrac{23}{6}$

144

2020학년도 수능 나형 28번

다항함수 $f(x)$가 다음 조건을 만족시킨다.

(가) 모든 실수 x에 대하여

$$\int_1^x f(t)dt = \frac{x-1}{2}\{f(x) + f(1)\} \text{이다.}$$

(나) $\int_0^2 f(x)dx = 5\int_{-1}^1 xf(x)dx$

$f(0) = 1$일 때, $f(4)$의 값을 구하시오. [4점]

145

2016학년도 수능 A형 20번

두 다항함수 $f(x)$, $g(x)$가 모든 실수 x에 대하여

$$f(-x) = -f(x),\ g(-x) = g(x)$$

를 만족시킨다. 함수 $h(x) = f(x)g(x)$에 대하여

$$\int_{-3}^3 (x+5)h'(x)dx = 10$$

일 때, $h(3)$의 값은? [4점]

① 1   ② 2   ③ 3

④ 4   ⑤ 5

146

2021학년도 9월 평가원 나형 20번

실수 전체의 집합에서 연속인 두 함수 $f(x)$와 $g(x)$가 모든 실수 x에 대하여 다음 조건을 만족시킨다.

(가) $f(x) \geq g(x)$

(나) $f(x) + g(x) = x^2 + 3x$

(다) $f(x)g(x) = (x^2 + 1)(3x - 1)$

$\int_0^2 f(x)dx$의 값은? [4점]

① $\frac{23}{6}$ ② $\frac{13}{3}$ ③ $\frac{29}{6}$

④ $\frac{16}{3}$ ⑤ $\frac{35}{6}$

Ⅲ 적분

짝기출

SET 17
SET 18
SET 19
SET 20
SET 21
SET 22
SET 23
SET 24

[부록] 짝기출   181

147

2011년 10월 시행 고3 나형 13번

상수함수가 아닌 다항함수 $f(x)$가 모든 실수 x에 대하여

$$\int_1^x f(t)dt = \{f(x)\}^2$$

을 만족시킬 때, $f(3)$의 값은? [3점]

① 1　　　　② 2　　　　③ 3

④ 4　　　　⑤ 5

148

2018학년도 9월 평가원 나형 30번

두 함수 $f(x)$와 $g(x)$가

$$f(x) = \begin{cases} 0 & (x \le 0) \\ x & (x > 0) \end{cases},$$
$$g(x) = \begin{cases} x(2-x) & (|x-1| \le 1) \\ 0 & (|x-1| > 1) \end{cases}$$

이다. 양의 실수 $k, a, b\,(a < b < 2)$에 대하여, 함수 $h(x)$를

$$h(x) = k\{f(x) - f(x-a) - f(x-b) + f(x-2)\}$$

라 정의하자. 모든 실수 x에 대하여 $0 \le h(x) \le g(x)$일 때, $\displaystyle\int_0^2 \{g(x) - h(x)\}dx$의 값이 최소가 되게 하는 k, a, b에 대하여 $60(k+a+b)$의 값을 구하시오. [4점]

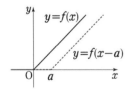
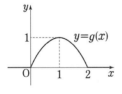

149

2013학년도 수능 나형 28번

최고차항의 계수가 1인 이차함수 $f(x)$가 $f(3) = 0$이고,

$$\int_0^{2013} f(x)dx = \int_3^{2013} f(x)dx$$

를 만족시킨다. 곡선 $y = f(x)$와 x축으로 둘러싸인 부분의 넓이가 S일 때, $30S$의 값을 구하시오. [4점]

150

2022학년도 6월 평가원 20번

실수 a와 함수 $f(x) = x^3 - 12x^2 + 45x + 3$에 대하여 함수

$$g(x) = \int_a^x \{f(x) - f(t)\} \times \{f(t)\}^4 dt$$

가 오직 하나의 극값을 갖도록 하는 모든 a의 값의 합을 구하시오. [4점]

151

다음은 원점을 출발하여 수직선 위를 움직이는 점 P 의 시각 $t \ (0 \le t \le d)$에서의 속도 $v(t)$를 나타내는 그래프이다.

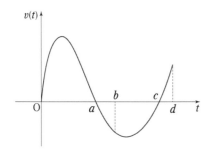

$\displaystyle\int_0^a |v(t)|dt = \int_a^d |v(t)|dt$ 일 때, 〈보기〉에서 옳은 것만을 있는 대로 고른 것은? (단, $0 < a < b < c < d$이다.) [3점]

〈보 기〉

ㄱ. 점 P 는 출발하고 나서 원점을 다시 지난다.

ㄴ. $\displaystyle\int_0^c v(t)dt = \int_c^d v(t)dt$

ㄷ. $\displaystyle\int_0^b v(t)dt = \int_b^d |v(t)|dt$

---

① ㄴ   ② ㄷ   ③ ㄱ, ㄴ

④ ㄴ, ㄷ   ⑤ ㄱ, ㄴ, ㄷ

152

최고차항의 계수가 1인 이차함수 $f(x)$에 대하여 함수

$$g(x) = \int_0^x f(t)dt$$

가 다음 조건을 만족시킬 때, $f(9)$의 값을 구하시오. [4점]

$x \ge 1$인 모든 실수 x에 대하여
$g(x) \ge g(4)$이고 $|g(x)| \ge |g(3)|$이다.

빠른 정답

어려운 3점 쉬운 4점 **핵**/**심**/**문**/**제**

I. 함수의 극한과 연속

SET 01
001 ① 002 ④ 003 3 004 ③ 005 12 006 ④ 007 16
008 ⑤ 009 ⑤ 010 ⑤

SET 02
011 ③ 012 8 013 32 014 2 015 ② 016 9 017 ①
018 ② 019 ⑤ 020 ③

SET 03
021 ⑤ 022 ① 023 13 024 ② 025 11 026 3 027 2
028 ④ 029 ② 030 ②

SET 04
031 ② 032 ② 033 1 034 ⑤ 035 ① 036 6 037 ③
038 ② 039 6 040 ③

SET 05
041 ④ 042 42 043 30 044 ② 045 ② 046 ④ 047 ⑤
048 ④ 049 16 050 ③

SET 06
051 2 052 ① 053 ③ 054 16 055 ② 056 ③ 057 ④
058 ⑤ 059 ③ 060 ④

SET 07
061 ② 062 29 063 ⑤ 064 ⑤ 065 56 066 ① 067 54
068 ④ 069 ③ 070 ②

SET 08
071 ② 072 ① 073 7 074 ② 075 34 076 14 077 ①
078 ⑤ 079 ③ 080 ⑤

II. 미분

SET 09
081 ① 082 12 083 28 084 ③ 085 ⑤ 086 ③ 087 ④
088 ② 089 ④ 090 9

SET 10
091 ③ 092 3 093 177 094 ⑤ 095 ⑤ 096 ⑤ 097 ④
098 1 099 12 100 63

SET 11
101 ④ 102 ⑤ 103 ② 104 24 105 ⑤ 106 4 107 ②
108 ⑤ 109 ② 110 ③

SET 12
111 ⑤ 112 30 113 ⑤ 114 ③ 115 ② 116 4 117 ③
118 ② 119 ① 120 6

SET 13
121 ⑤ 122 ④ 123 ② 124 ④ 125 ① 126 ① 127 ④
128 ④ 129 ① 130 ②

SET 14
131 ② 132 ② 133 ② 134 ② 135 26 136 ⑤ 137 ④
138 ① 139 ⑤ 140 44

SET 15
141 ② 142 ④ 143 ③ 144 ① 145 2 146 ② 147 ④
148 ② 149 ① 150 ③

SET 16
151 ③ 152 4 153 ③ 154 ③ 155 ② 156 ③ 157 18
158 ① 159 ① 160 37

III. 적분

SET 17
161 ③ 162 ② 163 ⑤ 164 ② 165 ③ 166 ④ 167 19
168 ③ 169 72 170 ④

SET 18
171 ① 172 40 173 ① 174 ② 175 15 176 ② 177 27
178 ⑤ 179 9 180 ④

SET 19
181 ② 182 ⑤ 183 11 184 32 185 10 186 ③ 187 15
188 ② 189 ③ 190 10

SET 20
191 ② 192 ⑤ 193 ⑤ 194 10 195 13 196 ③ 197 ④
198 37 199 ① 200 61

SET 21
201 ② 202 ⑤ 203 ② 204 56 205 ④ 206 ④ 207 ③
208 54 209 ② 210 12

SET 22
211 343 212 ② 213 17 214 ② 215 ④ 216 ② 217 17
218 ② 219 ① 220 ③

SET 23
221 ③ 222 ② 223 4 224 ③ 225 ⑤ 226 ③ 227 11
228 ⑤ 229 ④ 230 86

SET 24
231 ④ 232 ③ 233 7 234 ③ 235 8 236 20 237 ②
238 ① 239 19 240 ③

빠른 정답

부록 핵심 문제 **짝기출**

Ⅰ. 함수의 극한과 연속

SET 01
001 ① 002 ① 003 ① 004 ④ 005 ④ 006 ② 007 ③
008 ③

SET 02
009 ① 010 ④ 011 6 012 30

SET 03
013 ⑤ 014 ② 015 ⑤ 016 ④ 017 10 018 13 019 13
020 ④

SET 04
021 ② 022 ⑤ 023 24 024 ⑤

SET 05
025 ④ 026 ④ 027 ⑤ 028 ③

SET 06
029 ② 030 ② 031 ④ 032 16 033 ① 034 ⑤ 035 10

SET 07
036 ③ 037 11 038 ③ 039 ④ 040 ④

SET 08
041 ① 042 ① 043 ③ 044 27 045 ① 046 ③ 047 8

Ⅱ. 미분

SET 09
048 14 049 10 050 ⑤ 051 ③ 052 ⑤ 053 ④ 054 ④
055 27 056 3 057 ①

SET 10
058 ① 059 ⑤ 060 ④ 061 ① 062 3 063 ② 064 15

SET 11
065 22 066 16 067 ② 068 28 069 ① 070 ④ 071 32
072 ③

SET 12
073 ② 074 ① 075 ② 076 ① 077 ⑤ 078 ③

SET 13
079 28 080 ① 081 24 082 ③ 083 12

SET 14
084 ④ 085 21 086 ① 087 5 088 ① 089 10 090 ⑤

SET 15
091 ⑤ 092 12 093 ② 094 ③

SET 16
095 ① 096 6 097 97 098 32 099 ② 100 21

Ⅲ. 적분

SET 17
101 ④ 102 ① 103 10 104 4 105 ⑤ 106 ① 107 12

SET 18
108 25 109 ① 110 ① 111 ② 112 ④ 113 ⑤ 114 ④
115 ① 116 ⑤

SET 19
117 ③ 118 12 119 ① 120 ① 121 2 122 ④ 123 ③

SET 20
124 ② 125 ② 126 ④ 127 ④ 128 ② 129 ③

SET 21
130 14 131 14 132 6 133 ⑤

SET 22
134 43 135 ② 136 17 137 40 138 ⑤ 139 ⑤

SET 23
140 17 141 ② 142 ③ 143 ② 144 7 145 ① 146 ③

SET 24
147 ① 148 200 149 40 150 8 151 ④ 152 39

Memo

Memo

Memo

Memo

Memo

Memo

어삼쉬사 Plus+

너기출
평가원 기출
완전 분석

수능 수학을 책임지는
이투스북

어삼쉬사 Plus+
수능의 허리
완벽 대비

실전+수능
고쟁이
실전 대비
고난도 집중 훈련

어 삼 쉬 사 Plus+

| 정답과 풀이 |

수학Ⅱ
240제

이투스북

어삼쉬사 Plus+

빠른 정답

어려운 3점 쉬운 4점 **핵** / **심** / **문** / **제**

I. 함수의 극한과 연속

SET 01
001 ① 002 ④ 003 3 004 ③ 005 12 006 ④ 007 16
008 ⑤ 009 ⑤ 010 ⑤

SET 02
011 ③ 012 8 013 32 014 2 015 ② 016 9 017 ①
018 ② 019 ⑤ 020 ③

SET 03
021 ⑤ 022 ① 023 13 024 ② 025 11 026 3 027 2
028 ④ 029 ② 030 ②

SET 04
031 ② 032 ② 033 1 034 ⑤ 035 ① 036 6 037 ③
038 ② 039 6 040 ③

SET 05
041 ④ 042 42 043 30 044 ② 045 ② 046 ④ 047 ⑤
048 ④ 049 16 050 ②

SET 06
051 2 052 ① 053 ③ 054 16 055 ② 056 ③ 057 ④
058 ⑤ 059 ③ 060 ④

SET 07
061 ② 062 29 063 ⑤ 064 ⑤ 065 56 066 ① 067 54
068 ④ 069 ③ 070 ②

SET 08
071 ② 072 ① 073 7 074 ② 075 34 076 14 077 ①
078 ⑤ 079 ③ 080 ⑤

II. 미분

SET 09
081 ① 082 12 083 28 084 ③ 085 ⑤ 086 ③ 087 ④
088 ② 089 ④ 090 9

SET 10
091 ③ 092 3 093 177 094 ⑤ 095 ⑤ 096 ⑤ 097 ④
098 1 099 12 100 63

SET 11
101 ④ 102 ⑤ 103 ② 104 24 105 ⑤ 106 4 107 ②
108 ⑤ 109 ② 110 ③

SET 12
111 ⑤ 112 30 113 ⑤ 114 ③ 115 ② 116 4 117 ③
118 ② 119 ① 120 6

SET 13
121 ⑤ 122 ④ 123 ② 124 ④ 125 ① 126 ① 127 ④
128 ④ 129 ① 130 ②

SET 14
131 ② 132 ② 133 ⑤ 134 ② 135 26 136 ⑤ 137 ④
138 ① 139 ⑤ 140 44

SET 15
141 ② 142 ④ 143 ③ 144 ③ 145 2 146 ② 147 ④
148 ② 149 ① 150 ③

SET 16
151 ③ 152 4 153 ③ 154 ③ 155 ② 156 ③ 157 18
158 ① 159 ① 160 37

III. 적분

SET 17
161 ③ 162 ② 163 ⑤ 164 ② 165 ③ 166 ④ 167 19
168 ③ 169 72 170 ④

SET 18
171 ① 172 40 173 ① 174 ② 175 15 176 ② 177 27
178 ⑤ 179 9 180 ④

SET 19
181 ② 182 ⑤ 183 11 184 32 185 10 186 ③ 187 15
188 ② 189 ③ 190 10

SET 20
191 ② 192 ⑤ 193 ⑤ 194 10 195 13 196 ③ 197 ④
198 37 199 ① 200 61

SET 21
201 ② 202 ⑤ 203 ② 204 56 205 ④ 206 ④ 207 ③
208 54 209 ② 210 12

SET 22
211 343 212 ② 213 17 214 ② 215 ④ 216 ② 217 17
218 ② 219 ① 220 ③

SET 23
221 ③ 222 ② 223 4 224 ③ 225 ⑤ 226 ③ 227 11
228 ⑤ 229 ④ 230 86

SET 24
231 ④ 232 ③ 233 7 234 ③ 235 8 236 20 237 ②
238 ① 239 19 240 ③

빠른 정답

I. 함수의 극한과 연속

SET 01
001 ① 002 ① 003 ① 004 ④ 005 ④ 006 ② 007 ③
008 ③

SET 02
009 ① 010 ④ 011 6 012 30

SET 03
013 ⑤ 014 ② 015 ⑤ 016 ④ 017 10 018 13 019 13
020 ④

SET 04
021 ② 022 ⑤ 023 24 024 ⑤

SET 05
025 ④ 026 ④ 027 ⑤ 028 ③

SET 06
029 ② 030 ② 031 ④ 032 16 033 ① 034 ⑤ 035 10

SET 07
036 ③ 037 11 038 ③ 039 ④ 040 ④

SET 08
041 ① 042 ① 043 ③ 044 27 045 ① 046 ③ 047 8

II. 미분

SET 09
048 14 049 10 050 ⑤ 051 ③ 052 ⑤ 053 ④ 054 ④
055 27 056 3 057 ①

SET 10
058 ① 059 ⑤ 060 ④ 061 ① 062 3 063 ② 064 15

SET 11
065 22 066 16 067 ② 068 28 069 ① 070 ④ 071 32
072 ③

SET 12
073 ② 074 ① 075 ② 076 ① 077 ⑤ 078 ③

SET 13
079 28 080 ① 081 24 082 ③ 083 12

SET 14
084 ④ 085 21 086 ① 087 5 088 ① 089 10 090 ⑤

SET 15
091 ⑤ 092 12 093 ② 094 ③

SET 16
095 ① 096 6 097 97 098 32 099 ② 100 21

III. 적분

SET 17
101 ④ 102 ① 103 10 104 4 105 ⑤ 106 ① 107 12

SET 18
108 25 109 ① 110 ① 111 ② 112 ④ 113 ⑤ 114 ④
115 ① 116 ⑤

SET 19
117 ③ 118 12 119 ① 120 ① 121 2 122 ④ 123 ③

SET 20
124 ② 125 ② 126 ④ 127 ④ 128 ② 129 ③

SET 21
130 14 131 14 132 6 133 ⑤

SET 22
134 43 135 ② 136 17 137 40 138 ⑤ 139 ⑤

SET 23
140 17 141 ② 142 ③ 143 ② 144 7 145 ① 146 ③

SET 24
147 ① 148 200 149 40 150 8 151 ④ 152 39

어 삼 쉬 사 Plus+

| 정답과 풀이 |

수학Ⅱ

240제

3 4

약점 유형 확인

Ⅰ. 함수의 극한과 연속

중단원명	유형명	문항번호	틀린갯수
① 함수의 극한	유형 01 함수의 극한의 뜻	001, 011, 021, 031, 041, 051, 056, 073	/ 8개
	유형 02 함수의 극한의 성질과 유리함수의 극한값 계산	007, 018, 025, 035, 043, 052, 059, 067, 075	/ 9개
	유형 03 무리함수의 극한값 계산	004, 013, 024, 042	/ 4개
	유형 04 미정계수의 결정(1) – $\frac{0}{0}$ 꼴	003, 012, 022, 033	/ 4개
	유형 05 미정계수의 결정(2) – 다항함수의 추론	008, 016, 027, 032, 034, 044, 048, 053, 060, 064, 076, 077	/ 12개
	유형 06 함수의 극한의 활용	009, 014, 030, 045, 057, 068, 078	/ 7개
② 함수의 연속	유형 07 그래프가 주어진 함수의 연속	019, 028, 050, 072	/ 4개
	유형 08 연속함수의 성질과 판정	020, 040, 069, 074, 079	/ 5개
	유형 09 함수의 연속과 미정계수의 결정	002, 005, 006, 017, 023, 026, 029, 037, 038, 046, 047, 049, 054, 055, 058, 061, 062, 063, 071, 080	/ 20개
	유형 10 합성함수의 극한과 연속	036, 065, 066	/ 3개
	유형 11 불연속점의 개수	010, 015, 039, 070	/ 4개

Ⅱ. 미분

중단원명	유형명	문항번호	틀린갯수
① 미분계수와 도함수	유형 01 미분계수의 뜻	091, 104, 124	/ 3개
	유형 02 다항함수의 도함수	084, 095, 116, 140	/ 4개
	유형 03 도함수와 미분계수	085, 107, 117, 151	/ 4개
	유형 04 곱의 미분법	081, 105, 106, 125, 138	/ 5개
	유형 05 미분가능한 함수의 미정계수 결정	086, 097, 126, 142, 157	/ 5개
② 도함수의 활용	유형 06 접선의 방정식	082, 093, 103, 111, 121, 132, 144, 155	/ 8개
	유형 07 접선의 방정식의 활용	109, 135, 149	/ 3개
	유형 08 함수의 증가와 감소	114, 123, 136, 147	/ 4개
	유형 09 함수의 극대와 극소	083, 092, 096, 102, 113, 119, 131, 137, 143, 153, 156, 158	/ 12개
	유형 10 함수의 최대와 최소	087, 115, 128, 154	/ 4개
	유형 11 함수의 그래프 추론(1) – 함수의 식이 주어진 경우	099, 120, 139, 146	/ 4개
	유형 12 함수의 그래프 추론(2) – 함수의 식이 주어지지 않은 경우	100, 108, 129, 145	/ 4개
	유형 13 방정식과 부등식	089, 090, 098, 110, 118, 127, 130, 134, 148, 150, 159, 160	/ 12개
	유형 14 속도와 가속도	088, 094, 101, 112, 122, 133, 141, 152	/ 8개

Ⅲ. 적분

풀이 시간 확인

Ⅰ. 함수의 극한과 연속

SET	SET 01	SET 02	SET 03	SET 04	SET 05	SET 06	SET 07	SET 08
Time								

Ⅱ. 미분

SET	SET 09	SET 10	SET 11	SET 12	SET 13	SET 14	SET 15	SET 16
Time								

Ⅲ. 적분

SET	SET 17	SET 18	SET 19	SET 20	SET 21	SET 22	SET 23	SET 24
Time								

I 함수의 극한과 연속

001

주어진 그래프에서

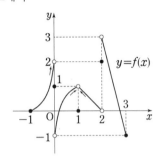

$$\lim_{x \to 0-} f(x) = 2, \lim_{x \to 1} f(x) = 1, f(2) = 2$$

$$\therefore \lim_{x \to 0-} \frac{f(x)}{x-1} + \lim_{x \to 1} f(x) + f(2)$$

$$= \frac{\displaystyle\lim_{x \to 0-} f(x)}{\displaystyle\lim_{x \to 0-} (x-1)} + \lim_{x \to 1} f(x) + f(2)$$

$$= \frac{2}{-1} + 1 + 2 = 1$$

답 ①

002

$g(x) = (2a-1)x - 12$, $h(x) = x^2 - x + a$라 하면
두 다항함수 $g(x)$, $h(x)$는 실수 전체의 집합에서
연속이므로 함수 $f(x)$가 실수 전체의 집합에서 연속이려면
$x = a$에서 연속이어야 한다.

즉, $\displaystyle\lim_{x \to a-} f(x) = \lim_{x \to a+} f(x) = f(a)$이므로

$$\lim_{x \to a-} f(x) = \lim_{x \to a-} g(x) = 2a^2 - a - 12,$$

$$\lim_{x \to a+} f(x) = \lim_{x \to a+} h(x) = a^2,$$

$f(a) = g(a) = 2a^2 - a - 12$에서

$2a^2 - a - 12 = a^2$

$a^2 - a - 12 = 0$

$(a+3)(a-4) = 0$

$\therefore a = -3$ 또는 $a = 4$

따라서 상수 a의 최댓값은 4이다.

답 ④

003

$$\lim_{x \to -1} \frac{x^2 + (1-a)x - a}{x^2 + bx} = \lim_{x \to -1} \frac{(x-a)(x+1)}{x(x+b)} = 4$$

에서 0이 아닌 극한값이 존재하고
(분자)$\to 0$이므로 (분모)$\to 0$이다.

따라서 $-(-1+b) = 0$에서 $b = 1$이다.

이때 $\displaystyle\lim_{x \to -1} \frac{(x-a)(x+1)}{x(x+1)} = \lim_{x \to -1} \frac{x-a}{x} = 4$에서

$\dfrac{-1-a}{-1} = 4$이므로 $a = 3$이다.

$\therefore ab = 3 \times 1 = 3$

답 3

004

$g(x) = \dfrac{f(x)}{\sqrt{4-x}-2}$라 하면

$\displaystyle\lim_{x \to 0} g(x) = -6$이다.

$$\therefore \lim_{x \to 0} \frac{f(x)}{x}$$

$$= \lim_{x \to 0} \left\{ g(x) \times \frac{\sqrt{4-x}-2}{x} \right\}$$

$$= \lim_{x \to 0} \left\{ g(x) \times \frac{(\sqrt{4-x}-2)(\sqrt{4-x}+2)}{x(\sqrt{4-x}+2)} \right\}$$

$$= \lim_{x \to 0} \left\{ g(x) \times \frac{-1}{\sqrt{4-x}+2} \right\}$$

$$= (-6) \times \left(-\frac{1}{4}\right) = \frac{3}{2}$$

답 ③

005

함수 $f(x)$는 $x = 2$에서 연속이므로

$\displaystyle\lim_{x \to 2} f(x) = f(2)$, 즉 $\displaystyle\lim_{x \to 2} \frac{x^2 + ax - 12}{x-2} = b$이다.

이때 극한값이 존재하고 (분모)$\to 0$이므로 (분자)$\to 0$이다.

즉, $\displaystyle\lim_{x \to 2} (x^2 + ax - 12) = 2a - 8 = 0$에서

$a = 4$이므로

$$b = \lim_{x \to 2} \frac{x^2 + 4x - 12}{x - 2}$$

$$= \lim_{x \to 2} \frac{(x-2)(x+6)}{x-2}$$

$$= \lim_{x \to 2} (x + 6) = 8$$

$$\therefore a + b = 4 + 8 = 12$$

답 12

006

$f(x) = \begin{cases} x + a & (x \geq -1) \\ (x+1)(x+b) & (x < -1) \end{cases}$ 에서

$\lim_{x \to -1-} f(x) = 0$, $\lim_{x \to -1+} f(x) = -1 + a$이므로

$\lim_{x \to -1-} f(x) \neq \lim_{x \to -1+} f(x)$ ($\because a \neq 1$)

즉, 함수 $f(x)$는 $x = -1$에서 불연속이고, 함수

$f(x-2) = \begin{cases} x - 2 + a & (x \geq 1) \\ (x-1)(x-2+b) & (x < 1) \end{cases}$

는 $x = 1$에서 불연속이다.

따라서 함수 $g(x) = f(x)f(x-2)$가 실수 전체의 집합에서 연속이려면

$x = -1$, $x = 1$에서 연속이어야 한다.

(i) $g(x)$가 $x = -1$에서 연속일 때

$\lim_{x \to -1-} g(x) = \lim_{x \to -1+} g(x) = g(-1)$이므로

$\lim_{x \to -1-} g(x)$

$= \lim_{x \to -1-} \{(x+1)(x+b) \times (x-1)(x-2+b)\}$

$= 0$,

$\lim_{x \to -1+} g(x)$

$= \lim_{x \to -1+} \{(x+a) \times (x-1)(x-2+b)\}$

$= -2(a-1)(b-3)$,

$g(-1) = (-1+a) \times (-1-1)(-1-2+b)$

$\qquad = -2(a-1)(b-3)$

에서 $-2(a-1)(b-3) = 0$

$\therefore b = 3$ ($\because a \neq 1$)

(ii) $g(x)$가 $x = 1$에서 연속일 때

$\lim_{x \to 1-} g(x) = \lim_{x \to 1+} g(x) = g(1)$이므로

$\lim_{x \to 1-} g(x) = \lim_{x \to 1-} \{(x+a) \times (x-1)(x-2+b)\}$

$\qquad\qquad = 0$,

$\lim_{x \to 1+} g(x) = \lim_{x \to 1+} \{(x+a) \times (x-2+a)\}$

$\qquad\qquad = (a+1)(a-1)$,

$g(1) = (1+a) \times (1-2+a) = (a+1)(a-1)$

에서 $(a+1)(a-1) = 0$

$\therefore a = -1$ ($\because a \neq 1$)

(i), (ii)에서

$f(x) = \begin{cases} x - 1 & (x \geq -1) \\ (x+1)(x+3) & (x < -1) \end{cases}$

$\therefore g(0) = f(0)f(-2) = -1 \times (-1) = 1$

답 ④

007

$g(x) = \dfrac{f(x)}{x+1}$ 라 하면

$\lim_{x \to 1} g(x) = 12$이다.

$$\therefore \lim_{x \to 1} \frac{(x^2-1)f(x)}{x^2+x-2} = \lim_{x \to 1} \frac{(x-1)(x+1)f(x)}{(x-1)(x+2)}$$

$$= \lim_{x \to 1} \frac{(x+1)f(x)}{(x+2)}$$

$$= \lim_{x \to 1} \left\{ g(x) \times \frac{(x+1)^2}{x+2} \right\}$$

$$= 12 \times \frac{2^2}{3} = 16$$

답 16

008

조건 (가)에서 함수 $f(x) - x^3$은 일차 이하의 다항식이므로

$f(x) - x^3 = ax + b$ (단, a, b는 상수)라 하면

$f(x) = x^3 + ax + b$

조건 (나)에서 극한값이 존재하고

(분모)$\to 0$이므로 (분자)$\to 0$이어야 한다.

$\lim_{x \to 0} f(x) = \lim_{x \to 0} (x^3 + ax + b) = b = 0$

이므로 $f(x) = x^3 + ax$이고,

$\lim_{x \to 0} \dfrac{f(x)}{x} = \lim_{x \to 0} \dfrac{x(x^2+a)}{x}$

$\qquad\qquad = \lim_{x \to 0} (x^2 + a) = a = -4$

에서 $f(x) = x^3 - 4x$이다.

$\therefore f(3) = 15$

답 ⑤

009

점 $A(t, t)$에서

직선 $y = t$와 곡선 $y = \sqrt{x}$의 교점은 $B(t^2, t)$,

직선 $x = t$와 곡선 $y = \sqrt{x}$의 교점은 $C(t, \sqrt{t})$이므로

$\overline{AB} = t^2 - t$, $\overline{AC} = t - \sqrt{t}$이다.

$$\therefore \lim_{t \to 1+} \frac{\overline{AC}}{\overline{AB}} = \lim_{t \to 1+} \frac{t - \sqrt{t}}{t^2 - t}$$

$$= \lim_{t \to 1+} \frac{(t - \sqrt{t})(t + \sqrt{t})}{(t^2 - t)(t + \sqrt{t})}$$

$$= \lim_{t \to 1+} \frac{1}{t + \sqrt{t}} = \frac{1}{2}$$

답 ⑤

010

ㄱ. $|f(x)| = \begin{cases} -f(x) & (f(x) < 0) \\ f(x) & (f(x) \geq 0) \end{cases}$이고

$-2 \leq x < -1$일 때 $f(x) < 0$

$-1 \leq x \leq 2$일 때 $f(x) \geq 0$이므로

함수 $y = |f(x)|$의 그래프는 다음과 같다. **참고①**

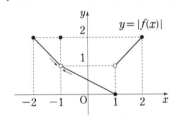

$$\therefore \lim_{x \to -1} |f(x)| = 1 \text{ (참)}$$

ㄴ. $y = f(x) - |f(x)| = \begin{cases} 2f(x) & (f(x) < 0) \\ 0 & (f(x) \geq 0) \end{cases}$이므로

함수 $y = f(x) - |f(x)|$의 그래프는 다음과 같다.

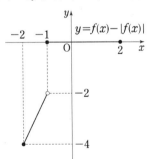

$\lim_{x \to 1}\{f(x) - |f(x)|\} = f(1) - |f(1)|$이므로

함수 $y = f(x) - |f(x)|$는 $x = 1$에서 연속이다. (참)

ㄷ. 닫힌구간 $[-2, 2]$에서 함수 $f(x)$는

$x = -1$, $x = 1$에서만 불연속이고

함수 $f(x) - |f(x)|$는 $x = -1$에서만 불연속이므로

함수 $f(x)\{f(x) - |f(x)|\}$는 $x = -1$ 또는

$x = 1$에서 연속성을 확인해야 한다. **참고②**

x	$f(x)$	$f(x) - |f(x)|$	$f(x)\{f(x) - |f(x)|\}$
$-1-$	-1	-2	2
-1	2	0	0
$-1+$	1	0	0

위의 표에서

$$\lim_{x \to -1-} f(x)\{f(x) - |f(x)|\}$$

$$\neq \lim_{x \to -1+} f(x)\{f(x) - |f(x)|\}$$이므로

$x = -1$에서 불연속이다.

x	$f(x)$	$f(x) - |f(x)|$	$f(x)\{f(x) - |f(x)|\}$
$1-$	0	0	0
1	0	0	0
$1+$	1	0	0

위의 표에서

$$\lim_{x \to 1} f(x)\{f(x) - |f(x)|\} = f(1)\{f(1) - |f(1)|\}$$

이므로 $x = 1$에서 연속이다.

따라서 함수 $f(x)\{f(x) - |f(x)|\}$는 $x = -1$에서만

불연속이다. (참)

따라서 옳은 것은 ㄱ, ㄴ, ㄷ이다.

답 ⑤

참고①

함수 $y = |f(x)|$의 그래프는
함수 $y = f(x)$의 그래프의 $f(x) < 0$인 부분을
x축에 대하여 대칭이동한 것과 같다.

참고②

두 함수 $f(x)$, $g(x)$가 모두 $x = a$에서 연속인 경우
항상 함수 $f(x)g(x)$는 $x = a$에서 연속이다.
반면 두 함수 중 하나라도 $x = a$에서 불연속이면
함수 $f(x)g(x)$가 $x = a$에서 연속인지 아닌지를 확인하기 위해서는
$\lim_{x \to a-} f(x)g(x) = f(a)g(a) = \lim_{x \to a+} f(x)g(x)$인지를 확인해야 한다.
특히 $\lim_{x \to a-} f(x)$, $f(a)$, $\lim_{x \to a+} f(x)$의 값이 존재하지만
$x = a$에서 연속이 아닐 때는 $\lim_{x \to a} g(x) = g(a) = 0$이면
항상 함수 $f(x)g(x)$는 $x = a$에서 연속이 된다.
$(\because \lim_{x \to a-} f(x)g(x) = \lim_{x \to a-} f(x) \times 0 = 0,$
$\lim_{x \to a+} f(x)g(x) = \lim_{x \to a+} f(x) \times 0 = 0,$
$f(a)g(a) = f(a) \times 0 = 0)$

011

$x+1=t$라 하면 $x \to -1-$일 때 $t \to 0-$이므로

$$\lim_{x \to -1-} f(x+1)=0$$

또한 $x-1=s$라 하면 $x \to 0+$일 때 $s \to -1+$이므로

$$\lim_{x \to 0+} f(x-1)=1$$

$$\therefore \lim_{x \to -1-} f(x+1) + \lim_{x \to 0+} f(x-1)=1$$

답 ③

참고

함수 $y=f(x+1)$의 그래프는

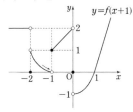

함수 $y=f(x)$의 그래프를
x축의 방향으로 -1만큼 평행이동한 것과 같으므로
$\lim\limits_{x \to -1-} f(x+1)=0$임을 알아낼 수도 있다.
마찬가지 방법으로 함수 $y=f(x-1)$의 그래프는
함수 $y=f(x)$의 그래프를
x축의 방향으로 1만큼 평행이동한 것과 같음을 이용하여
$\lim\limits_{x \to 0+} f(x-1)=1$임을 알아낼 수 있다.

012

$\lim\limits_{x \to 1} \dfrac{x^n-a}{x^2-1}=4$에서 극한값이 존재하고

(분모)$\to 0$이므로 (분자)$\to 0$이다.

따라서 $\lim\limits_{x \to 1}(x^n-a)=1-a=0$이므로 $a=1$이다.

$$\lim_{x \to 1} \frac{x^n-1}{x^2-1}$$

$$=\lim_{x \to 1} \frac{(x-1)(x^{n-1}+x^{n-2}+x^{n-3}+\cdots+1)}{(x-1)(x+1)}$$

$$=\lim_{x \to 1} \frac{x^{n-1}+x^{n-2}+x^{n-3}+\cdots+1}{x+1}=\frac{n}{2}$$

$\dfrac{n}{2}=4$에서 $n=8$

$$\therefore an=1 \times 8=8$$

답 8

013

$8x-32 \le f(x) \le x^2-16$이고

$x>4$일 때 $\sqrt{x}-2>0$이므로

$$\frac{8x-32}{\sqrt{x}-2} \le \frac{f(x)}{\sqrt{x}-2} \le \frac{x^2-16}{\sqrt{x}-2}$$

$$\lim_{x \to 4+} \frac{8x-32}{\sqrt{x}-2} = \lim_{x \to 4+} \frac{8(x-4)(\sqrt{x}+2)}{(\sqrt{x}-2)(\sqrt{x}+2)}$$

$$=\lim_{x \to 4+} \{8(\sqrt{x}+2)\}=32$$

$$\lim_{x \to 4+} \frac{x^2-16}{\sqrt{x}-2} = \lim_{x \to 4+} \frac{(x+4)(x-4)(\sqrt{x}+2)}{(\sqrt{x}-2)(\sqrt{x}+2)}$$

$$=\lim_{x \to 4+} (x+4)(\sqrt{x}+2)=32$$

따라서 함수의 극한의 대소 관계에 의하여

$$\lim_{x \to 4+} \frac{f(x)}{\sqrt{x}-2}=32$$

답 32

014

$x=0$일 때,

$y=|0-t|=t$이므로 $\mathrm{A}(0,\,t)$

$y=0$일 때,

$|x^2-t|=0,\ x^2=t \quad \therefore x=\pm\sqrt{t}$

$\therefore \mathrm{B}(-\sqrt{t},\,0),\ \mathrm{C}(\sqrt{t},\,0)$

즉, 삼각형 ABC의 둘레의 길이는

$$l(t)=\overline{\mathrm{AB}}+\overline{\mathrm{AC}}+\overline{\mathrm{BC}}$$

$$=\sqrt{t^2+t}+\sqrt{t^2+t}+2\sqrt{t}$$

$$=2(\sqrt{t^2+t}+\sqrt{t})$$

삼각형 ABC의 넓이는

$$S(t)=\frac{1}{2} \times \overline{\mathrm{BC}} \times \overline{\mathrm{AO}}$$

$$=\frac{1}{2} \times 2\sqrt{t} \times t=t\sqrt{t}$$

$$\therefore \lim_{t \to \infty} \frac{\sqrt{t} \times l(t)}{S(t)} = \lim_{t \to \infty} \frac{\sqrt{t} \times 2(\sqrt{t^2+t}+\sqrt{t})}{t\sqrt{t}}$$

$$=2\lim_{t \to \infty} \frac{\sqrt{t^2+t}+\sqrt{t}}{t}$$

$$=2\lim_{t \to \infty}\left(\sqrt{1+\frac{1}{t}}+\sqrt{\frac{1}{t}}\right)=2$$

답 2

015

두 함수 $y = x^2 + ax + b$, $y = 2x$는 실수 전체의 집합에서 연속이므로 함수 $f(x)$는 $x = -3$ 또는 $x = 3$에서 불연속이다. 즉, $k = -3$ 또는 $k = 3$이어야 한다.

(i) $k = -3$일 때

함수 $f(x)$가 $x = 3$에서 연속, 즉

$$\lim_{x \to 3-} f(x) = \lim_{x \to 3+} f(x) = f(3)$$이므로

$$\lim_{x \to 3-} f(x) = \lim_{x \to 3-} (x^2 + ax + b) = 9 + 3a + b,$$

$$\lim_{x \to 3+} f(x) = \lim_{x \to 3+} 2x = 6,$$

$f(3) = 9 + 3a + b$에서

$9 + 3a + b = 6$ $\therefore 3a + b = -3$

그런데 위의 식을 만족시키는 두 자연수 a, b는 존재하지 않는다.

(ii) $k = 3$일 때

함수 $f(x)$가 $x = -3$에서 연속, 즉

$$\lim_{x \to -3-} f(x) = \lim_{x \to -3+} f(x) = f(-3)$$이므로

$$\lim_{x \to -3-} f(x) = \lim_{x \to -3-} 2x = -6,$$

$$\lim_{x \to -3+} f(x) = \lim_{x \to -3+} (x^2 + ax + b) = 9 - 3a + b,$$

$f(-3) = 9 - 3a + b$에서

$9 - 3a + b = -6$ $\therefore b = 3a - 15$ $\cdots\cdots$ ㉠

이때 b는 자연수, 즉 $b > 0$이므로

$a \geq 6$ $\cdots\cdots$ ㉡

이고, $f(3) \neq \lim_{x \to 3+} f(x)$를 만족시키므로

함수 $f(x)$는 $x = 3$에서 불연속이 된다.

(i), (ii)에서 $k = 3$이고

$a + b = a + (3a - 15)$ ($\because$ ㉠)

    $= 4a - 15$

    $\geq 4 \times 6 - 15$ ($\because$ ㉡)

    $= 9$

따라서 $a + b$의 최솟값은 9이다.

답 ②

016

방정식 $f(x) = x + 2$의 세 실근이 $-1, 0, 2$이므로

$f(x) - x - 2 = kx(x+1)(x-2)$ (단, k는 양수)

라 하자.

$$\lim_{x \to 2} \frac{x-2}{f(x) - x - 2} = \lim_{x \to 2} \frac{x-2}{kx(x+1)(x-2)}$$

$$= \lim_{x \to 2} \frac{1}{kx(x+1)}$$

$$= \frac{1}{6k} = \frac{1}{2}$$

이므로 $k = \dfrac{1}{3}$이고

$f(x) = \dfrac{1}{3} x(x+1)(x-2) + x + 2$이다.

$\therefore f(3) = 9$

답 9

017

함수 $f(x)$는 $x = 2$에서 연속이므로

$$\lim_{x \to 2-} f(x) = \lim_{x \to 2+} f(x) = f(2) = 1$$을 만족시킨다.

이때 $\displaystyle\lim_{x \to 2+} f(x) = \lim_{x \to 2+} \frac{a\sqrt{x+2} + b}{x-2} = 1$에서

극한값이 존재하고 (분모) $\to 0$이므로 (분자) $\to 0$이다.

즉, $\displaystyle\lim_{x \to 2+} (a\sqrt{x+2} + b) = 2a + b = 0$에서

$b = -2a$이므로

$$\lim_{x \to 2+} f(x) = \lim_{x \to 2+} \frac{a\sqrt{x+2} + b}{x-2}$$

$$= \lim_{x \to 2+} \frac{a\sqrt{x+2} - 2a}{x-2}$$

$$= \lim_{x \to 2+} \frac{a(\sqrt{x+2} - 2)}{x-2}$$

$$= \lim_{x \to 2+} \frac{a(x-2)}{(x-2)(\sqrt{x+2} + 2)}$$

$$= \lim_{x \to 2+} \frac{a}{\sqrt{x+2} + 2} = \frac{a}{4}$$

따라서 $\dfrac{a}{4} = 1$에서 $a = 4$, $b = -8$

$\therefore a + b = -4$

답 ①

018

$$\lim_{x \to -1} (x-1)f(x+1) = 3$$에서

$x + 1 = t$라 하면 $x \to -1$일 때 $t \to 0$이므로

$$\lim_{x \to -1} (x-1)f(x+1) = \lim_{t \to 0} (t-2)f(t) = 3$$

$$\therefore \lim_{x\to 0}\frac{\{f(x)\}^2}{x^2+1}$$

$$=\lim_{x\to 0}\left[\{(x-2)f(x)\}^2\times\frac{1}{(x-2)^2(x^2+1)}\right]$$

$$=\left\{\lim_{x\to 0}(x-2)f(x)\right\}^2\times\lim_{x\to 0}\frac{1}{(x-2)^2(x^2+1)}$$

$$=3^2\times\frac{1}{4}=\frac{9}{4}$$

답 ②

019

함수 $g(x)$가 $x=-1$에서 연속이려면

$$\lim_{x\to -1-}g(x)=\lim_{x\to -1+}g(x)=g(-1) \qquad \cdots\cdots\ \bigcirc$$

이 성립해야 한다.

$t=x+2$라 하면 $x\to -1-$일 때 $t\to 1-$,

$x\to -1+$일 때 $t\to 1+$이므로

$$\lim_{x\to -1-}g(x)=\lim_{x\to -1-}f(x)+k\lim_{x\to -1-}f(x+2)$$

$$=\lim_{x\to -1-}f(x)+k\lim_{t\to 1-}f(t)$$

$$=2+k\times(-1)=-k+2$$

$$\lim_{x\to -1+}g(x)=\lim_{x\to -1+}f(x)+k\lim_{x\to -1+}f(x+2)$$

$$=\lim_{x\to -1+}f(x)+k\lim_{t\to 1+}f(t)$$

$$=-2+k\times 1=k-2$$

$$g(-1)=f(-1)+kf(1)=0$$

이므로 $\bigcirc$에 대입하면

$$-k+2=k-2=0$$

$$\therefore k=2$$

답 ⑤

020

$$y=x^2+x+2$$

$$=\left(x+\frac{1}{2}\right)^2+\frac{7}{4}$$

이므로 함수 $y=f(x)$의
그래프는 오른쪽 그림과 같다.

(i) 직선 $y=m(x+2)$가
점 $(-1,\ 2)$를 지날
때의 m의 값은

$2=m(-1+2)$에서 $m=2$

(ii) 직선 $y=m(x+2)$가 함수 $y=x^2+x+2$의
그래프와 접할 때의 m의 값은

$x^2+x+2=m(x+2)$에서

$x^2+(1-m)x+2(1-m)=0$

이 이차방정식의 판별식을 D라 하면 $D=0$에서

$(1-m)^2-8(1-m)=0$

$m^2+6m-7=0,\ (m+7)(m-1)=0$

$\therefore\ m=1\ (\because\ m>0)$

(iii) 직선 $y=m(x+2)$가 점 $(-1,\ -2)$를 지날 때의
m의 값은 $-2=m(-1+2)$에서 $m=-2$

(i), (ii), (iii)에서 $g(m)=\begin{cases}2 & (m>1)\\ 1 & (m=1)\\ 0 & (-2\le m<1)\\ 1 & (m<-2)\end{cases}$

($m=2$에서 $g(m)$이 불연속이 아님에 주의해야 한다.

$m>2$일 때 $y=f(x)$의 그래프와 직선은 서로 다른

두 점에서 만난다.)

즉, 함수 $g(x)$는 $x=-2$, $x=1$에서 불연속이므로 함수

$h(x)$가 실수 전체의 집합에서 연속이 되려면 $x=-2$,

$x=1$에서 연속이어야 한다.

함수 $h(x)$가 $x=-2$에서 연속이려면

$$\lim_{x\to -2-}h(x)=\lim_{x\to -2+}h(x)=h(-2)$$이므로

$$1\times(4-2a+b)=0\times(4-2a+b)$$

$$\therefore\ 4-2a+b=0 \qquad \cdots\cdots\ \bigcirc$$

함수 $h(x)$가 $x=1$에서 연속이려면

$$\lim_{x\to 1-}h(x)=\lim_{x\to 1+}h(x)=h(1)$$이므로

$$0\times(1+a+b)=2\times(1+a+b)$$

$$\therefore\ 1+a+b=0 \qquad \cdots\cdots\ \bigcirc$$

$\bigcirc$, $\bigcirc$을 연립하여 풀면 $a=1$, $b=-2$

$$\therefore\ a-b=3$$

답 ③

021

$t=-x$라 하자.

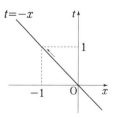

$x\to -1+$일 때 $t\to 1-$이므로

$$\lim_{x \to -1+} f(-x) = \lim_{t \to 1-} f(t) = 2$$

$$\therefore \lim_{x \to 0+} f(x) + \lim_{x \to -1+} f(-x) = 1 + 2 = 3$$

답 ⑤

022

$\displaystyle\lim_{x \to 2} \dfrac{\sqrt{x^2 + ax + b} - x}{x - 2} = 2$에서 극한값이 존재하고

(분모)$\to 0$이므로 (분자)$\to 0$이다.

따라서 $\sqrt{4 + 2a + b} - 2 = 0$이므로 $b = -2a$ ......㉠

$$\lim_{x \to 2} \frac{\sqrt{x^2 + ax - 2a} - x}{x - 2}$$

$$= \lim_{x \to 2} \frac{x^2 + ax - 2a - x^2}{(x - 2)(\sqrt{x^2 + ax - 2a} + x)}$$

$$= \lim_{x \to 2} \frac{a(x - 2)}{(x - 2)(\sqrt{x^2 + ax - 2a} + x)}$$

$$= \lim_{x \to 2} \frac{a}{\sqrt{x^2 + ax - 2a} + x} = 2$$

$\dfrac{a}{4} = 2$에서 $a = 8$, $b = -16$ ($\because$ ㉠)

$$\therefore a + b = -8$$

답 ①

023

$x \neq 2$일 때 $f(x) = \dfrac{x^3 + x + k}{x - 2}$

함수 $f(x)$가 $x = 2$에서 연속이므로

$$\lim_{x \to 2} f(x) = f(2)$$

$$\therefore \lim_{x \to 2} \frac{x^3 + x + k}{x - 2} = f(2)$$

즉, 극한값이 존재하고 $x \to 2$일 때 (분모)$\to 0$이므로

(분자)$\to 0$이어야 한다.

$\displaystyle\lim_{x \to 2}(x^3 + x + k) = 0$에서

$10 + k = 0$ $\quad \therefore k = -10$

$$\therefore f(2) = \lim_{x \to 2} \frac{x^3 + x - 10}{x - 2}$$

$$= \lim_{x \to 2} \frac{(x - 2)(x^2 + 2x + 5)}{x - 2}$$

$$= \lim_{x \to 2}(x^2 + 2x + 5) = 13$$

답 13

024

함수 $f(x)$는 공역이 양의 실수 전체의 집합이므로

모든 실수 x에 대하여

$$\sqrt{x^2 - x + 1} \leq f(x) \leq \sqrt{x^2 - x + 3}$$

$$\therefore x - \sqrt{x^2 - x + 3} \leq x - f(x) \leq x - \sqrt{x^2 - x + 1}$$

$$\lim_{x \to \infty}(x - \sqrt{x^2 - x + 3})$$

$$= \lim_{x \to \infty} \frac{(x - \sqrt{x^2 - x + 3})(x + \sqrt{x^2 - x + 3})}{x + \sqrt{x^2 - x + 3}}$$

$$= \lim_{x \to \infty} \frac{x - 3}{x + \sqrt{x^2 - x + 3}} = \lim_{x \to \infty} \frac{1 - \dfrac{3}{x}}{1 + \sqrt{1 - \dfrac{1}{x} + \dfrac{3}{x^2}}}$$

$$= \frac{1}{2}$$

$$\lim_{x \to \infty}(x - \sqrt{x^2 - x + 1})$$

$$= \lim_{x \to \infty} \frac{(x - \sqrt{x^2 - x + 1})(x + \sqrt{x^2 - x + 1})}{x + \sqrt{x^2 - x + 1}}$$

$$= \lim_{x \to \infty} \frac{x - 1}{x + \sqrt{x^2 - x + 1}} = \lim_{x \to \infty} \frac{1 - \dfrac{1}{x}}{1 + \sqrt{1 - \dfrac{1}{x} + \dfrac{1}{x^2}}}$$

$$= \frac{1}{2}$$

따라서 함수의 극한의 대소 관계에 의하여

$$\lim_{x \to \infty}\{x - f(x)\} = \frac{1}{2}$$

답 ②

025

$\displaystyle\lim_{x \to 1} \dfrac{f(x) - 2}{x - 1} = \dfrac{4}{3}$에서 극한값이 존재하고

(분모)$\to 0$이므로 (분자)$\to 0$이다.

따라서 $\displaystyle\lim_{x \to 1}\{f(x) - 2\} = 0$, 즉 $\displaystyle\lim_{x \to 1} f(x) = 2$이다.

$$\lim_{x \to 1} \frac{xf(x) - f(x)}{\{f(x)\}^2 - 4} = \lim_{x \to 1} \frac{(x - 1)f(x)}{\{f(x) - 2\}\{f(x) + 2\}}$$

$$= \lim_{x \to 1} \frac{x - 1}{f(x) - 2} \times \lim_{x \to 1} \frac{f(x)}{f(x) + 2}$$

$$= \frac{3}{4} \times \frac{2}{4} = \frac{3}{8}$$

$$\therefore p + q = 8 + 3 = 11$$

답 11

026

함수 $|f(x)|$는 $x=a$에서 연속이므로

$\lim\limits_{x \to a-}|f(x)| = \lim\limits_{x \to a+}|f(x)| = |f(a)|$를 만족시킨다.

$\lim\limits_{x \to a-}|f(x)| = |a+1|$,

$\lim\limits_{x \to a+}|f(x)| = |f(a)| = |a^2-1|$이므로

$|a+1| = |a^2-1|$

$\therefore \ a+1 = \pm(a^2-1)$

(i) $a+1 = a^2-1$인 경우

$\quad a^2-a-2=0, \ (a+1)(a-2)=0$

$\quad \therefore \ a=-1$ 또는 $a=2$

(ii) $a+1 = -(a^2-1)$인 경우

$\quad a^2+a=0, \ a(a+1)=0$

$\quad \therefore \ a=-1$ 또는 $a=0$

(i), (ii)에서 함수 $|f(x)|$가 실수 전체의 집합에서

연속이 되도록 하는 실수 a의 값은 $-1, 0, 2$로 3개이다.

답 3

027

조건 (가)에서 함수 $f(x)-2x^3$은 최고차항의 계수가 6인

이차함수이므로

$f(x)-2x^3 = 6x^2+ax+b$ (단, a, b는 상수)라 하면

$f(x) = 2x^3+6x^2+ax+b$

한편 조건 (나)에서 0이 아닌 극한값이 존재하고

(분자)$\to 0$이므로 (분모)$\to 0$이다.

$\lim\limits_{x \to 1}f(x) = \lim\limits_{x \to 1}(2x^3+6x^2+ax+b) = a+b+8 = 0$

$\therefore \ b=-a-8, \ f(x) = (x-1)(2x^2+8x+a+8)$

이때 조건 (나)에서

$\lim\limits_{x \to 1}\dfrac{x^2+x-2}{f(x)} = \lim\limits_{x \to 1}\dfrac{(x-1)(x+2)}{f(x)}$

$\qquad\qquad\qquad = \lim\limits_{x \to 1}\dfrac{x+2}{2x^2+8x+a+8}$

$\qquad\qquad\qquad = \dfrac{3}{a+18} = \dfrac{1}{5}$

이므로 $a=-3, \ b=-5$이고

$f(x) = 2x^3+6x^2-3x-5$이다.

$\therefore \ f(-1) = 2$

답 2

028

함수 $f(x)f(x-a)$가 $x=a$에서 연속이려면

$\lim\limits_{x \to a-}f(x)f(x-a) = \lim\limits_{x \to a+}f(x)f(x-a)$

$\qquad\qquad\qquad = f(a)f(0)$ ……㉠

이 성립해야 한다.

$t=x-a$라 하면

$\lim\limits_{x \to a-}f(x-a) = \lim\limits_{t \to 0-}f(t) = 0$,

$\lim\limits_{x \to a+}f(x-a) = \lim\limits_{t \to 0+}f(t) = 3, \ f(0)=3$이므로

㉠에 대입하면

$\lim\limits_{x \to a-}f(x) \times 0 = \lim\limits_{x \to a+}f(x) \times 3 = f(a) \times 3$

즉, $f(a) = \lim\limits_{x \to a+}f(x) = 0$이어야 한다.

따라서 그림에서 이를 만족시키는 a의 값은 1이다. **TIP**

답 ④

029

함수 $f(x)$는 $x \neq 0$인 모든 실수 x에서 연속이고,

함수 $g(x)$는 $x \neq b$인 모든 실수 x에서 연속이므로

함수 $f(x)g(x)$가 실수 전체의 집합에서 연속이 되려면

$x=0$, $x=b \ (b>0)$일 때 각각 연속이어야 한다.

(i) $x=0$일 때

x	$f(x)$	$g(x)$	$f(x)g(x)$
$0-$	a	-3	$-3a$
$0+$	2	-3	-6
0	2	-3	-6

위의 표에서 함수 $f(x)g(x)$가 $x=0$에서 연속이려면

$-3a = -6$이어야 한다.

즉, $a=2$이어야 한다.

(ii) $x=b$일 때

x	$f(x)$	$g(x)$	$f(x)g(x)$
$b-$	2	-3	-6
$b+$	2	b^2-5b+3	$2(b^2-5b+3)$
b	2	b^2-5b+3	$2(b^2-5b+3)$

위의 표에서 함수 $f(x)g(x)$가 $x=b \ (b>0)$에서

연속이려면 $2(b^2-5b+3) = -6$이어야 한다.

$$b^2 - 5b + 3 = -3, \; b^2 - 5b + 6 = 0$$
$$(b-2)(b-3) = 0$$
$$\therefore \; b = 2 \text{ 또는 } b = 3$$

(ⅰ), (ⅱ)에서 구하는 순서쌍 (a, b)는

$(2, 2)$, $(2, 3)$으로 2개이다.

답 ②

030

두 점 P, Q의 좌표가

$\mathrm{P}(t, \sqrt{t+1}-1)$, $\mathrm{Q}\left(t, -\dfrac{t}{t+1}\right)$이므로

$$A(t) = \frac{1}{2}t |\sqrt{t+1}-1|,$$

$$B(t) = \frac{1}{2}t \left| -\frac{t}{t+1} \right|$$

$$\therefore \; \lim_{t \to 0+} \frac{A(t)}{B(t)}$$

$$= \lim_{t \to 0+} \frac{\dfrac{1}{2}t |\sqrt{t+1}-1|}{\dfrac{1}{2}t \left| -\dfrac{t}{t+1} \right|}$$

$$= \lim_{t \to 0+} \frac{\sqrt{t+1}-1}{\dfrac{t}{t+1}} \; (\because \; t > 0)$$

$$= \lim_{t \to 0+} \frac{(t+1)(\sqrt{t+1}-1)}{t}$$

$$= \lim_{t \to 0+} \frac{(t+1)(\sqrt{t+1}-1)(\sqrt{t+1}+1)}{t(\sqrt{t+1}+1)}$$

$$= \lim_{t \to 0+} \frac{t+1}{\sqrt{t+1}+1} = \frac{1}{2}$$

답 ②

031

주어진 그래프에서

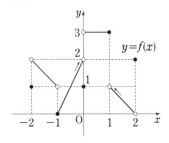

$\lim\limits_{x \to 1+} f(x) = 1$이므로 $a = 1$이다.

한편 $\lim\limits_{x \to b-} f(x-1) = 2$에서 $x-1 = t$라 하면

$x \to b-$ 일 때, $t \to (b-1)-$이므로

$$\lim_{x \to b-} f(x-1) = \lim_{t \to (b-1)-} f(t) = 2$$

이때 그림에서 $\lim\limits_{x \to 0-} f(x) = 2$이므로

$b-1 = 0$에서 $b = 1$이다.

$$\therefore \; a - b = 1 - 1 = 0$$

답 ②

032

$f(x) = x^3 + ax^2 + bx + c \;(a, b, c는 \text{ 상수})$라 하면

$f(-x) = -f(x)$를 만족시키므로

$a = 0, \; c = 0$

또한 $f(2) = -10$이므로

$8 + 2b = -10 \quad \therefore \; b = -9$

따라서 $f(x) = x^3 - 9x$이므로

$$\lim_{x \to -3} \frac{x^3 - 9x}{x+3} = \lim_{x \to -3} \frac{x(x+3)(x-3)}{x+3}$$

$$= \lim_{x \to -3} x(x-3)$$

$$= -3 \times (-6) = 18$$

답 ②

033

$$f(a) = \lim_{x \to a} \frac{x^3 - ax^2 + x - a}{x^2 - a^2}$$

$$= \lim_{x \to a} \frac{(x-a)(x^2+1)}{(x-a)(x+a)}$$

$$= \lim_{x \to a} \frac{x^2+1}{x+a} = \frac{a^2+1}{a+a}$$

$$= \frac{1}{2}\left(a + \frac{1}{a}\right)$$

이때 $a > 0$, $\dfrac{1}{a} > 0$이므로

산술평균과 기하평균의 관계에 의하여

$$a + \frac{1}{a} \geq 2\sqrt{a \times \frac{1}{a}} = 2$$

(단, 등호는 $a = \dfrac{1}{a} = 1$일 때 성립한다.)

따라서 $f(a) = \dfrac{1}{2}\left(a + \dfrac{1}{a}\right) \geq \dfrac{1}{2} \times 2 = 1$이므로

함수 $f(a)$의 최솟값은 1이다.

답 1

034

$\displaystyle\lim_{x \to \infty} \dfrac{f(x)}{x^2} = 3$에서

함수 $f(x)$는 최고차항의 계수가 3인 이차함수이다.

$\displaystyle\lim_{x \to n} \dfrac{f(x)}{x - n} = 24$에서 극한값이 존재하고

(분모) → 0이므로 (분자) → 0이다.

즉, $f(n) = 0$이므로 함수 $f(x)$는 $x - n$을 인수로 갖는다.

$f(x) = 3(x - n)(x + k)$ (단, k는 상수)라 하면

$$\lim_{x \to n} \dfrac{f(x)}{x - n} = \lim_{x \to n} \dfrac{3(x - n)(x + k)}{x - n}$$
$$= \lim_{x \to n} \{3(x + k)\}$$
$$= 3(n + k) = 24$$

이므로 $n + k = 8$

$\therefore k = 8 - n$ ……㉠

$f(2n) = 195$이므로 $3(2n - n)(2n + k) = 195$

$n(2n + k) = 65$, $n(2n + 8 - n) = 65$ ($\because$ ㉠)

$n^2 + 8n - 65 = 0$, $(n + 13)(n - 5) = 0$

$\therefore n = 5$ ($\because$ n은 자연수)

이를 ㉠에 대입하면 $k = 3$

따라서 $f(x) = 3(x - 5)(x + 3)$이므로

$f(-n) = f(-5)$
$\qquad = 3 \times (-10) \times (-2) = 60$

답 ⑤

035

조건 (나)에서 $h(x) = 3f(x) - g(x)$라 하면

$g(x) = 3f(x) - h(x)$이고, $\displaystyle\lim_{x \to \infty} h(x) = 4$이다.

조건 (가)에서 $\displaystyle\lim_{x \to \infty} \dfrac{f(x)}{x^2} = \infty$이므로

$\displaystyle\lim_{x \to \infty} \dfrac{x^2}{f(x)} = 0$이고, $\displaystyle\lim_{x \to \infty} f(x) = \infty$이다.

$\therefore \displaystyle\lim_{x \to \infty} \dfrac{h(x)}{f(x)} = 0$

$\therefore \displaystyle\lim_{x \to \infty} \dfrac{f(x) - 2g(x)}{4x^2 + g(x)}$

$= \displaystyle\lim_{x \to \infty} \dfrac{f(x) - 2\{3f(x) - h(x)\}}{4x^2 + \{3f(x) - h(x)\}}$

$= \displaystyle\lim_{x \to \infty} \dfrac{1 - 2\left\{3 - \dfrac{h(x)}{f(x)}\right\}}{4 \times \dfrac{x^2}{f(x)} + \left\{3 - \dfrac{h(x)}{f(x)}\right\}}$

$= \dfrac{1 - 2 \times 3}{0 + 3} = -\dfrac{5}{3}$

답 ①

036

합성함수 $(g \circ f)(x)$가 $x = 1$에서 연속이므로

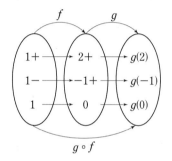

위의 그림에서 $g(2) = g(-1) = g(0)$이어야 한다.

따라서 $g(0) = 3$이므로

$g(-1) + g(2) = g(0) + g(0) = 3 + 3 = 6$

답 6

037

함수 $f(x)$가 $x = 1$에서 연속이므로

$\displaystyle\lim_{x \to 1} f(x) = f(1)$이고

$g(x) = \begin{cases} \dfrac{-x^2 + x + 2}{f(x)} & (x < 1) \\[3mm] \dfrac{3x^4 + 2x^2 - 1}{f(x)} & (x \geq 1) \end{cases}$ 이므로

$\displaystyle\lim_{x \to 1-} g(x) = \lim_{x \to 1-} \dfrac{-x^2 + x + 2}{f(x)} = \dfrac{2}{f(1)}$, **TIP**

$\displaystyle\lim_{x \to 1+} g(x) = \lim_{x \to 1+} \dfrac{3x^4 + 2x^2 - 1}{f(x)} = \dfrac{4}{f(1)}$이다.

주어진 조건 $\displaystyle\lim_{x \to 1-} g(x) + \lim_{x \to 1+} g(x) = 4$에서

$\dfrac{2}{f(1)} + \dfrac{4}{f(1)} = 4$

$\therefore f(1) = \dfrac{3}{2}$

답 ③

TIP

$f(x)g(x)=\begin{cases} -x^2+x+2 & (x<1) \\ 3x^4+2x^2-1 & (x \geq 1) \end{cases}$ 에서

$f(1)g(1)=4$이므로 $f(1)\neq 0$이다.

따라서 $\dfrac{2}{f(1)}$ 의 값이 정의된다.

038

함수 $f(x)$가 실수 전체의 집합에서 연속이므로

$x=2$에서도 연속이다.

즉, $\displaystyle\lim_{x \to 2-} f(x) = \lim_{x \to 2+} f(x) = f(2)$이므로

$\displaystyle\lim_{x \to 2-} f(x) = 4a-4b+4$,

$\displaystyle\lim_{x \to 2+} f(x) = \lim_{x \to 0+} f(x) = 4$,

$f(2) = f(0) = 4$에서

$4a-4b+4=4$ $\quad \therefore a=b$

$\therefore f(x) = ax^2 - 2ax + 4$

$\qquad = a(x-1)^2 - a + 4$

이때 $0 \leq x < 2$에서 함수 $y=f(x)$의 그래프는 직선

$x=1$에 대하여 대칭이고, 조건 (나)에 의하여

$-4 \leq x \leq 4$에서 함수 $y=f(x)$의 그래프는 다음 그림과 같다.

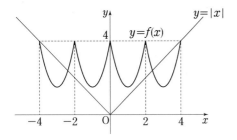

이때 방정식 $f(x) = |x|$ 의 서로 다른 실근의 개수가

4 이하가 되려면 $0 \leq x < 2$에서 방정식 $f(x) = x$가

실근을 갖지 않아야 한다.

$ax^2 - 2ax + 4 = x$에서 $ax^2 - (2a+1)x + 4 = 0$

이 이차방정식의 판별식을 D라 하면 $D < 0$이어야 하므로

$(2a+1)^2 - 16a < 0$, $4a^2 - 12a + 1 < 0$

$\therefore \dfrac{3-2\sqrt{2}}{2} < a < \dfrac{3+2\sqrt{2}}{2}$

이때 a는 자연수이므로 $a=1$ 또는 $a=2$

따라서 $a+b$의 최댓값은 $a=b=2$일 때

$2+2=4$

답 ②

039

함수 $g(x)$는 모든 실수 x에 대하여 연속인 다항함수이므로

함수 $\dfrac{g(x)}{f(x)}$ 가 불연속인 경우는

함수 $f(x)$가 불연속인 경우와

함수 $\dfrac{g(x)}{f(x)}$ 가 함숫값을 갖지 않는 $f(x)=0$인 경우를

확인해야 한다.

(ⅰ) 함수 $f(x)$가 불연속인 경우

$\displaystyle\lim_{x \to 2+} f(x) = -4$, $\displaystyle\lim_{x \to 2-} f(x) = f(2) = -1$이므로

함수 $f(x)$는 $x=2$에서 불연속이다.

$\displaystyle\lim_{x \to 2+} \dfrac{g(x)}{f(x)} = \dfrac{3}{4}$, $\displaystyle\lim_{x \to 2-} \dfrac{g(x)}{f(x)} = \dfrac{g(2)}{f(2)} = 3$이므로

함수 $\dfrac{g(x)}{f(x)}$ 는 $x=2$에서 불연속이다.

(ⅱ) $f(x)=0$인 경우

$x \leq 2$일 때 $1-x=0$에서 $x=1$

$x > 2$일 때 $x^2 - x - 6 = (x+2)(x-3) = 0$에서

$x=3$이므로

함수 $\dfrac{g(x)}{f(x)}$ 는 $x=1$, $x=3$에서 불연속이다.

(ⅰ), (ⅱ)에서 함수 $\dfrac{g(x)}{f(x)}$ 가 불연속이 되는 모든 x의 값의

합은 $2+1+3 = 6$이다.

답 6

040

ㄱ. $\displaystyle\lim_{x \to -1-} f(x) = \lim_{x \to -1-} (x^2+x-2) = -2$ (참)

ㄴ. $a=1$일 때, $f(x) = \begin{cases} -x+1 & (|x| < 1) \\ x^2+x-2 & (|x| \geq 1) \end{cases}$ 이다.

x	$f(x)$	$\{f(x)\}^2$
$-1-$	-2	4
-1	-2	4
$-1+$	2	4

$\displaystyle\lim_{x \to -1} \{f(x)\}^2 = \{f(-1)\}^2$이므로

함수 $\{f(x)\}^2$은 $x=-1$에서 연속이다. (참)

ㄷ. 함수 $f(x)\{f(x)+2\}$가 실수 전체의 집합에서 연속이기

위해서는 $x=-1$, $x=1$에서 연속이면 된다.

x	$f(x)$	$f(x)+2$	$f(x)\{f(x)+2\}$
$-1-$	-2	0	0
-1	-2	0	0
$-1+$	$a+1$	$a+3$	$(a+1)(a+3)$

x	$f(x)$	$f(x)+2$	$f(x)\{f(x)+2\}$
$1-$	$a-1$	$a+1$	$(a-1)(a+1)$
1	0	2	0
$1+$	0	2	0

$(a+1)(a+3)=0$에서 $a=-3$ 또는 $a=-1$이고

$(a-1)(a+1)=0$에서 $a=-1$ 또는 $a=1$이므로

함수 $f(x)\{f(x)+2\}$가 실수 전체의 집합에서

연속이기 위한 a의 값은 $a=-1$로 1개이다. (거짓)

따라서 옳은 것은 ㄱ, ㄴ이다.

답 ③

041

함수 $y=|f(x)|$의 그래프는 다음 그림과 같다.

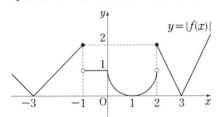

$$\therefore \lim_{x \to -1+}|f(x)|+\lim_{x \to 0}|f(x)|+|f(2)|$$

$$=1+1+2=4$$

답 ④

042

$$\lim_{x \to \infty}(\sqrt{ax^2+6x}-bx)=\lim_{x \to \infty}\frac{(ax^2+6x)-b^2x^2}{\sqrt{ax^2+6x}+bx}$$

$$=\lim_{x \to \infty}\frac{(a-b^2)x^2+6x}{\sqrt{ax^2+6x}+bx}$$

$$=\lim_{x \to \infty}\frac{(a-b^2)x+6}{\sqrt{a+\dfrac{6}{x}}+b}=\frac{1}{2}$$

이므로 $a-b^2=0$, ...㉠

$$\frac{6}{\sqrt{a}+b}=\frac{1}{2}$$ ......㉡

㉠을 ㉡에 대입하면

$\dfrac{6}{|b|+b}=\dfrac{1}{2}$에서 $\dfrac{6}{2b}=\dfrac{1}{2}$ TIP

$\therefore b=6,\ a=36$

$\therefore a+b=42$

답 42

TIP

$\dfrac{6}{|b|+b}=\dfrac{1}{2}$에서

$b \le 0$이면 $|b|+b=(-b)+b=0$,

$b>0$이면 $|b|+b=b+b=2b$

이므로 $b>0$이어야 한다.

043

$x-2=t$라 하면 $x \to 2$일 때 $t \to 0$이므로

$$\lim_{x \to 2}\frac{f(x)}{x-2}=\lim_{t \to 0}\frac{f(t+2)}{t}=4$$

$$\therefore \lim_{x \to 0}\frac{f(x)}{f(x+2)}=\lim_{x \to 0}\left\{\frac{f(x)}{x}\times\frac{x}{f(x+2)}\right\}$$

$$=6\times\frac{1}{4}=\frac{3}{2}$$

$$\therefore 20a=20\times\frac{3}{2}=30$$

답 30

044

조건 (가)에서 함수 $f(x)$는 최고차항의 계수가 1인

이차함수이다.

조건 (나)에서 $\lim\limits_{x \to 2}f(x) \ne 0$이면

$$\lim_{x \to 2}\frac{f(x)+x-2}{f(x)-x+2}=\frac{f(2)}{f(2)}=1 \ne \frac{4}{3}$$이므로

$$\lim_{x \to 2}f(x)=0$$이어야 한다.

즉, $\lim\limits_{x \to 2}f(x)=f(2)=0$이므로

$x-2$는 이차식 $f(x)$의 인수이다.

$f(x)=(x-2)(x-a)$ (단, a는 상수)

$$\lim_{x \to 2}\frac{f(x)+x-2}{f(x)-x+2}=\lim_{x \to 2}\frac{(x-2)(x-a)+(x-2)}{(x-2)(x-a)-(x-2)}$$

$$=\lim_{x \to 2}\frac{(x-a)+1}{(x-a)-1}$$

$$=\frac{3-a}{1-a}=\frac{4}{3}$$

$4-4a=9-3a$에서 $a=-5$이므로

$f(x)=(x-2)(x+5)$

$\therefore \lim_{x \to \infty} f\left(\dfrac{1}{x}\right) = \lim_{x \to \infty}\left(\dfrac{1}{x}-2\right)\left(\dfrac{1}{x}+5\right)$

$\qquad\qquad\qquad = (-2) \times 5 = -10$

답 ②

045

$S_1 = \dfrac{1}{2} \times 3 \times t = \dfrac{3}{2}t$

$S_2 = \dfrac{1}{2} \times 4 \times \left(\dfrac{1}{2}t^3 + at\right) = t^3 + 2at$

$\lim_{t \to 0+} \dfrac{S_2}{S_1} = \lim_{t \to 0+} \dfrac{t^3 + 2at}{\dfrac{3}{2}t} = \lim_{t \to 0+} \dfrac{2(t^2 + 2a)}{3}$

$\qquad\qquad = \dfrac{4}{3}a = 4$

$\therefore a = 3$

답 ②

046

함수 $f(x) = \begin{cases} ax & (x < 1) \\ 2x - a^2 & (x \geq 1) \end{cases}$ 에서

$\{f(x)\}^2 = \begin{cases} a^2 x^2 & (x < 1) \\ 4x^2 - 4a^2 x + a^4 & (x \geq 1) \end{cases}$ 이다.

함수 $f(x)$가 $x=1$에서 불연속이므로

$\lim_{x \to 1-} f(x) = a$, $\lim_{x \to 1+} f(x) = f(1) = 2 - a^2$에서

$a \neq 2 - a^2$이어야 한다. 즉,

$a^2 + a - 2 \neq 0$, $(a+2)(a-1) \neq 0$

$\therefore a \neq -2, a \neq 1$ ⋯⋯㉠

한편 함수 $\{f(x)\}^2$은 $x=1$에서 연속이므로

$\lim_{x \to 1-} \{f(x)\}^2 = a^2$,

$\lim_{x \to 1+} \{f(x)\}^2 = \{f(1)\}^2 = 4 - 4a^2 + a^4$

에서 $a^2 = 4 - 4a^2 + a^4$이어야 한다. 즉,

$a^4 - 5a^2 + 4 = 0$, $(a^2 - 1)(a^2 - 4) = 0$

$(a+1)(a-1)(a+2)(a-2) = 0$

$\therefore a = -1$ 또는 $a = 2$ ($\because$ ㉠)

따라서 모든 상수 a의 값의 합은

$-1 + 2 = 1$

답 ④

047

$g(x) = \dfrac{f(x) + |f(x)|}{2}$ 에서

$g(x) = \begin{cases} f(x) & (f(x) \geq 0) \\ 0 & (f(x) < 0) \end{cases}$

함수 $g(x)$가 실수 전체의 집합에서 연속이므로 함수

$g(x)$는 $x=-1$, $x=1$에서 연속이어야 한다.

(i) 함수 $g(x)$가 $x=-1$에서 연속일 때

$\quad f(-1) = 4 > 0$이므로

$\qquad \lim_{x \to -1-} g(x) = \lim_{x \to -1+} g(x) = g(-1)$이려면

$\qquad \lim_{x \to -1-} g(x) = \lim_{x \to -1-}(x+5) = 4$,

$\qquad \lim_{x \to -1+} g(x) = \lim_{x \to -1+} bx(x-3) = 4b$,

$\qquad g(-1) = f(-1) = 4$에서

$\qquad 4 = 4b$ $\quad \therefore b = 1$

(ii) 함수 $g(x)$가 $x=1$에서 연속일 때

$\quad 0 < x \leq 1$에서 $f(x) < 0$ ($\because b=1$)이므로

$\qquad \lim_{x \to 1-} g(x) = \lim_{x \to 1+} g(x) = g(1) = 0$이다.

$\quad$이때 $\lim_{x \to 1+} g(x) = g(1) \leq 0$이어야 하므로

$\qquad 2 + a \leq 0$에서 $a \leq -2$

(i), (ii)에서 $a+b$의 최댓값은 $a = -2$, $b = 1$일 때

$-2 + 1 = -1$

답 ⑤

048

$\lim_{x \to -1} \dfrac{f(x-1)f(x+1)}{(x-1)(x+1)^2} = 2$에서 극한값이 존재하고

(분모)$\to 0$이므로 (분자)$\to 0$이어야 한다.

따라서 $f(x-1)f(x+1)$은 $(x+1)^2$을 인수로 가져야 한다.

(i) $f(x-1)$이 $(x+1)^2$을 인수로 갖는 경우

$\quad f(x-1) = (x+1)^2$이므로

$\quad f(x) = (x+2)^2$, $f(x+1) = (x+3)^2$이다.

$\qquad \lim_{x \to -1} \dfrac{f(x-1)f(x+1)}{(x-1)(x+1)^2}$

$\qquad = \lim_{x \to -1} \dfrac{(x+1)^2(x+3)^2}{(x-1)(x+1)^2}$

$\qquad = \lim_{x \to -1} \dfrac{(x+3)^2}{x-1} = -2$

(ii) $f(x+1)$이 $(x+1)^2$을 인수로 갖는 경우

$f(x+1)=(x+1)^2$이므로

$f(x)=x^2$, $f(x-1)=(x-1)^2$이다.

$$\lim_{x \to -1} \frac{f(x-1)f(x+1)}{(x-1)(x+1)^2}$$

$$=\lim_{x \to -1} \frac{(x-1)^2(x+1)^2}{(x-1)(x+1)^2}$$

$$=\lim_{x \to -1}(x-1)=-2$$

(iii) $f(x-1)$, $f(x+1)$이 모두 $x+1$을 인수로 갖는 경우

$f(x-1)=(x+1)(x+k)$ (단, $k \neq 1$)이라 하면

$f(x+1)=(x+3)(x+2+k)$이므로

$2+k=1$, $k=-1$이어야 한다.

따라서

$f(x-1)=(x-1)(x+1)$,

$f(x+1)=(x+1)(x+3)$,

$f(x)=x(x+2)$이다.

$$\lim_{x \to -1} \frac{f(x-1)f(x+1)}{(x-1)(x+1)^2}$$

$$=\lim_{x \to -1} \frac{(x-1)(x+1)^2(x+3)}{(x-1)(x+1)^2}$$

$$=\lim_{x \to -1}(x+3)=2$$

(i)~(iii)에서 $f(x)=x(x+2)$이다.

$\therefore f(4)=24$

답 ④

049

함수 $g(x)=\begin{cases} ax\left(x+\dfrac{3}{2}\right) & (x<a) \\ f(x) & (x \geq a) \end{cases}$ 에 대하여

$\displaystyle \lim_{x \to \infty} \frac{g(x)}{x^3}=\lim_{x \to \infty} \frac{f(x)}{x^3}=1$이므로

$f(x)$는 최고차항의 계수가 1인 삼차함수이다.

$\displaystyle \lim_{x \to -2} \frac{g(x)}{x+2}=6$에서 극한값이 존재하고

(분모)$\to 0$이므로 (분자)$\to 0$이어야 한다.

이때 $\displaystyle \lim_{x \to -2} ax\left(x+\dfrac{3}{2}\right) \neq 0$이므로

$a<-2$이고 $\displaystyle \lim_{x \to -2} f(x)=0$, 즉 $f(-2)=0$이어야 한다.

$f(x)=(x+2)(x^2+px+q)$(단, p, q는 상수)라 하자.

$$\lim_{x \to -2} \frac{g(x)}{x+2}=\lim_{x \to -2} \frac{f(x)}{x+2}$$

$$=\lim_{x \to -2} \frac{(x+2)(x^2+px+q)}{x+2}$$

$$=\lim_{x \to -2}(x^2+px+q)$$

$$=4-2p+q=6$$

이므로 $2p-q=-2$ ······㉠

또한 $g(-1)=f(-1)=2$이므로

$1-p+q=2$에서 $p-q=-1$ ······㉡

㉠, ㉡을 연립하여 풀면 $p=-1$, $q=0$

$\therefore f(x)=x(x+2)(x-1)$

이때 함수 $g(x)$는 $x=a$에서 연속이므로

$$a^2\left(a+\frac{3}{2}\right)=a(a+2)(a-1)$$

$a^2+\dfrac{3}{2}a=a^2+a-2$에서 $a=-4$ ($\because a \neq 0$)

$\therefore a^2=16$

답 16

050

함수 $f(x)$는 $x=0$, $x=1$에서 불연속이고,

이차함수 $g(x)$는 실수 전체의 집합에서 연속이다.

따라서 함수 $f(x)\{f(x)-g(x)\}$가 $x=0$, $x=1$에서

연속이면 된다.

x	$f(x)$	$f(x)-g(x)$	$f(x)\{f(x)-g(x)\}$
$0+$	3	$3-g(0)$	$3\{3-g(0)\}$
$0-$	-3	$-3-g(0)$	$3\{3+g(0)\}$
0	-3	$-3-g(0)$	$3\{3+g(0)\}$

위의 표에서 $3\{3-g(0)\}=3\{3+g(0)\}$이어야 하므로

$3-g(0)=3+g(0)$

$\therefore g(0)=0$

x	$f(x)$	$f(x)-g(x)$	$f(x)\{f(x)-g(x)\}$
$1+$	4	$4-g(1)$	$4\{4-g(1)\}$
$1-$	4	$4-g(1)$	$4\{4-g(1)\}$
1	0	$-g(1)$	0

위의 표에서 $4\{4-g(1)\}=0$이어야 한다.

$\therefore g(1)=4$

따라서 $g(x)=x^2+ax+b$ (단, a, b는 상수)라 하면

$g(0)=b=0$,

$g(1) = 1 + a + b = 4$에서 $a = 3$이므로

$g(x) = x^2 + 3x$이다.　$\therefore g(5) = 40$

답 ③

051

주어진 그래프에서 좌극한값과 우극한값이 다른 점은

$x = -1$, $x = 0$, $x = 1$이므로 이 세 점에서

주어진 부등식을 만족시키는지 확인해 보자.

(i) $x = -1$에서

$$\lim_{x \to -1-} f(x) = -2, \ \lim_{x \to -1+} f(x) = 0$$이므로

$$\lim_{x \to a-} f(x) < \lim_{x \to a+} f(x)$$

(ii) $x = 0$에서

$$\lim_{x \to 0-} f(x) = 2, \ \lim_{x \to 0+} f(x) = 0$$이므로

$$\lim_{x \to a-} f(x) > \lim_{x \to a+} f(x)$$

(iii) $x = 1$에서

$$\lim_{x \to 1-} f(x) = -1, \ \lim_{x \to 1+} f(x) = 3$$이므로

$$\lim_{x \to a-} f(x) < \lim_{x \to a+} f(x)$$

(i)~(iii)에서 주어진 부등식을 만족시키는 상수 a의 값은

-1, 1로 2개이다.

답 2

052

$\displaystyle\lim_{x \to 1} g(x) = \infty$에서 $\displaystyle\lim_{x \to 1} \frac{1}{g(x)} = 0$이므로

$$\lim_{x \to 1} \{f(x) + 2g(x)\} = 3$$에서

$$\lim_{x \to 1} \{f(x) + 2g(x)\} \times \lim_{x \to 1} \frac{1}{g(x)} = 0$$

$$\therefore \lim_{x \to 1} \left\{ \frac{f(x)}{g(x)} + 2 \right\} = 0$$

$$\therefore \lim_{x \to 1} \frac{2f(x) - g(x)}{f(x) + 3g(x)} = \lim_{x \to 1} \frac{2 \times \dfrac{f(x)}{g(x)} - 1}{\dfrac{f(x)}{g(x)} + 3}$$

$$= \lim_{x \to 1} \frac{2\left\{ \dfrac{f(x)}{g(x)} + 2 \right\} - 5}{\left\{ \dfrac{f(x)}{g(x)} + 2 \right\} + 1}$$

$$= \frac{2 \times 0 - 5}{0 + 1} = -5$$

답 ①

053

$\displaystyle\lim_{x \to -1} \frac{f(x)}{x + 1} = 8$에서 극한값이 존재하고 $x \to -1$일 때

(분모)$\to 0$이므로 (분자)$\to 0$이다.

즉, $\displaystyle\lim_{x \to -1} f(x) = 0$에서 $f(-1) = 0$　……㉠

$\displaystyle\lim_{x \to 2} \frac{f(x+1)}{x - 2} = 8$에서 극한값이 존재하고 $x \to 2$일 때

(분모)$\to 0$이므로 (분자)$\to 0$이다.

즉, $\displaystyle\lim_{x \to 2} f(x+1) = 0$에서 $f(3) = 0$　……㉡

㉠, ㉡에서

$f(x) = (x+1)(x-3)(ax+b)$ (a, b는 상수)

라 하면

$$\lim_{x \to -1} \frac{f(x)}{x + 1} = \lim_{x \to -1} (x-3)(ax+b)$$

$$= -4(-a+b) = 8$$

이므로 $b = a - 2$　……㉢

또한

$$\lim_{x \to 2} \frac{f(x+1)}{x - 2}$$

$$= \lim_{x \to 2} \frac{(x+2)(x-2)\{a(x+1) + (a-2)\}}{x - 2} \ (\because ㉢)$$

$$= \lim_{x \to 2} (x+2)(ax + 2a - 2)$$

$$= 4(4a - 2) = 8$$

이므로 $a = 1$, $b = -1$

따라서 $f(x) = (x+1)(x-3)(x-1)$이므로

$f(4) = 5 \times 1 \times 3 = 15$

답 ③

054

함수 $f(x)$는 이차함수이므로 실수 전체의 집합에서 연속이고

함수 $g(x)$는 $x \neq 1$인 모든 실수 x에서 연속이므로

실수 전체의 집합에서 함수 $\dfrac{f(x)}{g(x)}$가 연속이기 위해서는

$x = 1$에서 연속이어야 한다.

$\displaystyle\lim_{x \to 1} \frac{f(x)}{g(x)} = \lim_{x \to 1} \frac{f(x)}{x - 1} = \frac{f(1)}{g(1)} = f(1)$에서 극한값이

존재하고 (분모)$\to 0$이므로 (분자)$\to 0$이다.

즉, $\displaystyle\lim_{x \to 1} f(x) = f(1) = 0$이므로

함수 $f(x)$는 $x - 1$을 인수로 갖는다.

이때 $f(x) = (x-1)(x-a)$ (단, a는 상수)라 하면

$$\lim_{x \to 1} \frac{f(x)}{g(x)} = \lim_{x \to 1} \frac{f(x)}{x-1} = \lim_{x \to 1}(x-a)$$

$$= 1 - a = 0 \ (\because f(1) = 0)$$

에서 $a = 1$, $f(x) = (x-1)^2$이다.

$$\therefore f(5) = 16$$

답 16

055

두 함수 $y = f(x)$, $y = x$의 교점의 x좌표는
방정식 $f(x) = x$의 실근과 같다.

$(x-2)^2 = x$, $x^2 - 5x + 4 = 0$,

$(x-1)(x-4) = 0$에서

$x = 1$ 또는 $x = 4$이므로

$$g(x) = \begin{cases} a - (x-2)^2 & (1 \le x \le 4) \\ b(x-3)^2 + 1 & (x < 1 \text{ 또는 } x > 4) \end{cases}$$

함수 $g(x)$가 실수 전체의 집합에서 연속이려면
$x = 1$, $x = 4$에서 연속이어야 한다.

$g(1) = \lim\limits_{x \to 1+} g(x) = a - 1$이고

$\lim\limits_{x \to 1-} g(x) = 4b + 1$이므로

$a - 1 = 4b + 1$, $a - 4b = 2$ ……㉠

$g(4) = \lim\limits_{x \to 4-} g(x) = a - 4$이고

$\lim\limits_{x \to 4+} g(x) = b + 1$이므로

$a - 4 = b + 1$, $a - b = 5$ ……㉡

㉠, ㉡을 연립하여 풀면

$a = 6$, $b = 1$

$$\therefore a + b = 6 + 1 = 7$$

답 ②

056

모든 실수 x에 대하여 $f(x) = f(-x)$이므로
함수 $y = f(x)$의 그래프는 y축에 대하여 대칭이다.

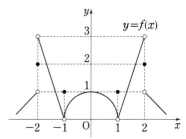

$$\therefore \lim_{x \to 1} f(x) + \lim_{x \to 2-} f(x) = 0 + 3 = 3$$

답 ③

057

점 M은 선분 OA의 중점이므로

$$\text{M}\left(\frac{0+t}{2}, \ \frac{0 + \frac{2}{t}}{2} \right)$$

$$\therefore \text{M}\left(\frac{t}{2}, \ \frac{1}{t} \right)$$

직선 l은 기울기가 -2이고 점 M을 지나는 직선이므로

$$y - \frac{1}{t} = -2\left(x - \frac{t}{2}\right)$$

$$\therefore y = -2x + t + \frac{1}{t}$$

두 점 P, Q는 각각 직선 l의 x절편, y절편이므로

$$\overline{\text{OP}} = \frac{1}{2}\left(t + \frac{1}{t}\right), \quad \overline{\text{OQ}} = t + \frac{1}{t}$$

$$\therefore \overline{\text{OQ}} = 2\overline{\text{OP}}$$

$$\therefore \lim_{t \to \infty} \frac{t \times \overline{\text{OQ}} - \overline{\text{OP}}}{\overline{\text{OP}} \times \overline{\text{OQ}}} = \lim_{t \to \infty} \frac{t \times 2\overline{\text{OP}} - \overline{\text{OP}}}{\overline{\text{OP}} \times 2\overline{\text{OP}}}$$

$$= \lim_{t \to \infty} \frac{(2t-1)\overline{\text{OP}}}{2\overline{\text{OP}}^2}$$

$$= \lim_{t \to \infty} \frac{2t-1}{2\overline{\text{OP}}} = \lim_{t \to \infty} \frac{2t-1}{t + \frac{1}{t}}$$

$$= \lim_{t \to \infty} \frac{2 - \frac{1}{t}}{1 + \frac{1}{t^2}} = 2$$

답 ④

058

함수 $f(x)$는 $x = -a$에서 연속이므로

$\lim\limits_{x \to -a-} f(x) = \lim\limits_{x \to -a+} f(x) = f(-a)$를 만족시킨다.

$x \ne -a$일 때, $f(x) = \dfrac{(x-1)|x+a|}{x+a}$이므로

$$\lim_{x \to -a-} f(x) = \lim_{x \to -a-} \frac{-(x-1)(x+a)}{x+a}$$

$$= \lim_{x \to -a-}(-x+1) = a + 1$$

$$\lim_{x \to -a+} f(x) = \lim_{x \to -a+} \frac{(x-1)(x+a)}{x+a}$$
$$= \lim_{x \to -a+} (x-1) = -a-1$$

즉, $a+1 = -a-1$이므로 $a = -1$이다.

따라서 $(x-1)f(x) = (x-1)|x-1|$의 양변에

$x = -1$을 대입하면

$$-2f(-1) = -2 \times 2, \ f(-1) = 2$$
$$\therefore \ f(a) = f(-1) = 2$$

답 ⑤

059

$\lim\limits_{x \to 1} \dfrac{f(x)}{f(x-1)}$의 값이 존재하고 $f(0) = 0$에 의하여

(분모) $\to 0$이므로 (분자) $\to 0$이어야 한다.

$$\therefore \ f(1) = 0$$

마찬가지 방법으로 $\lim\limits_{x \to n} \dfrac{f(x)}{f(x-1)}$ $(n = 2, 3)$의 값이

존재하고 (분모) $\to 0$이므로 (분자) $\to 0$이다.

$$\therefore \ f(2) = 0, \ f(3) = 0$$

따라서 $f(0) = f(1) = f(2) = f(3) = 0$에서

$f(x)$는 $x, \ x-1, \ x-2, \ x-3$을 인수로 가지므로

$f(x) = ax(x-1)(x-2)(x-3)$ (단, a는 0이 아닌 상수)

$$\therefore \ \lim_{x \to 0} \frac{f(-x)}{f(x+2)}$$
$$= \lim_{x \to 0} \frac{a(-x)(-x-1)(-x-2)(-x-3)}{a(x+2)(x+1)x(x-1)}$$
$$= \lim_{x \to 0} \frac{ax(x+1)(x+2)(x+3)}{ax(x+1)(x+2)(x-1)}$$
$$= \lim_{x \to 0} \frac{x+3}{x-1} = -3$$

답 ③

060

조건 (가)에서 $\dfrac{1}{x} = t$라 하면 $x \to 0+$일 때 $t \to \infty$이므로

$$\lim_{x \to 0+} \frac{x^2 + ax}{x^2 f\left(\dfrac{1}{x}\right) - 1} = \lim_{t \to \infty} \frac{\dfrac{1}{t^2} + \dfrac{a}{t}}{\dfrac{f(t)}{t^2} - 1}$$
$$= \lim_{t \to \infty} \frac{1 + at}{f(t) - t^2} = \frac{1}{4}$$

에서 $f(x) - x^2$은 최고차항의 계수가 $4a$인 일차식이다.

따라서 $f(x) - x^2 = 4ax + b$ (단, b는 상수)라 하면

$$f(x) = x^2 + 4ax + b$$

조건 (나)에서 극한값이 존재하고

(분모) $\to 0$이므로 (분자) $\to 0$이다.

$$\lim_{x \to 1} f(x) = \lim_{x \to 1} (x^2 + 4ax + b)$$
$$= 1 + 4a + b = 0$$
$$\therefore \ b = -4a - 1, \ f(x) = (x-1)(x+4a+1)$$

이때 조건 (나)에서

$$\lim_{x \to 1} \frac{f(x)}{x-1} = \lim_{x \to 1} \frac{(x-1)(x+4a+1)}{x-1}$$
$$= \lim_{x \to 1} (x+4a+1)$$
$$= 4a + 2 = 10$$
$$\therefore \ a = 2, \ b = -9, \ f(x) = x^2 + 8x - 9$$
$$\therefore \ f(a) = f(2) = 11$$

답 ④

061

함수 $y = x+2$는 실수 전체의 집합에서 연속이므로

함수 $g(x) = (x+2)f(x)$가 $x = a$에서 연속이려면

$\lim\limits_{x \to a} (x+2) = 0$ 또는 $\lim\limits_{x \to a} f(x) = f(a)$이어야 한다.

(i) $\lim\limits_{x \to a} (x+2) = 0$인 경우

$$\lim_{x \to a} (x+2) = a+2 = 0$$
$$\therefore \ a = -2$$

(ii) $\lim\limits_{x \to a} f(x) = f(a)$인 경우

$$\lim_{x \to a-} (x+1) = f(a) = a+1,$$
$$\lim_{x \to a+} (x^2 - 1) = a^2 - 1$$이므로
$$a^2 - 1 = a+1$$에서
$$a^2 - a - 2 = 0, \ (a+1)(a-2) = 0$$
$$\therefore \ a = -1 \ 또는 \ a = 2$$

(i), (ii)에서 구하는 모든 실수 a의 값의 합은

$(-2) + (-1) + 2 = -1$이다.

답 ②

062

$\lim\limits_{x \to \infty} \dfrac{g(x)}{x} = \lim\limits_{x \to \infty} \dfrac{f(x) - x^2}{x(x-1)} = 2$이므로

다항함수 $f(x) - x^2$은 최고차항의 계수가 2인 이차함수이다.

$\qquad\qquad\qquad\qquad\qquad\qquad\qquad$ ……㉠

$\lim\limits_{x \to 1} \dfrac{f(x) - x^2}{x - 1} = 6$에서 극한값이 존재하고

(분모)$\to 0$이므로 (분자)$\to 0$이다.

따라서 $f(x) - x^2$은 $x - 1$을 인수로 갖는다. $\quad$ ……㉡

㉠, ㉡에 의하여

$f(x) - x^2 = 2(x-1)(x-a)$ (단, a는 상수)

$\begin{aligned}
\lim\limits_{x \to 1} \dfrac{f(x) - x^2}{x - 1} &= \lim\limits_{x \to 1} \dfrac{2(x-1)(x-a)}{x-1} \\
&= \lim\limits_{x \to 1} 2(x-a) \\
&= 2(1-a) = 6
\end{aligned}$

$a = -2$, $f(x) = 2(x-1)(x+2) + x^2$

$\therefore f(3) = 29$

답 29

063

$x \neq 0$일 때 $f(x) = \dfrac{\sqrt{x^2 + ax + 9} - bx - 3}{x^2}$

함수 $f(x)$가 $x = 0$에서 연속이므로

$\lim\limits_{x \to 0} f(x) = f(0)$

$\therefore \lim\limits_{x \to 0} \dfrac{\sqrt{x^2 + ax + 9} - bx - 3}{x^2} = -4$

이때

$\lim\limits_{x \to 0} \dfrac{\sqrt{x^2 + ax + 9} - bx - 3}{x^2}$

$= \lim\limits_{x \to 0} \dfrac{(\sqrt{x^2 + ax + 9})^2 - (bx + 3)^2}{x^2(\sqrt{x^2 + ax + 9} + bx + 3)}$

$= \lim\limits_{x \to 0} \dfrac{(1 - b^2)x + (a - 6b)}{x(\sqrt{x^2 + ax + 9} + bx + 3)} = -4$

에서 극한값이 존재하고 $x \to 0$일 때 (분모)$\to 0$이므로

(분자)$\to 0$이다.

즉, $\lim\limits_{x \to 0}\{(1 - b^2)x + (a - 6b)\} = 0$에서 $a = 6b$이므로

$\lim\limits_{x \to 0} \dfrac{(1 - b^2)x + (a - 6b)}{x(\sqrt{x^2 + ax + 9} + bx + 3)}$

$= \lim\limits_{x \to 0} \dfrac{1 - b^2}{\sqrt{x^2 + 6bx + 9} + bx + 3}$

$= \dfrac{1 - b^2}{3 + 0 + 3} = -4$

에서 $b^2 = 25$ $\qquad \therefore b = 5 \ (\because b > 0)$, $a = 30$

$\therefore a + b = 35$

답 ⑤

064

$f(x)$는 일차함수이고, 조건 (가)에서 $f(0) \neq 0$이므로

$f(x) = ax + b$ (단, $a \neq 0$, $b \neq 0$)이라 하자.

조건 (나)에서

$\begin{aligned}
\lim\limits_{x \to \infty} \dfrac{g(x)}{x^2 f(x)} &= \lim\limits_{x \to \infty} \dfrac{g(x)}{x^2(ax + b)} \\
&= \lim\limits_{x \to \infty} \dfrac{g(x)}{ax^3 + bx^2} = 1
\end{aligned}$

이므로 함수 $g(x)$는 최고차항의 계수가 a인 삼차함수이다.

조건 (나)에서 $\lim\limits_{x \to 0} \dfrac{f(x)g(x)}{x^3} = -3$이고,

$f(x)$는 x를 인수로 갖지 않으므로

$g(x)$는 x^3을 인수로 가져야 한다.

즉, $g(x) = ax^3$이므로

$\begin{aligned}
\lim\limits_{x \to 0} \dfrac{f(x)g(x)}{x^3} &= \lim\limits_{x \to 0} \dfrac{(ax + b) \times ax^3}{x^3} \\
&= \lim\limits_{x \to 0} a(ax + b) = ab = -3 \qquad ……㉠
\end{aligned}$

또한, 조건 (가)에서 $f(1) = 2$이므로 $a + b = 2$ $\quad$ ……㉡

㉠, ㉡을 연립하여 풀면

$a = -1$, $b = 3$ 또는 $a = 3$, $b = -1$

따라서 $f(x) = -x + 3$, $g(x) = -x^3$ 또는

$f(x) = 3x - 1$, $g(x) = 3x^3$이므로

$h(x) = -x^3 - x + 3$ 또는 $h(x) = 3x^3 + 3x - 1$

즉, $h(-1) = 5$ 또는 $h(-1) = -7$이므로

최댓값은 5이다.

답 ⑤

065

$f(x)$가 n차함수일 때, $(f \circ f)(x)$는 n^2차함수이고

$\{f(x)\}^2$은 $2n$차함수이다.

조건 (가)에서 극한값이 0이 아닌 실수이므로

$n^2 = 2n$에서 $n = 2$ **TIP**

$f(x) = ax^2 + bx + c$ (단, a, b, c는 상수, $a \neq 0$)이라 하면

$$\lim_{x \to \infty} \frac{a(ax^2 + bx + c)^2 + b(ax^2 + bx + c) + c}{(ax^2 + bx + c)^2} = \frac{a^3}{a^2} = a$$

에서 $a = 2$

조건 (나)에서 극한값이 존재하고

(분모)$\to 0$이므로 (분자)$\to 0$이어야 한다.

즉, $\lim_{x \to 1} f(x) = f(1) = 0$이므로

$f(x) = (x-1)(2x-c)$

$$\lim_{x \to 1} \frac{f(x)}{x^2 - 1} = \lim_{x \to 1} \frac{(x-1)(2x-c)}{(x-1)(x+1)}$$

$$= \lim_{x \to 1} \frac{2x-c}{x+1} = 1 - \frac{c}{2} = 3$$

에서 $c = -4$, $f(x) = (x-1)(2x+4)$

$\therefore f(5) = 56$

답 56

TIP

$n = 0$이면 $f(x)$는 상수함수이므로 조건 (나)를 만족시키지 않는다.

066

(i) $x \geq 0$일 때

$$(g \circ f)(x) = g(f(x)) = g(-x+a)$$
$$= (-x+a)^2 + 4(-x+a)$$
$$= x^2 - (2a+4)x + a^2 + 4a$$

(ii) $x < 0$일 때

$$(g \circ f)(x) = g(f(x)) = g(2x-5)$$
$$= (2x-5)^2 + 4(2x-5)$$
$$= 4x^2 - 12x + 5$$

(i), (ii)에서

$$(g \circ f)(x) = \begin{cases} x^2 - (2a+4)x + a^2 + 4a & (x \geq 0) \\ 4x^2 - 12x + 5 & (x < 0) \end{cases}$$

이고, 함수 $(g \circ f)(x)$가 실수 전체의 집합에서 연속이

되려면 $x = 0$에서 연속이어야 한다.

즉, $\lim_{x \to 0-} (g \circ f)(x) = \lim_{x \to 0+} (g \circ f)(x) = (g \circ f)(0)$

이므로

$$\lim_{x \to 0-} (g \circ f)(x) = \lim_{x \to 0-} (4x^2 - 12x + 5) = 5,$$

$$\lim_{x \to 0+} (g \circ f)(x) = \lim_{x \to 0+} \{x^2 - (2x+4)x + a^2 + 4a\}$$
$$= a^2 + 4a,$$

$(g \circ f)(0) = a^2 + 4a$에서

$a^2 + 4a = 5$, $a^2 + 4a - 5 = 0$

$(a+5)(a-1) = 0$ $\therefore a = -5$ 또는 $a = 1$

따라서 상수 a의 최댓값은 1이다.

답 ①

067

$x = -t$라 하면 $x \to -3$일 때 $t \to 3$이므로

$$\lim_{x \to -3} \frac{x^3 g(x)}{f(x)} = \lim_{t \to 3} \frac{(-t)^3 g(-t)}{f(-t)} = \lim_{t \to 3} \frac{-t^3 g(t)}{-f(t)}$$

$$= \lim_{t \to 3} \frac{t^3 g(t)}{f(t)} = \lim_{t \to 3} t^3 \times \lim_{t \to 3} \frac{g(t)}{f(t)}$$

$$= \lim_{t \to 3} t^3 \times \lim_{t \to 3} \frac{1}{\frac{f(t)}{g(t)}} = 27 \times \frac{1}{\frac{1}{2}} = 54$$

답 54

068

점 $P(t, 3\sqrt{t})$에서 x축에 내린 수선의 발이 H이므로

$H(t, 0)$

점 Q는 선분 PH를 $2 : 1$로 내분하므로 $Q(t, \sqrt{t})$

두 점 Q, R의 y좌표가 서로 같고, 점 R는 곡선

$y = 3\sqrt{x}$ 위의 점이므로 점 R의 x좌표는

$\sqrt{t} = 3\sqrt{x}$에서 $t = 9x$ $\therefore x = \frac{t}{9}$, $R\left(\frac{t}{9}, \sqrt{t}\right)$

$$\therefore \overline{PR} = \sqrt{\left(\frac{t}{9} - t\right)^2 + (\sqrt{t} - 3\sqrt{t})^2}$$

$$= \sqrt{\frac{64}{81} t^2 + 4t},$$

$$\overline{QR} = \left|\frac{t}{9} - t\right| = \frac{8}{9} t \ (\because t > 0)$$

$$\therefore \lim_{t \to \infty} (\overline{PR} - \overline{QR})$$

$$= \lim_{t \to \infty} \left(\sqrt{\frac{64}{81} t^2 + 4t} - \frac{8}{9} t\right)$$

$$= \lim_{t \to \infty} \frac{\left(\sqrt{\frac{64}{81} t^2 + 4t}\right)^2 - \left(\frac{8}{9} t\right)^2}{\sqrt{\frac{64}{81} t^2 + 4t} + \frac{8}{9} t}$$

$$= \lim_{t \to \infty} \frac{4t}{\sqrt{\frac{64}{81}t^2 + 4t + \frac{8}{9}t}}$$

$$= \lim_{t \to \infty} \frac{4}{\sqrt{\frac{64}{81} + \frac{4}{t} + \frac{8}{9}}} = \frac{4}{\frac{8}{9} + \frac{8}{9}} = \frac{9}{4}$$

답 ④

069

ㄱ. $x \leq 1$일 때 $g(x) = x+1$이므로

$$\lim_{x \to -1} \frac{f(x)}{g(x)} = \lim_{x \to -1} \frac{(x+1)(x-1)}{x+1}$$

$$= \lim_{x \to -1} (x-1)$$

$$= -2 \text{ (참)}$$

ㄴ. $\dfrac{f(x)}{g(x)} = \begin{cases} \dfrac{x^2-1}{x+1} \ (x<-1, \ -1<x \leq 1) \\ \dfrac{x^2-1}{x-1} \ (x>1) \end{cases}$

$$= \begin{cases} x-1 \ (x<-1, \ -1<x \leq 1) \\ x+1 \ (x>1) \end{cases}$$

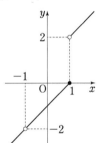

이때 함수 $\dfrac{f(x)}{g(x)}$는 $x=-1$에서

함숫값이 존재하지 않으므로 $x=-1$에서 불연속이다.

또한 $\lim\limits_{x \to 1-} \dfrac{f(x)}{g(x)} = \lim\limits_{x \to 1-} (x-1) = 0$,

$\lim\limits_{x \to 1+} \dfrac{f(x)}{g(x)} = \lim\limits_{x \to 1+} (x+1) = 2$, $\dfrac{f(1)}{g(1)} = 0$이므로

함수 $\dfrac{f(x)}{g(x)}$는 $x=1$에서 불연속이다.

따라서 함수 $\dfrac{f(x)}{g(x)}$가 불연속인 점의 개수는 2이다. (참)

ㄷ. 함수 $h(x) = \dfrac{(x-1)f(x)}{g(x^2)}$라 하면

$$h(x) = \begin{cases} \dfrac{(x-1)^2(x+1)}{x^2+1} & (-1 \leq x \leq 1) \\ x-1 & (x<-1 \text{ 또는 } x>1) \end{cases}$$

이때 $\lim\limits_{x \to -1+} h(x) = 0 \neq -2 = \lim\limits_{x \to -1-} h(x)$이므로

함수 $\dfrac{(x-1)f(x)}{g(x^2)}$는 $x=-1$에서 불연속이다. (거짓)

따라서 옳은 것은 ㄱ, ㄴ이다.

답 ③

070

t의 값의 범위에 따른 직선 $y=t$와 곡선 $y=|x^2+4x|$의 위치 관계는 다음과 같다.

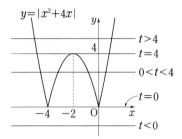

따라서 함수 $y=f(t)$의 그래프는 다음과 같고, 함수 $f(t)$는 $t=0$, $t=4$일 때 불연속이다.

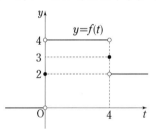

이차함수 $g(t)$는 모든 실수 t에서 연속이므로
함수 $f(t)g(t)$가 $t=0$에서만 불연속이려면
$t=0$일 때 불연속, $t=4$일 때 연속이면 된다.

(ⅰ) $t=0$일 때

$$\lim_{t \to 0-} f(t)g(t) = 0 \times g(0) = 0,$$

$$\lim_{t \to 0+} f(t)g(t) = 4g(0),$$

$$f(0)g(0) = 2g(0)$$

이므로 함수 $f(t)g(t)$가 $t=0$에서 불연속이려면
$g(0) \neq 0$이어야 한다.

(ⅱ) $t=4$일 때

$$\lim_{t \to 4-} f(t)g(t) = 4g(4),$$

$$\lim_{t \to 4+} f(t)g(t) = 2g(4),$$

$$f(4)g(4) = 3g(4)$$

이므로 함수 $f(t)g(t)$가 $t=4$에서 연속이려면
$g(4) = 0$이어야 한다.

(i), (ii)에서 $g(0) \neq 0$, $g(4) = 0$이고

이차함수 $g(t)$의 최고차항의 계수는 1이므로

$g(t) = (t-4)(t-a)$ (단, $a \neq 0$)라 하자.

$g(-2) = f(2) = 4$이므로

$(-2-4)(-2-a) = 4$, $12+6a = 4$

$\therefore a = -\dfrac{4}{3}$

따라서 $g(t) = (t-4)\left(t+\dfrac{4}{3}\right)$이므로

$g(1) = (1-4)\left(1+\dfrac{4}{3}\right) = -7$

답 ②

071

$x \neq 2$일 때

$(x-2)f(x) = g(x) + x^2 - 2x$의 양변을

$x-2$로 각각 나누면

$f(x) = \dfrac{g(x)}{x-2} + x$에서 $\dfrac{g(x)}{x-2} = f(x) - x$이다.

$\therefore \displaystyle\lim_{x \to 2}\dfrac{f(x)g(x)}{x-2} = \lim_{x \to 2}[f(x) \times \{f(x)-x\}]$

$\qquad = \displaystyle\lim_{x \to 2}f(x) \times \lim_{x \to 2}\{f(x)-x\}$

$\qquad = f(2) \times \{f(2)-2\}$

$\qquad = 5 \times 3 = 15$

답 ②

072

함수 $g(x) = f(x)\{|f(x)|+k\}$가 $x=1$에서 연속이려면

$\displaystyle\lim_{x \to 1}g(x) = g(1)$이어야 한다.

x	$f(x)$	$|f(x)|+k$	$f(x)\{|f(x)|+k\}$
$1-$	0	k	0
1	-3	$k+3$	$-3(k+3)$
$1+$	-3	$k+3$	$-3(k+3)$

위의 표에서 $\displaystyle\lim_{x \to 1-}g(x) = 0$,

$g(1) = \displaystyle\lim_{x \to 1+}g(x) = -3(k+3)$이므로

$-3(k+3) = 0$이어야 한다.

$\therefore k = -3$

답 ①

073

모든 실수 x에 대하여 $f(x+3) = f(x)+2$이므로

함수 $y = f(x)$의 그래프는 그림과 같다.

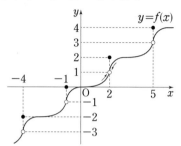

$\therefore \displaystyle\lim_{x \to 11}f(x) = \lim_{x \to 8}f(x)+2$

$\qquad = \displaystyle\lim_{x \to 5}f(x)+4$

$\qquad = \displaystyle\lim_{x \to 2}f(x)+6$

$\qquad = 1+6 = 7$

답 7

074

$f(x) = \begin{cases} \dfrac{1}{x^3}-1 & (0 < x \leq 1) \\ \dfrac{1}{(x-1)^2}-1 & (1 < x < 2) \end{cases}$ 에서

$f(x) = \begin{cases} -\dfrac{(x-1)(x^2+x+1)}{x^3} & (0 < x \leq 1) \\ -\dfrac{x(x-2)}{(x-1)^2} & (1 < x < 2) \end{cases}$

ㄱ. $f(x)g(x) = \begin{cases} -\dfrac{(x-1)^3(x^2+x+1)}{x^3} & (0 < x \leq 1) \\ -x(x-2) & (1 < x < 2) \end{cases}$

이므로

$\displaystyle\lim_{x \to 1-}f(x)g(x) = 0$, $\displaystyle\lim_{x \to 1+}f(x)g(x) = 1$,

$f(1)g(1) = 0$

즉, 함수 $y = f(x)g(x)$는 $x=1$에서 불연속이다.

ㄴ. $f(x)g(x) = \begin{cases} -\dfrac{(x-1)^4(x^2+x+1)}{x^3} & (0 < x \leq 1) \\ -x(x-1)(x-2) & (1 < x < 2) \end{cases}$

이므로

$\displaystyle\lim_{x \to 1-}f(x)g(x) = 0$, $\displaystyle\lim_{x \to 1+}f(x)g(x) = 0$,

$f(1)g(1) = 0$

즉, 함수 $y = f(x)g(x)$는 $x=1$에서 연속이다.

ㄷ. $f(x)g(x) = \begin{cases} \dfrac{x^2+x+1}{3x^3} & (0 < x < 1) \\ -\dfrac{(x-1)^3(x^2+x+1)}{x^3} & (x=1) \\ -x(x-2) & (1 < x < 2) \end{cases}$

이므로

$\displaystyle\lim_{x \to 1-} f(x)g(x) = 1$, $\displaystyle\lim_{x \to 1+} f(x)g(x) = 1$,

$f(1)g(1) = 0$

즉, 함수 $y = f(x)g(x)$는 $x = 1$에서 불연속이다.

따라서 조건을 만족시키는 함수 $g(x)$는 ㄴ이다.

답 ②

075

$\displaystyle\lim_{x \to 6} \dfrac{|x-n|-n+6}{x-6}$ 의 극한값이 존재하고

(분모)$\to 0$이므로 (분자)$\to 0$이다.

$\displaystyle\lim_{x \to 6}(|x-n|-n+6) = |6-n|-n+6 = 0$에서

$|6-n| = -(6-n)$이므로 $n \geq 6$이다.

(i) $n = 6$일 때

$\displaystyle\lim_{x \to 6+}\dfrac{|x-6|}{x-6} = \lim_{x \to 6+}\dfrac{x-6}{x-6} = 1$

$\displaystyle\lim_{x \to 6-}\dfrac{|x-6|}{x-6} = \lim_{x \to 6-}\dfrac{6-x}{x-6} = -1$

이므로 $\displaystyle\lim_{x \to 6}\dfrac{|x-n|-n+6}{x-6}$ 의 값은 존재하지 않는다.

(ii) $n > 6$일 때

$\displaystyle\lim_{x \to 6}\dfrac{|x-n|-n+6}{x-6} = \lim_{x \to 6}\dfrac{-(x-n)-n+6}{x-6}$

$\displaystyle\qquad\qquad = \lim_{x \to 6}\dfrac{6-x}{x-6} = -1$

(i), (ii)에서 $n = 7, 8, 9, 10$일 때

$\displaystyle\lim_{x \to 6}\dfrac{|x-n|-n+6}{x-6}$ 의 값이 존재하므로

구하는 모든 자연수 n의 값의 합은

$7 + 8 + 9 + 10 = 34$

답 34

076

$f(x) + g(x) = x^2 + 5x - 6$에서

$f(x) + g(x) = (x+6)(x-1)$ ......㉠

$\displaystyle\lim_{x \to 1}\dfrac{f(x)-g(x)}{x-1} = 1$에서

(분모)$\to 0$이므로 (분자)$\to 0$이다.

즉, 다항식 $f(x) - g(x)$는 $x - 1$을 인수로 가지므로

$f(x) - g(x) = (x-1)h(x)$ (단, $h(x)$는 일차식) ......㉡

㉠, ㉡에서 $x - 1$은 두 다항식 $f(x)$, $g(x)$의 인수이다. **TIP**

$f(x) = a(x-1)$ (단, a는 0이 아닌 실수)이라 하면

㉠에 의하여 $g(x) = (x+6-a)(x-1)$이므로

㉡에 의하여 $h(x) = -x - 6 + 2a$

한편

$\displaystyle\lim_{x \to 1}\dfrac{f(x)-g(x)}{x-1} = \lim_{x \to 1}\dfrac{(x-1)h(x)}{x-1}$

$\displaystyle\qquad\qquad = \lim_{x \to 1}h(x) = h(1) = 1$

이므로 $h(1) = -7 + 2a = 1$에서 $a = 4$이고

$f(x) = 4(x-1)$, $g(x) = (x+2)(x-1)$이다.

$\therefore f(2) + g(3) = 4 + 10 = 14$

답 14

TIP

㉠, ㉡의 양변을 각각 더하면
$2f(x) = (x-1)\{h(x)+x+6\}$,
㉠, ㉡의 양변을 각각 빼면
$2g(x) = (x-1)\{x+6-h(x)\}$
이므로 $x-1$은 두 다항식 $f(x)$, $g(x)$의 인수이다.

077

조건 (가)를 만족하려면 $f(x) + g(x)$는

최고차항의 계수가 3인 이차함수이어야 한다.

이때 $f(x)$, $g(x)$의 상수항과 계수가 모두 자연수이고,

조건 (나)에서 $f(x)g(x)$는 삼차 이상의 다항함수이어야

하므로 $f(x)$, $g(x)$는 그 순서를 고려하지 않으면

$3 \times$(이차함수)와 (일차함수)

또는 $2 \times$(이차함수)와 $1 \times$(이차함수)

꼴이다. ......㉠

이때 조건 (나)를 만족하려면

상수함수 또는 일차함수 $h(x)$가 존재하여

$f(x)g(x) = h(x)(x+1)^3$ 꼴이어야 하고,

$\displaystyle\lim_{x \to -1}\dfrac{f(x)g(x)}{(x+1)^3} = \lim_{x \to -1}\dfrac{h(x)(x+1)^3}{(x+1)^3}$

$\displaystyle\qquad\qquad = \lim_{x \to -1}h(x) = h(-1)$

에서 $h(-1)=6$이어야 한다. ······ⓒ
따라서 ㉠, ㉡을 만족시키는 $f(x)$와 $g(x)$를
순서에 관계없이 찾으면 다음과 같다.

(ⅰ) $h(x)$가 상수함수 $h(x)=6$일 때
   두 함수는 $3(x+1)^2$, $2(x+1)$이므로
   $f(1)+g(1)=12+4=16$

(ⅱ) $h(x)$가 일차함수 $h(x)=2(x+4)$일 때
   두 함수는 $2(x+1)^2$, $(x+4)(x+1)$
   또는 $(x+1)^2$, $2(x+4)(x+1)$이다.
   ⓐ $2(x+1)^2$, $(x+4)(x+1)$인 경우
      $f(1)+g(1)=8+10=18$
   ⓑ $(x+1)^2$, $2(x+4)(x+1)$인 경우
      $f(1)+g(1)=4+20=24$

(ⅰ), (ⅱ)에서 $f(1)+g(1)$의 최댓값과 최솟값의 합은
$24+16=40$

답 ①

078

직선 l의 방정식이 $y=mx+1$이므로 $Q\left(-\dfrac{1}{m},\,0\right)$

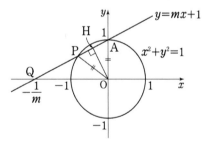

직각삼각형 AOQ에서 피타고라스 정리에 의하여
$\overline{AQ}^2=\overline{OA}^2+\overline{OQ}^2$이므로

$$\overline{AQ}=\sqrt{1+\left(-\dfrac{1}{m}\right)^2}=\dfrac{\sqrt{m^2+1}}{m}$$

원점에서 직선 l에 내린 수선의 발을 H라 하면
$\overline{OH}$는 원점과 직선 $y=mx+1$ 사이의 거리와 같다.

따라서 $\overline{OH}=\dfrac{1}{\sqrt{m^2+1}}$이므로

$$\overline{AP}=2\overline{AH}=2\sqrt{\overline{OA}^2-\overline{OH}^2}$$

$$=2\sqrt{1-\dfrac{1}{m^2+1}}=\dfrac{2m}{\sqrt{m^2+1}}$$ **참고**

$$\overline{PQ}=\overline{AQ}-\overline{AP}=\dfrac{\sqrt{m^2+1}}{m}-\dfrac{2m}{\sqrt{m^2+1}}$$ 이다.

$$\overline{AP}\times\overline{PQ}=\dfrac{2m}{\sqrt{m^2+1}}\left(\dfrac{\sqrt{m^2+1}}{m}-\dfrac{2m}{\sqrt{m^2+1}}\right)$$

$$=2-\dfrac{4m^2}{m^2+1}$$

$$\therefore \lim_{m\to 0+}(\overline{AP}\times\overline{PQ})=\lim_{m\to 0+}\left(2-\dfrac{4m^2}{m^2+1}\right)=2$$

답 ⑤

참고
$\overline{AP}$는 다음과 같이 구할 수도 있다.
삼각형 AOH와 삼각형 AQO는 닮음이므로
$\overline{OA}:\overline{HA}=\overline{AQ}:\overline{OA}$에서

$1:\overline{HA}=\dfrac{\sqrt{m^2+1}}{m}:1$,

$\overline{HA}=\dfrac{m}{\sqrt{m^2+1}}$

이때 이등변삼각형 AOP에서 $\overline{AH}=\overline{PH}$이므로

$\overline{AP}=2\times\overline{HA}=\dfrac{2m}{\sqrt{m^2+1}}$ 이다.

079

$f(x)=t$라 하면 조건 (가)에서

$|t|^3-|x||t|^2-4|t|+4|x|=0$

$(|t|+2)(|t|-2)(|t|-|x|)=0$

$\therefore |t|=2$ 또는 $|t|=|x|$

즉, $f(x)=\pm 2$ 또는 $f(x)=\pm x$이고,

조건 (나)에 의하여 $y=f(x)$의 그래프는 다음 그림과 같다.

(ⅰ)

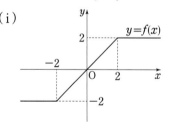

즉, $f(x)=\begin{cases} 2 & (x>2) \\ x & (-2<x\le 2) \\ -2 & (x\le -2) \end{cases}$ 이므로

$f(1)=1$

(ⅱ)

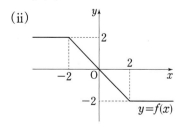

즉, $f(x) = \begin{cases} -2 & (x > 2) \\ -x & (-2 < x \le 2) \\ 2 & (x \le -2) \end{cases}$ 이므로

$f(1) = -1$

(i), (ii)에서 모든 $f(1)$의 값의 곱은

$1 \times (-1) = -1$

답 ③

$2 \times g(3) = 2 \times g(3) = 1 \times g(3)$이므로

$g(3) = 0$ ······ⓒ

㉠, ⓒ에서 최고차항의 계수가 1인 이차함수 $g(x)$는

$g(x) = (x+2)(x-3)$이다.

$\therefore \ g(5) = 14$

답 ⑤

080

곡선 $y = \left| \dfrac{5x}{x-1} \right| - 2$는 곡선 $y = \dfrac{5x}{x-1}$,

즉 $y = \dfrac{5}{x-1} + 5$에서 x축 아래에 있는 부분을

x축에 대하여 대칭이동시킨 곡선 $y = \left| \dfrac{5x}{x-1} \right|$를

y축의 방향으로 -2만큼 평행이동시킨 것이다.

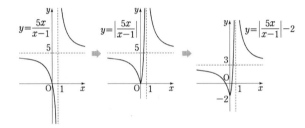

따라서 곡선 $y = \left| \dfrac{5x}{x-1} \right| - 2$와 직선 $y = t$의 교점의 개수

$f(t)$는 $f(t) = \begin{cases} 0 & (t < -2) \\ 1 & (t = -2) \\ 2 & (-2 < t < 3) \\ 1 & (t = 3) \\ 2 & (t > 3) \end{cases}$ 이고,

함수 $f(x)$의 그래프는 다음과 같다.

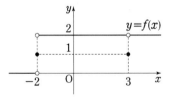

이때 함수 $f(x)$는 $x = -2$, $x = 3$에서만 불연속이므로

함수 $f(x)g(x)$가 실수 전체의 집합에서 연속이기 위해서는

$x = -2$, $x = 3$에서 연속이어야 한다.

$\lim\limits_{x \to -2-} f(x)g(x) = \lim\limits_{x \to -2+} f(x)g(x) = f(-2)g(-2)$

에서

$0 \times g(-2) = 2 \times g(-2) = 1 \times g(-2)$이므로

$g(-2) = 0$ ······㉠

$\lim\limits_{x \to 3-} f(x)g(x) = \lim\limits_{x \to 3+} f(x)g(x) = f(3)g(3)$에서

081

$\displaystyle\lim_{x \to -1} \frac{f(x)-3}{x+1} = 7$에서 극한값이 존재하고

(분모)$\to 0$이므로 (분자)$\to 0$이다.

즉, $\displaystyle\lim_{x \to -1}\{f(x)-3\} = 0$이므로 $f(-1)=3$

$$\lim_{x \to -1} \frac{f(x)-3}{x+1} = \lim_{x \to -1} \frac{f(x)-f(-1)}{x-(-1)}$$
$$= f'(-1) = 7$$

이때 $g(x)=(x-1)f(x)$에서

$g'(x)=f(x)+(x-1)f'(x)$

$\therefore g'(-1) = f(-1)-2f'(-1)$
$$= 3-2\times 7 = -11$$

답 ①

082

$f(x)=x^3+2x-1$이라 하면

$f'(x)=3x^2+2$이므로

곡선 $y=f(x)$ 위의 점 $(1, 2)$에서의

접선의 기울기는 $f'(1)=5$이다.

따라서 접선의 방정식은 $y-2=5(x-1)$이다.

점 $(3, a)$가 이 접선 위의 점이므로

$a-2=5(3-1)$

$\therefore a=12$

다른풀이

$f(x)=x^3+2x-1$이라 하면

$f'(x)=3x^2+2$이므로

곡선 $y=f(x)$ 위의 점 $(1, 2)$에서의

접선의 기울기는 $f'(1)=5$이다.

또한 두 점 $(1, 2)$, $(3, a)$를 지나는

직선의 기울기는 $\dfrac{a-2}{2}$이고, 이는

접선의 기울기와 같다.

$f'(1)=\dfrac{a-2}{2}$에서 $5=\dfrac{a-2}{2}$

$\therefore a=12$

답 12

083

$f(x)=x^3-ax$에서 $f'(x)=3x^2-a$이다.

이때 함수 $f(x)$는 $x=-2$에서 극댓값을 가지므로

$f'(-2)=0$이어야 한다.

$f'(-2)=12-a=0$에서

$a=12$, $f(x)=x^3-12x$이므로

$b=f(-2)=16$

$\therefore a+b=12+16=28$

답 28

084

함수 $f(x)=x^2-4x+6$은 닫힌구간 $[a, b]$에서

연속이고, 열린구간 (a, b)에서 미분가능하므로 평균값

정리에 의하여

$$\frac{f(b)-f(a)}{b-a}=f'(c) \qquad\qquad \cdots\cdots ㉠$$

를 만족시키는 상수 c가 열린구간 (a, b)에 적어도 하나

존재한다.

$f(x)=x^2-4x+6$에서

$f'(x)=2x-4$

$\therefore f'(c)=2c-4$

㉠에서 $\dfrac{f(b)-f(a)}{b-a}=2c-4$

$\therefore k=2c-4$

이때 c는 열린구간 $(3, 6)$에 속하므로 $3 < c < 6$이고

$6 < 2c < 12$, $2 < 2c-4 < 8$

$\therefore 2 < k < 8$

따라서 구하는 정수 k의 개수는

3, 4, 5, 6, 7로 5개이다.

답 ③

085

$f(1)=1+5-1=5$, $g(1)=1-4+8=5$에서

$f(1)=g(1)$이므로

$$\lim_{h \to 0} \frac{f(1+3h)-g(1-2h)}{h}$$

$$= \lim_{h \to 0} \frac{\{f(1+3h)-f(1)\}-\{g(1-2h)-g(1)\}}{h}$$

$$= \lim_{h \to 0} \left\{ \frac{f(1+3h) - f(1)}{3h} \times 3 \right\}$$
$$\qquad\qquad + \lim_{h \to 0} \left\{ \frac{g(1-2h) - g(1)}{-2h} \times 2 \right\}$$
$$= 3f'(1) + 2g'(1)$$

$f'(x) = 3x^2 + 10x - 1$이므로 $f'(1) = 12$

$g'(x) = 2x - 4$이므로 $g'(1) = -2$

$$\therefore \lim_{h \to 0} \frac{f(1+3h) - g(1-2h)}{h} = 3f'(1) + 2g'(1)$$
$$= 3 \times 12 + 2 \times (-2)$$
$$= 32$$

답 ⑤

086

$f(x) = \begin{cases} x^3 + 1 & (x < 2) \\ ax + b & (x \geq 2) \end{cases}$ 에서

$g(x) = x^3 + 1$, $h(x) = ax + b$라 하면

함수 $f(x)$가 $x = 2$에서 연속이어야 하므로

$g(2) = h(2)$이다.

$2a + b = 9$ ......㉠

한편 함수 $f(x)$가 $x = 2$에서 미분계수를 가져야 하므로

$g'(2) = h'(2)$이다.

$g'(x) = 3x^2$, $h'(x) = a$이므로

$a = 12$, $b = -15$ (∵ ㉠)

$\therefore a + b = 12 + (-15) = -3$

답 ③

087

$f(x) = x^4 - \frac{4}{3}x^3 - 4x^2 + a$에서

$f'(x) = 4x^3 - 4x^2 - 8x = 4x(x+1)(x-2)$

$x = 0$ 또는 $x = -1$ 또는 $x = 2$일 때 $f'(x) = 0$이다.

구간 $[-1, 2]$에서 함수 $f(x)$의 증가와 감소를 표로 나타내면 다음과 같다.

x	-1	$\cdots$	0	$\cdots$	2
$f'(x)$		$+$	0	$-$	
$f(x)$	$a - \frac{5}{3}$	$\nearrow$	a	$\searrow$	$a - \frac{32}{3}$

따라서 닫힌구간 $[-1, 2]$에서

함수 $f(x)$는 $x = 0$일 때 최댓값 $M = a$를 갖고,

$a - \frac{5}{3} > a - \frac{32}{3}$이므로

$x = 2$일 때 최솟값 $m = a - \frac{32}{3}$를 갖는다.

이때 $M + m = 6$이므로

$a + \left(a - \frac{32}{3} \right) = 6$

$\therefore a = \frac{25}{3}$

답 ④

088

시각 t에서의 두 점 P, Q의 속도를 각각 v_{P}, v_{Q}라 하면

$v_{\text{P}} = \text{P}'(t) = -3t^2 + 6t$,

$v_{\text{Q}} = \text{Q}'(t) = t - 2$이므로

두 점의 속도가 같아지는 순간은

$-3t^2 + 6t = t - 2$에서

$3t^2 - 5t - 2 = 0$, $(3t+1)(t-2) = 0$

$\therefore t = 2 \ (\because t \geq 0)$

$\text{P}(2) = 4$, $\text{Q}(2) = k - 2$이고

이때 두 점 사이의 거리가 10이므로

$|(k-2) - 4| = 10$에서

$k - 6 = -10$ 또는 $k - 6 = 10$

$\therefore k = -4$ 또는 $k = 16$

따라서 구하는 모든 k의 값의 곱은

$(-4) \times 16 = -64$

답 ②

089

$h(x) = f(x) - g(x)$라 하면

$h(x) = x^4 - 4x^3 - 2x^2 + 12x + k$에서

$h'(x) = 4x^3 - 12x^2 - 4x + 12$
$\qquad = 4(x+1)(x-1)(x-3)$

이므로 $x = -1$ 또는 $x = 1$ 또는 $x = 3$일 때

$h'(x) = 0$이다.

$x \geq -1$에서 함수 $h(x)$의 증가와 감소를 표로 나타내면

다음과 같다.

x	-1	$\cdots$	1	$\cdots$	3	$\cdots$
$h'(x)$		$+$	0	$-$	0	$+$
$h(x)$	$k-9$	$\nearrow$	$k+7$	$\searrow$	$k-9$	$\nearrow$

따라서 $x \geq -1$에서 함수 $h(x)$는 $x = -1$, $x = 3$일 때
최솟값 $k - 9$를 가지며 $h(x) \geq 0$을 만족시켜야 하므로
$k - 9 \geq 0$
$\therefore k \geq 9$
따라서 구하는 정수 k의 최솟값은 9이다.

답 ④

090

$f(x) = x^3 - \dfrac{3}{2}x^2 - 6x$라 하면

$f'(x) = 3x^2 - 3x - 6$
$\qquad = 3(x + 1)(x - 2)$

이므로 $x = -1$ 또는 $x = 2$일 때 $f'(x) = 0$이다.
이때 함수 $f(x)$의 증가와 감소를 표로 나타내면 다음과 같다.

x	$\cdots$	-1	$\cdots$	2	$\cdots$
$f'(x)$	$+$	0	$-$	0	$+$
$f(x)$	↗	$\dfrac{7}{2}$	↘	-10	↗

따라서 함수 $f(x)$는 $x = -1$에서 극댓값 $\dfrac{7}{2}$,

$x = 2$에서 극솟값 -10을 갖는다.

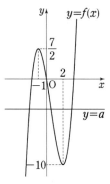

방정식 $f(x) = a$가 서로 다른 두 개의 양의 실근과
한 개의 음의 실근을 갖기 위해서는
그림과 같이 $-10 < a < 0$이어야 하므로
구하는 정수 a의 개수는 $-9, -8, -7, \cdots, -1$로 9이다.

답 9

091

$\displaystyle\lim_{x \to 2} \dfrac{f(x) - 8}{x^2 - 4} = \dfrac{1}{2}$에서 극한값이 존재하고

(분모)$\to 0$이므로 (분자)$\to 0$이다.
따라서 $\displaystyle\lim_{x \to 2} \{f(x) - 8\} = 0$이고,

함수 $f(x)$는 다항함수이므로 $f(2) = 8$이다.

$\displaystyle\lim_{x \to 2} \dfrac{f(x) - 8}{x^2 - 4} = \lim_{x \to 2} \dfrac{f(x) - f(2)}{(x - 2)(x + 2)}$

$\qquad\qquad = \displaystyle\lim_{x \to 2} \left\{ \dfrac{f(x) - f(2)}{x - 2} \times \dfrac{1}{x + 2} \right\}$

$\qquad\qquad = f'(2) \times \dfrac{1}{4} = \dfrac{1}{2}$

즉, $f'(2) = 2$이다.
$\therefore f(2)f'(2) = 8 \times 2 = 16$

답 ③

092

$g(x) = f(x) - ax + 5$에서
$g'(x) = f'(x) - a$이고,
함수 $g(x)$는 $x = 1$에서 극값을 가지므로
$g'(1) = 0$이다.
즉, $f'(1) - a = 0$이므로
$a = f'(1) = 3$

답 3

> **참고**
>
> $h(x) = ax - 5$라 하면 $h'(x) = a$이고
> 함수 $g(x)$는 $x = 1$에서 극댓값을 가지므로
> $g'(x) = f'(x) - h'(x)$의 부호는 그림과 같다.
>
>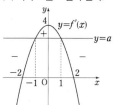

093

곡선 $y = x^3 - 6x^2 + 8x + 5$의 기울기가 -4인 접선의
접점을 $(t, t^3 - 6t^2 + 8t + 5)$라 하자.
$y' = 3x^2 - 12x + 8$이고 $x = t$일 때의 접선의 기울기가
-4이므로
$3t^2 - 12t + 8 = -4$, $t^2 - 4t + 4 = 0$
$(t - 2)^2 = 0$
$\therefore t = 2$
즉, 접점의 좌표는 $(2, 5)$이므로 접선의 방정식은
$y = -4(x - 2) + 5$, 즉 $y = -4x + 13$이다.

$A \left(\dfrac{13}{4}, 0 \right)$, $B(0, 13)$이므로 삼각형 OAB의 넓이는

$$\dfrac{1}{2} \times \dfrac{13}{4} \times 13 = \dfrac{169}{8}$$

따라서 $p = 8$, $q = 169$이므로 $p + q = 177$이다.

답 177

094

선분 PQ의 중점 M의 시각 t에서의 위치를 $m(t)$라 하면

$$m(t) = \dfrac{p(t) + q(t)}{2} = 2t^3 - 3t^2 - 36t + k$$

점 M의 운동 방향이 바뀌는 때는

점 M의 속도의 부호가 바뀌는 때이므로

점 M의 시각 t에서의 속도를 구하면

$$m'(t) = 6t^2 - 6t - 36 = 6(t + 2)(t - 3)$$

이고 $t \geq 0$이므로 점 M의 속도의 부호는 $t = 3$에서 바뀐다.

즉, 점 M의 운동 방향은 $t = 3$일 때 바뀌며

이때 점 M이 원점에 있어야 하므로

$$m(3) = 54 - 27 - 108 + k = 0$$

$$\therefore \ k = 81$$

답 ⑤

095

$f(x) = ax^2 - x + b$에서

$f'(x) = 2ax - 1$이므로

이를 $2f(x) = \{f'(x)\}^2 + 3$에 대입하면

$$2ax^2 - 2x + 2b = 4a^2x^2 - 4ax + 4$$

이 x에 대한 항등식에서 양변의 계수는 서로 같아야 한다.

x^2의 계수에서 $2a = 4a^2$이므로 $a = 0$ 또는 $a = \dfrac{1}{2}$ ……㉠

x의 계수에서 $-2 = -4a$이므로 $a = \dfrac{1}{2}$ ……㉡

㉠, ㉡에 의하여 $a = \dfrac{1}{2}$

상수항에서 $2b = 4$이므로 $b = 2$

$$f(x) = \dfrac{1}{2}x^2 - x + 2$$

$$\therefore \ f(4) = 6$$

답 ⑤

096

$f(x) = x^3 - 3x^2 - 9x + 2$에서

$$f'(x) = 3x^2 - 6x - 9 = 3(x + 1)(x - 3)$$

$x = -1$ 또는 $x = 3$에서 $f'(x) = 0$이다.

함수 $f(x)$의 증가와 감소를 표로 나타내면 다음과 같다.

x	$\cdots$	-1	$\cdots$	3	$\cdots$
$f'(x)$	$+$	0	$-$	0	$+$
$f(x)$	$\nearrow$	극대	$\searrow$	극소	$\nearrow$

함수 $f(x)$는 $x = -1$에서 극댓값을 갖고, $x = 3$에서

극솟값을 갖는다.

$$\therefore \ \alpha = -1, \ \beta = 3$$

이때 함수 $f(x)$에 대하여 x의 값이 α에서 β까지 변할 때의

평균변화율은

$$\dfrac{f(\beta) - f(\alpha)}{\beta - \alpha} = \dfrac{f(3) - f(-1)}{3 - (-1)} = \dfrac{-25 - 7}{4} = -8$$

즉, $f'(a) = -8$이어야 하므로 $3a^2 - 6a - 9 = -8$에서

$$3a^2 - 6a - 1 = 0$$

따라서 이차방정식의 근과 계수의 관계에 의하여 모든 실수

a의 값의 곱은 $-\dfrac{1}{3}$이다.

답 ⑤

097

$g(x) = \begin{cases} f(x) & (x \geq a) \\ b - f(x) & (x < a) \end{cases}$에서

$h(x) = b - f(x)$라 하면

함수 $g(x)$가 $x = a$에서 연속이어야 하므로

$f(a) = h(a)$이다.

$$f(a) = b - f(a)$$

$$\therefore \ b = 2f(a) \qquad \qquad \cdots\cdots㉠$$

함수 $g(x)$가 $x = a$에서 미분계수를 가져야 하므로

$f'(a) = h'(a)$이다.

즉, $f'(a) = -f'(a)$에서 $f'(a) = 0$이고,

$f'(x) = 3x^2 + 6x$이므로

$$3a^2 + 6a = 0, \ 3a(a + 2) = 0$$

$$\therefore \ a = -2 \ (\because \ a < 0)$$

$a = -2$를 ㉠에 대입하면

$$b = 2f(-2) = 2(-8 + 12 - 1) = 6$$

$$\therefore \ a + b = -2 + 6 = 4$$

답 ④

098

$h(x) = f(x) - g(x)$라 하면

$h(x) = x^4 + 3x + a - (-x^3 + 2x)$

$\qquad = x^4 + x^3 + x + a$

두 함수 $f(x)$, $g(x)$의 그래프가 오직 한 점에서 만나므로
방정식 $f(x) = g(x)$, 즉 $h(x) = 0$의 서로 다른 실근이 한
개뿐이어야 한다.

$h'(x) = 4x^3 + 3x^2 + 1 = (x+1)(4x^2 - x + 1)$에서

이차방정식 $4x^2 - x + 1 = 0$의 판별식을 D라 하면

$D = (-1)^2 - 4 \times 4 \times 1 < 0$

즉, 모든 실수 x에 대하여 $4x^2 - x + 1 > 0$이므로

$x = -1$에서만 $h'(x) = 0$이다.

함수 $h(x)$의 증가와 감소를 표로 나타내면 다음과 같다.

x	$\cdots$	-1	$\cdots$
$h'(x)$	$-$	0	$+$
$h(x)$	$\searrow$	극소	$\nearrow$

따라서 함수 $h(x)$는 $x = -1$일 때 극소이면서 최소이므로
방정식 $h(x) = 0$의 서로 다른 실근이 한 개뿐이려면
$h(-1) = 0$이어야 한다.

$h(-1) = 1 - 1 - 1 + a = 0$

$\therefore \ a = 1$

답 1

099

$f'(x) = 3ax^2 + 2bx + c$이고, 조건 (가)에서
함수 $f'(x)$의 그래프는 y축에 대하여 대칭이므로

$2b = 0$

$\therefore \ b = 0$

즉, $f'(x) = 3ax^2 + c$, $f(x) = ax^3 + cx + 4$이고,
조건 (나)에서 $f'(-2) = 0$, $f(-2) = -4$이므로

$f'(-2) = 12a + c = 0$

$\therefore \ c = -12a$ $\qquad\qquad \cdots\cdots \text{㉠}$

$f(-2) = -8a - 2c + 4 = -4$

$\therefore \ 4a + c = 4$ $\qquad\qquad \cdots\cdots \text{㉡}$

㉠, ㉡을 연립하여 풀면

$a = -\dfrac{1}{2}$, $c = 6$

$\therefore \ f'(x) = -\dfrac{3}{2}x^2 + 6$, $f(x) = -\dfrac{1}{2}x^3 + 6x + 4$

$f'(x) = -\dfrac{3}{2}(x+2)(x-2)$에서

$x = -2$ 또는 $x = 2$일 때 $f'(x) = 0$이다.

이때 함수 $f(x)$의 증가와 감소를 표로 나타내면 다음과 같다.

x	$\cdots$	-2	$\cdots$	2	$\cdots$
$f'(x)$	$-$	0	$+$	0	$-$
$f(x)$	$\searrow$	극소	$\nearrow$	극대	$\searrow$

따라서 함수 $f(x)$는 $x = 2$에서 극대이므로
구하는 극댓값은

$f(2) = -4 + 12 + 4 = 12$

답 12

100

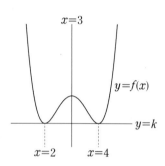

조건 (가)에서 곡선 $y = f(x)$는 직선 $x = 3$에 대하여
대칭이다. $\qquad\qquad\qquad\qquad \cdots\cdots \text{㉠}$

조건 (나)에서 함수 $f(x)$는 $x = 4$에서 극솟값을 가지므로
㉠에 의하여 함수 $f(x)$는 $x = 2$에서 극솟값을 갖고,
두 극솟값은 서로 같다.

또한 사차함수의 그래프의 개형에 의하여 $x = 3$에서
극댓값을 갖는다.

함수 $f(x)$의 극솟값을 k라 하면

$f(x) - k = (x-2)^2(x-4)^2$

$\therefore \ f(x) = (x-2)^2(x-4)^2 + k$

조건 (다)에서 $f(3) = 0$이므로

$f(3) = 1 + k = 0$

$\therefore \ k = -1$

따라서 $f(x) = (x-2)^2(x-4)^2 - 1$이므로

$f(0) = 4 \times 16 - 1 = 63$

답 63

101

점 P의 시각 t $(t \geq 0)$에서의 위치 x는

$x = t^3 - 6t^2 + at$이므로 속도 v와 가속도 a는

$v = \dfrac{dx}{dt} = 3t^2 - 12t + a$

$a = \dfrac{dv}{dt} = 6t - 12$

$t = 2$일 때 점 P의 가속도가 0이고,

이때 점 P의 위치는 원점이므로

$0 = 8 - 24 + 2a$

$\therefore\ a = 8$

답 ④

102

함수 $f(x)$가 $x = -1$에서 극솟값 2를 가지므로

$f(-1) = 2$, $f'(-1) = 0$

$g(x) = (x^2 + 3)f(x)$라 하면

$g(-1) = 4f(-1) = 8$

$g'(x) = 2xf(x) + (x^2 + 3)f'(x)$이므로

$g'(-1) = -2f(-1) + 4f'(-1) = -4$

따라서 곡선 $y = g(x)$ 위의 점 $(-1, 8)$에서의 접선의

방정식은 $y = -4(x + 1) + 8$, 즉 $y = -4x + 4$이므로

접선의 y절편은 4이다.

답 ⑤

103

점 $(1, 1)$에서 곡선 $y = x^3 - 4x$에 그은 접선의

접점의 좌표를 $(t,\ t^3 - 4t)$라 하면

$y' = 3x^2 - 4$이므로

$x = t$일 때의 접선의 기울기는 $3t^2 - 4$이고

접선의 방정식은

$y - (t^3 - 4t) = (3t^2 - 4)(x - t)$

$\therefore\ y = (3t^2 - 4)x - 2t^3$ $\qquad$ ……㉠

이 직선이 점 $(1, 1)$을 지나므로

$1 = -2t^3 + 3t^2 - 4$

$2t^3 - 3t^2 + 5 = 0$

$(t + 1)(2t^2 - 5t + 5) = 0$

$\therefore\ t = -1\ (\because\ t$는 실수$)$

이를 ㉠에 대입하면

접선의 방정식은 $y = -x + 2$이다.

$\therefore\ a = 2$

답 ②

104

$\displaystyle\lim_{x \to 3} \dfrac{f(-x + 1) + 4}{x^2 - 9} = 1$에서 극한값이 존재하고

(분모)$\to 0$이므로 (분자)$\to 0$이다.

즉, $\displaystyle\lim_{x \to 3}\{f(-x + 1) + 4\} = 0$이고,

함수 $f(x)$는 다항함수이므로 $f(-2) = -4$이다.

$-x + 1 = t$라 하면 $x \to 3$일 때 $t \to -2$이므로

$\displaystyle\lim_{x \to 3} \dfrac{f(-x + 1) + 4}{x^2 - 9} = \lim_{x \to 3} \dfrac{f(-x + 1) - (-4)}{(x + 3)(x - 3)}$

$\qquad\qquad = \displaystyle\lim_{t \to -2} \dfrac{f(t) - f(-2)}{(-t + 4)(-t - 2)}$

$\qquad\qquad = \displaystyle\lim_{t \to -2} \left\{ \dfrac{f(t) - f(-2)}{t - (-2)} \times \dfrac{1}{t - 4} \right\}$

$\qquad\qquad = f'(-2) \times \left(-\dfrac{1}{6}\right) = 1$

따라서 $f'(-2) = -6$이므로

$f(-2)f'(-2) = -4 \times (-6) = 24$

답 24

105

$\displaystyle\lim_{x \to 0} \dfrac{f(x) - 2g(x)}{3x} = 2$에서 극한값이 존재하고

(분모)$\to 0$이므로 (분자)$\to 0$이다.

즉, $\displaystyle\lim_{x \to 0}\{f(x) - 2g(x)\} = f(0) - 2g(0) = 0$에서

$f(0) = 2g(0)$ $\qquad\qquad$ ……㉠

$\displaystyle\lim_{x \to 0} \dfrac{f(x) - 2g(x)}{3x}$

$= \displaystyle\lim_{x \to 0} \dfrac{f(x) - f(0) + 2g(0) - 2g(x)}{3x}$

$= \dfrac{1}{3} \left\{ \displaystyle\lim_{x \to 0} \dfrac{f(x) - f(0)}{x} - 2\lim_{x \to 0} \dfrac{g(x) - g(0)}{x} \right\}$

$= \dfrac{1}{3}\{f'(0) - 2g'(0)\} = 2$

$\therefore\ f'(0) - 2g'(0) = 6$ $\qquad\qquad$ ……㉡

$\displaystyle\lim_{x \to 0} \dfrac{xf(x)}{g(x) - 2} = 4$에서 0이 아닌 극한값이 존재하고

(분자)$\to 0$이므로 (분모)$\to 0$이다.

즉, $\displaystyle\lim_{x \to 0}\{g(x) - 2\} = g(0) - 2 = 0$에서

$g(0) = 2$ $\qquad\qquad$ ……㉢

㉠에서 $f(0) = 2g(0) = 4$ $\qquad\qquad$ ……㉣

$$\lim_{x \to 0} \frac{xf(x)}{g(x)-2} = \lim_{x \to 0} \frac{f(x)}{\dfrac{g(x)-2}{x}}$$

$$= \lim_{x \to 0} \frac{f(x)}{\dfrac{g(x)-g(0)}{x}} \ (\because \ \text{ⓒ})$$

$$= \frac{f(0)}{g'(0)} = 4$$

$$\therefore \ g'(0) = \frac{1}{4}f(0) = \frac{1}{4} \times 4 = 1 \ (\because \ \text{ⓔ})$$

ⓛ에서 $f'(0) = 2g'(0) + 6 = 2 \times 1 + 6 = 8$

따라서 $h'(x) = f'(x)g(x) + f(x)g'(x)$이므로

$h'(0) = f'(0)g(0) + f(0)g'(0)$

$\qquad = 8 \times 2 + 4 \times 1 = 20$

답 ⑤

106

이차함수 $f(x)$에 대하여 방정식 $f(x) = 0$이 오직 하나의 실근을 가지므로

$f(x) = (x-a)^2$ (a는 상수)으로 놓으면

$f'(x) = 2(x-a)$

$\therefore \ g(x) = 2(x^2 + 2x)(x-a)$

$\qquad = 2x^3 - 2(a-2)x^2 - 4ax$

이때 곡선 $y = g(x)$가 원점에 대하여 대칭이므로 x^2의 계수가 0이어야 한다.

즉, $-2(a-2) = 0$에서 $a = 2$

따라서 $f(x) = (x-2)^2$이므로

$f(4) = 4$

답 4

107

$$\lim_{x \to -1} \frac{f(x)}{(x+1)\{f(x)+f'(x)\}^2} = \frac{1}{2} \text{에서}$$

극한값이 존재하고 (분모) → 0이므로 (분자) → 0이다.

따라서 $\lim_{x \to -1} f(x) = 0$에서 $f(-1) = 0$ ......ⓐ

$$\lim_{x \to -1} \frac{f(x)}{(x+1)\{f(x)+f'(x)\}^2}$$

$$= \lim_{x \to -1} \frac{f(x)-f(-1)}{(x+1)\{f(x)+f'(x)\}^2}$$

$$= \lim_{x \to -1} \frac{f(x)-f(-1)}{x-(-1)} \times \lim_{x \to -1} \frac{1}{\{f(x)+f'(x)\}^2}$$

$$= f'(-1) \times \frac{1}{\{f(-1)+f'(-1)\}^2}$$

$$= \frac{1}{f'(-1)} = \frac{1}{2}$$

$$\therefore \ f'(-1) = 2$$

ⓐ에 의하여

$f(x) = (x+1)(ax+b)$ (단, a, b는 상수, $a \neq 0$)라 하면

$f(1) = 8$에서 $2(a+b) = 8$

$\therefore \ a+b = 4$ ......ⓑ

또한 $f'(x) = (ax+b) + a(x+1)$이므로

$f'(-1) = 2$에서 $-a+b = 2$ ......ⓒ

ⓑ, ⓒ을 연립하여 풀면 $a = 1$, $b = 3$

따라서 $f(x) = (x+1)(x+3)$이므로

$f(2) = 15$

답 ②

108

조건 (가)에 의하여

$f(x) = x^4 + ax^2 + b$ (단, a, b는 상수)로 놓으면

조건 (나)에 의하여 함수 $f(x)$는 $x = 1$에서 극솟값을 가지므로 $f'(1) = 0$이다.

$f'(x) = 4x^3 + 2ax$에서

$f'(1) = 4 + 2a = 0$

$\therefore \ a = -2$, $f(x) = x^4 - 2x^2 + b$

$f'(x) = 4x(x+1)(x-1)$이므로

$x = -1$ 또는 $x = 0$ 또는 $x = 1$일 때 $f'(x) = 0$이다.

함수 $f(x)$의 증가와 감소를 표로 나타내면 다음과 같다.

x	$\cdots$	-1	$\cdots$	0	$\cdots$	1	$\cdots$
$f'(x)$	$-$	0	$+$	0	$-$	0	$+$
$f(x)$	$\searrow$	$b-1$	$\nearrow$	b	$\searrow$	$b-1$	$\nearrow$

조건 (다)에 의하여 함수 $|f(x)|$가 $x = 2$에서 극솟값을 가지므로 $f(2) = 0$이다.

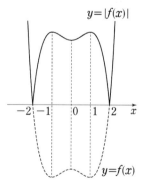

$f(2)=16-8+b=0$에서 $b=-8$

따라서 $f(x)=x^4-2x^2-8$이므로 $f(1)=-9$이다.

답 ⑤

TIP

미분가능한 함수 $f(x)$에 대하여 $f(a)=0$이고, $f'(a)>0$이면
충분히 작은 양수 h에 대하여
$a-h<x<a$에서 $f(x)<0$,
$a<x<a+h$에서 $f(x)>0$이다.
따라서 함수 $g(x)=|f(x)|$에 대하여
$g(x)=\begin{cases} -f(x) & (a-h<x<a) \\ f(x) & (a\le x<a+h) \end{cases}$이므로
$\lim\limits_{x\to a-}g'(x)=-f'(a)<0$이고,
$\lim\limits_{x\to a+}g'(x)=f'(a)>0$이므로
함수 $g(x)$는 $x=a$에서 극솟값 $g(a)=f(a)=0$을 갖는다.
$f(a)=0$, $f'(a)<0$인 경우도 마찬가지이다.

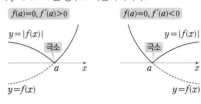

109

$y=x^3-x+2$에서 $y'=3x^2-1$이고
두 점 A, B에서의 접선의 기울기가 각각 2이므로
$3x^2-1=2$, $(x+1)(x-1)=0$
$\therefore$ $x=-1$ 또는 $x=1$
즉, 두 점 A, B의 좌표는 $A(-1, 2)$, $B(1, 2)$이다.
점 A에서의 접선의 방정식은
$y=2(x+1)+2=2x+4$이므로
$x^3-x+2=2x+4$
$x^3-3x-2=0$
$(x+1)^2(x-2)=0$에서 점 C의 좌표는
$C(2, 8)$이다. 참고❶
마찬가지 방법으로 점 B에서의 접선의 방정식은
$y=2x$이므로
$x^3-x+2=2x$
$x^3-3x+2=0$
$(x-1)^2(x+2)=0$에서 점 D의 좌표는
$D(-2, -4)$이다. 참고❷

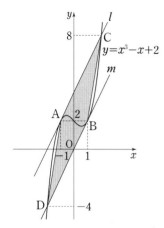

$\therefore$ (사각형 ACBD의 넓이)

$\quad$ = (삼각형 ABC의 넓이) + (삼각형 ABD의 넓이)

$\quad = \dfrac{1}{2}\times\{1-(-1)\}\times(8-2)$

$\qquad\qquad +\dfrac{1}{2}\times\{1-(-1)\}\times\{2-(-4)\}$

$\quad = 12$

답 ②

참고❶

근과 계수의 관계에 의하여 점 C의 좌표 $C(p, q)$를 구할 수 있다.
곡선 $y=x^3-x+2$ 위의
점 $A(-1, 2)$에서의 접선 $y=2x+4$와 곡선은
$x=-1$에서 접하고 $x=p$일 때 만나므로
방정식 $x^3-x+2=2x+4$는
중근 $x=-1$과 또 다른 한 실근 $x=p$를 갖는다.
따라서 삼차방정식 $x^3-3x-2=0$에서
근과 계수의 관계에 의하여
$(-1)+(-1)+p=0$이므로 $p=2$에서 $C(2, 8)$이다.

참고❷

대칭성에 의하여 점 D의 좌표 $D(a, b)$를 쉽게 구할 수 있다.
$f(x)=x^3-x+2$라 하면
$f(-x)=-x^3+x+2$이므로
모든 실수 x에서 $f(x)+f(-x)=4$를 만족시킨다.
따라서 함수 $y=f(x)$의 그래프는 점 $(0, 2)$에 대하여 대칭이므로
점 $C(2, 8)$과 점 $D(a, b)$도 점 $(0, 2)$에 대하여 대칭이다.
$\dfrac{2+a}{2}=0$에서 $a=-2$이고,
$\dfrac{8+b}{2}=2$에서 $b=-4$이므로 $D(-2, -4)$이다.

110

$f(x)=2x^3-3x^2$이라 하면 방정식 $2x^3-3x^2+a=0$,
즉 $f(x)=-a$가 오직 한 개의 실근만 가지려면

삼차함수 $y = f(x)$의 그래프와 직선 $y = -a$의 교점의
개수가 1개뿐이어야 한다. ⋯⋯㉠

$f'(x) = 6x^2 - 6x = 6x(x-1)$이므로

$x = 0$ 또는 $x = 1$일 때 $f'(x) = 0$이다.

$|x| \le 1$, 즉 $-1 \le x \le 1$에서 함수 $f(x)$의 증가와
감소를 표로 나타내면 다음과 같다.

x	-1	$\cdots$	0	$\cdots$	1
$f'(x)$		$+$	0	$-$	
$f(x)$	-5	$\nearrow$	0	$\searrow$	-1

따라서 함수 $y = f(x)$의 그래프는
오른쪽 그림과 같으므로
㉠을 만족시키려면
$-5 \le -a < -1$ 또는
$-a = 0$이어야 한다.
따라서 $a = 0$ 또는
$1 < a \le 5$이므로 구하는 정수 a는
$0, 2, 3, 4, 5$로 5개이다.

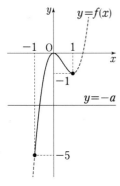

답 ③

111

$f(x) = x^3 - 2x^2 + 1$이라 하면

$f'(x) = 3x^2 - 4x$이므로

곡선 위의 점 $(t, f(t))$에서의 접선의 기울기는

$f'(t) = 3t^2 - 4t$

따라서 점 $(t, t^3 - 2t^2 + 1)$에서의 접선의 방정식은

$y = (3t^2 - 4t)(x - t) + t^3 - 2t^2 + 1$,

즉 $y = (3t^2 - 4t)x - 2t^3 + 2t^2 + 1$이다.

이 직선이 점 $(1, 0)$을 지나므로

$0 = -2t^3 + 5t^2 - 4t + 1$

$(2t-1)(t-1)^2 = 0$

$\therefore t = \dfrac{1}{2}$ 또는 $t = 1$

즉, 점 $(1, 0)$을 지나는 접선의 접점의 x좌표는

$\dfrac{1}{2}$ 또는 1이다.

따라서 구하는 모든 접선의 기울기의 곱은

$f'\left(\dfrac{1}{2}\right)f'(1) = -\dfrac{5}{4} \times (-1) = \dfrac{5}{4}$

답 ⑤

112

시각 $t = 1$에서 점 P가 운동 방향을 바꾸므로
이때의 속도는 0이다.

$v = \dfrac{dx}{dt} = -3t^2 + 2at - 12$이므로

$-3 + 2a - 12 = 0$

$\therefore a = \dfrac{15}{2}$

$v = \dfrac{dx}{dt}$

$= -3t^2 + 15t - 12$

$= -3(t-1)(t-4)$

따라서 점 P는 $t = 4$일 때
두 번째로 운동 방향을 바꾸므로 **TIP**

$b + 8 = 12$

$\therefore b = 4$

$\therefore ab = \dfrac{15}{2} \times 4 = 30$

답 30

TIP

점 P의 위치의 증가와 감소를 표로 나타내면 다음과 같다.

t	0	$\cdots$	1	$\cdots$	4	$\cdots$
$\dfrac{dx}{dt}$		$-$	0	$+$	0	$-$
x	b	$\searrow$	$b - \dfrac{11}{2}$	$\nearrow$	$b+8$	$\searrow$

따라서 점 P의 수직선 위에서의 운동은 다음과 같다.

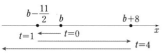

113

$h(x) = f(x) - g(x)$에서
$h'(x) = f'(x) - g'(x)$이다.

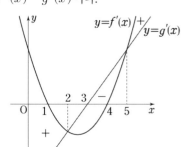

$h'(x)$의 부호는 그림과 같으므로

함수 $h(x)$의 증가와 감소를 표로 나타내면 다음과 같다.

x	$\cdots$	2	$\cdots$	5	$\cdots$
$h'(x)$	+	0	−	0	+
$h(x)$	↗	극대	↘	극소	↗

따라서 함수 $h(x)$는 $x=2$에서 극댓값을 갖고

$x=5$에서 극솟값을 갖는다.

$\therefore\ a=5$

답 ⑤

114

조건 (나)에서

$$f'(0)=\lim_{x\to 0}\frac{f(x)+6x}{f(x)+2x}$$

$$=\lim_{x\to 0}\frac{\frac{f(x)-f(0)}{x-0}+6}{\frac{f(x)-f(0)}{x-0}+2}$$

$$=\frac{f'(0)+6}{f'(0)+2}$$

즉, $f'(0)=\dfrac{f'(0)+6}{f'(0)+2}$이므로

$f'(0)\{f'(0)+2\}=f'(0)+6$

$\{f'(0)\}^2+f'(0)-6=0$

$\{f'(0)+3\}\{f'(0)-2\}=0$

$f'(0)=-3$ 또는 $f'(0)=2$이다.

이때 함수 $f(x)$는 실수 전체의 집합에서 감소하므로

$f'(x)\le 0$이다.

$\therefore\ f'(0)=-3$

답 ③

115

조건 (가)에 의하여 함수 $g(x)$는 $x=0$에서 연속이므로

$\lim_{x\to 0-}g(x)=\lim_{x\to 0+}g(x)=g(0)$에서

$-f(0)=f(0)\qquad \therefore\ f(0)=0$ ······㉠

또한 함수 $g(x)$는 $x=0$에서 미분가능하므로

$g'(x)=\begin{cases} f'(x) & (x>0) \\ -f'(x) & (x<0)\end{cases}$에서

$-f'(0)=f'(0)\qquad \therefore\ f'(0)=0$ ······㉡

㉠, ㉡에서 $f(x)=x^2(x-a)$ (a는 상수)로 놓으면

$f'(x)=2x(x-a)+x^2=x(3x-2a)$

조건 (나)에서 $g'(-1)=-f'(-1)=-5$이므로

$-(-3-2a)=5$에서 $a=1$

$\therefore\ f(x)=x^2(x-1),\ f'(x)=x(3x-2)$

$x=0$ 또는 $x=\dfrac{2}{3}$에서 $f'(x)=0$이다.

닫힌구간 $[0,\ 2]$에서 함수 $f(x)$의 증가와 감소를 표로 나타내면 다음과 같다.

x	0	$\cdots$	$\frac{2}{3}$	$\cdots$	2
$f'(x)$	0	−	0	+	
$f(x)$	0	↘	$-\frac{4}{27}$	↗	4

따라서 함수 $f(x)$는 $x=2$에서 최댓값 4를 갖고,

$x=\dfrac{2}{3}$에서 최솟값 $-\dfrac{4}{27}$를 가지므로 두 값의 곱은

$4\times\left(-\dfrac{4}{27}\right)=-\dfrac{16}{27}$

답 ②

116

$f(x)=x^2+ax+b$ (단, a, b는 상수)라 하면

$f'(x)=2x+a$이다.

조건 (가)의 $f'(1)=0$에서

$2+a=0$

$\therefore\ a=-2$

조건 (나)에서 다항식 $f(x)=x^2-2x+b$가

다항식 $f'(x)=2(x-1)$로 나누어떨어지므로

인수정리에 의하여 $f(1)=0$이어야 한다. TIP

$1-2+b=0$

$\therefore\ b=1$

$f(x)=x^2-2x+1$

$\therefore\ f(3)=4$

답 4

TIP

<수학>에서 학습한 '인수정리'는 다음과 같다.

다항식 $f(x)$에 대하여

(1) $f(a)=0$이면 다항식 $f(x)$는 일차식 $x-a$로 나누어떨어진다.

(2) $f(x)$가 일차식 $x-a$로 나누어떨어지면 $f(a)=0$이다.

117

조건 (가)에서 $\lim\limits_{x \to \infty} \dfrac{f(x) + 2x^3}{x^2} = 3$이므로

$f(x) = -2x^3 + 3x^2 + ax + b$ (단, a, b는 상수)라 하면

$f'(x) = -6x^2 + 6x + a$이다.

조건 (나)의 $\lim\limits_{x \to 1} \dfrac{f(x) - 7}{x^3 - 1} = \dfrac{4}{3}$에서

극한값이 존재하고 (분모)$\to 0$이므로 (분자)$\to 0$이다.

즉, $\lim\limits_{x \to 1} \{f(x) - 7\} = 0$이므로 $f(1) = 7$에서

$1 + a + b = 7$이다.   ……㉠

$$\begin{aligned}
\lim_{x \to 1} \frac{f(x) - 7}{x^3 - 1} &= \lim_{x \to 1} \frac{f(x) - f(1)}{x^3 - 1} \\
&= \lim_{x \to 1} \left\{ \frac{f(x) - f(1)}{x - 1} \times \frac{1}{x^2 + x + 1} \right\} \\
&= \frac{1}{3} f'(1) = \frac{4}{3}
\end{aligned}$$

따라서 $f'(1) = 4$이므로 $a = 4$이고 $b = 2$이다. ($\because$ ㉠)

$f(x) = -2x^3 + 3x^2 + 4x + 2$에서 $f(0) = 2$이고

$f'(x) = -6x^2 + 6x + 4$에서 $f'(0) = 4$이므로

$\therefore f(0)f'(0) = 2 \times 4 = 8$

             답 ③

118

$f(x) = x^3 - 6x^2 + 9x + 2k$라 하면

$f'(x) = 3x^2 - 12x + 9 = 3(x - 1)(x - 3)$

$x = 1$ 또는 $x = 3$에서 $f'(x) = 0$이다.

닫힌구간 $[0, 2]$에서 함수 $f(x)$의 증가와 감소를 표로
나타내면 다음과 같다.

x	0	$\cdots$	1	$\cdots$	2
$f'(x)$		$+$	0	$-$	
$f(x)$	$2k$	$\nearrow$	$2k+4$	$\searrow$	$2k+2$

닫힌구간 $[0, 2]$에서 함수 $f(x)$는 $x = 0$에서 최솟값
$2k$를 갖고, $x = 1$에서 최댓값 $2k + 4$를 갖는다.

이때 $|f(x)| \leq 10 - k$, 즉

$-10 + k \leq f(x) \leq 10 - k$가 항상 성립하려면

$-10 + k \leq 2k$이고 $2k + 4 \leq 10 - k$이어야 한다.

$-10 + k \leq 2k$에서 $k \geq -10$ ……㉠

$2k + 4 \leq 10 - k$에서 $3k \leq 6$, $k \leq 2$ ……㉡

㉠, ㉡에서 $-10 \leq k \leq 2$이므로 정수 k의 개수는

$-10, -9, \cdots, 2$로 13개이다.

             답 ②

119

$f(x) = 2x^3 - 9x^2 + 12x$에서

$f'(x) = 6x^2 - 18x + 12 = 6(x - 1)(x - 2)$

$x = 1$ 또는 $x = 2$에서 $f'(x) = 0$이다.

함수 $f(x)$의 증가와 감소를 표로 나타내면 다음과 같다.

x	$\cdots$	1	$\cdots$	2	$\cdots$
$f'(x)$	$+$	0	$-$	0	$+$
$f(x)$	$\nearrow$	5	$\searrow$	4	$\nearrow$

함수 $y = f(x)$의 그래프의 개형은 [그림 1]과 같으므로

$g(x) = \begin{cases} f(x) & (x \geq 0) \\ 0 & (x < 0) \end{cases}$

즉, 곡선 $y = g(x)$와 곡선 $y = 2x^2 + k$의 교점의 개수가
2가 되려면 [그림 2]와 같이 $x \geq 0$에서 곡선 $y = g(x)$와
곡선 $y = 2x^2 + k$의 교점의 개수가 1이어야 한다.

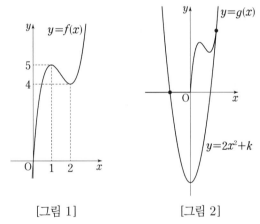

[그림 1]   [그림 2]

$2x^3 - 9x^2 + 12x = 2x^2 + k$에서

$2x^3 - 11x^2 + 12x = k$

이때 $h(x) = 2x^3 - 11x^2 + 12x$라 하면

$h'(x) = 6x^2 - 22x + 12 = 2(3x - 2)(x - 3)$

$x = \dfrac{2}{3}$ 또는 $x = 3$에서 $h'(x) = 0$이다.

$x \geq 0$에서 함수 $h(x)$의 증가와 감소를 표로 나타내면
다음과 같다.

x	0	$\cdots$	$\dfrac{2}{3}$	$\cdots$	3	$\cdots$
$h'(x)$		$+$	0	$-$	0	$+$
$h(x)$	0	$\nearrow$	$\dfrac{100}{27}$	$\searrow$	-9	$\nearrow$

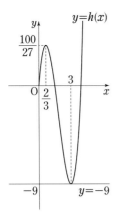

따라서 $x \geq 0$에서 함수 $y = h(x)$의 그래프의 개형은
그림과 같으므로

$k = -9$

답 ①

120

$f(x) = (x+1)(x^2+ax+b)$이므로 $f(-1) = 0$이다.
조건 (가)에 의하여
함수 $y = |f(x)|$가 $x = -1$에서 미분가능해야 하므로
$f(x) = (x+1)^2(x-k)$ (단, k는 상수)이어야 한다.
$h(x) = |f(x)|$라 하자.

(ⅰ) $k = -1$인 경우

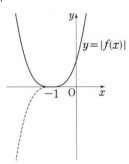

$f(x) = (x+1)^3$이므로 조건 (나)를 만족시킨다.

(ⅱ) $k < -1$인 경우

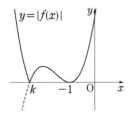

이때 $(-\infty, -1)$에서 증가하는 구간이 있으므로
조건 (나)를 만족시키지 않는다.

(ⅲ) $k > -1$인 경우

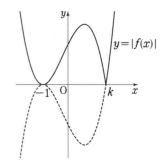

이때 $x > k$에서 $h'(x) > 0$이므로 조건 (나)를
만족시키기 위해서는 $k \leq 2$이어야 한다.
(ⅰ)~(ⅲ)에서 $-1 \leq k \leq 2$인 경우 조건을 만족시키고
$$x^2 + ax + b = (x+1)(x-k)$$
$$= x^2 + (1-k)x - k$$
에서 $a+b = (1-k) + (-k) = 1 - 2k$이므로
$k = -1$일 때 $a+b$는 최댓값 $M = 3$,
$k = 2$일 때 $a+b$는 최솟값 $m = -3$을 갖는다.
$\therefore M - m = 3 - (-3) = 6$

답 6

121

점 $(3, 2)$는 두 곡선 $y = f(x)$, $y = g(x)$ 위의 점이므로
$f(3) = 2$, $g(3) = 2$ ……㉠
또한 두 곡선 $y = f(x)$, $y = g(x)$ 위의
점 $(3, 2)$에서의 접선이 서로 일치하므로
$x = 3$에서의 미분계수는 서로 같다.
$\therefore f'(3) = g'(3)$ ……㉡
한편 $h'(3) = 2$이고
$h(x) = f(x)g(x)$에서
$h'(x) = f'(x)g(x) + f(x)g'(x)$이므로
$$h'(3) = f'(3)g(3) + f(3)g'(3)$$
$$= 2f'(3) + 2g'(3) \ (\because ㉠)$$
$$= 4f'(3) = 2 \ (\because ㉡)$$
$\therefore f'(3) = \dfrac{1}{2}$

답 ⑤

122

점 P의 시각 $t \ (t \geq 0)$에서의 위치 x는
$x = t^4 - 8t^3 + 28t^2$이므로 속도 v와 가속도 a는

$v = \dfrac{dx}{dt} = 4t^3 - 24t^2 + 56t$

$a = \dfrac{dv}{dt} = 12t^2 - 48t + 56 = 12(t-2)^2 + 8$

$t = 2$일 때 점 P의 가속도가 최소이므로

점 P의 가속도가 최소인 시각에서의 점 P의 속도는

$32 - 96 + 112 = 48$

답 ④

123

최고차항의 계수가 양수인 삼차함수 $f(x)$의

역함수가 존재하려면

함수 $f(x)$가 실수 전체의 집합에서 증가해야 한다.

즉, 모든 실수 x에 대하여

$f'(x) = 3(x^2 + 2ax + 2a) \geq 0$이어야 하므로

이차방정식 $x^2 + 2ax + 2a = 0$의 판별식을 D라 하면

$\dfrac{D}{4} = a^2 - 2a \leq 0$이어야 한다.

$a(a-2) \leq 0$

$\therefore\ 0 \leq a \leq 2$

따라서 정수 a의 값의 합은

$0 + 1 + 2 = 3$이다.

답 ②

124

$\lim\limits_{x \to 1} \dfrac{f(x) - x^3}{x^2 - 1} = 2$에서 극한값이 존재하고

(분모)→0이므로 (분자)→0이다.

따라서 $\lim\limits_{x \to 1} \{f(x) - x^3\} = 0$이고

함수 $f(x)$는 다항함수이므로

$f(1) - 1 = 0$에서 $f(1) = 1$이다.

$\lim\limits_{x \to 1} \dfrac{f(x) - x^3}{x^2 - 1}$

$= \lim\limits_{x \to 1} \dfrac{f(x) - f(1) - x^3 + 1}{x^2 - 1}$

$= \lim\limits_{x \to 1} \left[\left\{ \dfrac{f(x) - f(1)}{x - 1} - \dfrac{(x-1)(x^2 + x + 1)}{x - 1} \right\} \right.$

$\left. \times \dfrac{1}{x + 1} \right]$

$= \{f'(1) - 3\} \times \dfrac{1}{2} = 2$

$\therefore\ f'(1) = 7$

$\therefore\ f(1) + f'(1) = 1 + 7 = 8$

답 ④

125

$\lim\limits_{x \to \infty} \dfrac{f(x)}{x^3} = 1$에서

함수 $f(x)$는 최고차항의 계수가 1인 삼차함수이다.

$\lim\limits_{x \to 0} \dfrac{f(x)}{x^2} = 2$에서 극한값이 존재하고

(분모)→0이므로 (분자)→0이다.

즉, $f(x)$는 x^2을 인수로 가지므로

$f(x) = x^2(x + a)$ (단, a는 상수)라 하면

$\lim\limits_{x \to 0} \dfrac{f(x)}{x^2} = \lim\limits_{x \to 0} \dfrac{x^2(x+a)}{x^2} = \lim\limits_{x \to 0}(x + a) = a = 2$

에서 $f(x) = x^2(x + 2)$이다.

한편 $\lim\limits_{x \to 1} \dfrac{f(x)g(x) - 3}{x - 1} = 4$에서 극한값이 존재하고

(분모)→0이므로 (분자)→0이다.

즉, $\lim\limits_{x \to 1} \{f(x)g(x) - 3\} = 0$에서

$f(1)g(1) = 3$이므로 ……㉠

$\lim\limits_{x \to 1} \dfrac{f(x)g(x) - 3}{x - 1} = \lim\limits_{x \to 1} \dfrac{f(x)g(x) - f(1)g(1)}{x - 1}$

$= f'(1)g(1) + f(1)g'(1)$

$= 4$ ……㉡

$f(x) = x^2(x + 2)$에서 $f(1) = 3$이므로 ㉠에서

$g(1) = 1$

$f'(x) = 2x(x + 2) + x^2$이므로

$f'(1) = 2 \times 3 + 1 = 7$

㉡에서 $7 \times 1 + 3 \times g'(1) = 4$

$\therefore\ g'(1) = -1$

답 ①

126

$g(x) = \begin{cases} x^2 - 2x + 1 & (x < 1) \\ f(x) & (1 \leq x < 3) \\ -4x + 12 & (x \geq 3) \end{cases}$에서

$p(x) = x^2 - 2x + 1$, $q(x) = -4x + 12$라 하면

함수 $g(x)$가 $x = 1$, $x = 3$에서 연속이므로

$f(1) = p(1) = 0$, $f(3) = q(3) = 0$이다.

$f(x) = (ax + b)(x - 1)(x - 3)$ (단, a, b는 상수, $a \neq 0$)

이라 하자.

함수 $g(x)$가 $x = 1$, $x = 3$에서 미분계수를 가지므로

$f'(1) = p'(1) = 0$, $f'(3) = q'(3) = -4$이다.

$f'(x) = a(x - 1)(x - 3) + (ax + b)(x - 3)$
$$+ (ax + b)(x - 1)$$

$f'(1) = -2(a + b) = 0$, $a + b = 0$ ······㉠

$f'(3) = 2(3a + b) = -4$, $3a + b = -2$ ······㉡

㉠, ㉡을 연립하여 풀면 $a = -1$, $b = 1$이므로

$f(x) = -(x - 1)^2 (x - 3)$이다.

$\therefore f(2) = 1$

답 ①

127

$2x^3 - 8x^2 + 7x - 2 = 4x^2 - 11x + k$에서

$2x^3 - 12x^2 + 18x - 2 = k$

즉, 두 곡선 $y = 2x^3 - 8x^2 + 7x - 2$,

$y = 4x^2 - 11x + k$가 만나는 점의 개수가 3이 되도록

하는 실수 k의 값은 곡선 $y = 2x^3 - 12x^2 + 18x - 2$와

직선 $y = k$가 만나는 점의 개수가 3이 되도록 하는 실수

k의 값과 같다.

$f(x) = 2x^3 - 12x^2 + 18x - 2$라 하면

$f'(x) = 6x^2 - 24x + 18 = 6(x - 1)(x - 3)$

$x = 1$ 또는 $x = 3$에서 $f'(x) = 0$이다.

함수 $f(x)$의 증가와 감소를 표로 나타내면 다음과 같다.

x	$\cdots$	1	$\cdots$	3	$\cdots$
$f'(x)$	+	0	−	0	+
$f(x)$	↗	6	↘	−2	↗

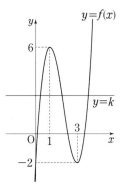

따라서 함수 $y = f(x)$의 그래프의 개형은 위의 그림과

같으므로 실수 k의 값의 범위는

$-2 < k < 6$

따라서 모든 정수 k의 값은

$-1, 0, 1, 2, 3, 4, 5$

이므로 그 합은

$-1 + 0 + 1 + 2 + 3 + 4 + 5 = 14$

답 ④

128

$f'(x) = 6x^2 - 6ax = 6x(x - a)$이므로

$x = 0$ 또는 $x = a$에서 $f'(x) = 0$이다.

구간 $[0, 2]$에서 함수 $f(x)$의 증가와 감소를 표로 나타내면

다음과 같다.

(i) $a \geq 2$인 경우

x	0	$\cdots$	2
$f'(x)$		−	
$f(x)$	2	↘	$18 - 12a$

구간 $[0, 2]$에서 함수 $f(x)$는 $x = 0$일 때 최댓값 2를

가지므로 조건을 만족시키지 않는다.

(ii) $0 < a < 2$인 경우

x	0	$\cdots$	a	$\cdots$	2
$f'(x)$		−	0	+	
$f(x)$	2	↘	$2 - a^3$	↗	$18 - 12a$

$f(0) = 2$이므로 구간 $[0, 2]$에서 함수 $f(x)$는

$x = 2$일 때 최댓값 6을 가져야 한다.

$f(2) = 18 - 12a = 6$이므로 $a = 1$

(i), (ii)에서 $f(x) = 2x^3 - 3x^2 + 2$이므로

구간 $[0, 2]$에서 함수 $f(x)$의 최솟값은

$f(a) = f(1) = 1$

답 ④

129

조건 (가)에서 $x \neq 1$일 때

$$g(x) = \begin{cases} |f(x)| + 1 & (x > 1) \\ -|f(x)| + 1 & (x < 1) \end{cases}$$

이때 함수 $g(x)$는 $x = 1$에서 연속이므로

$\lim\limits_{x \to 1-} g(x) = \lim\limits_{x \to 1+} g(x) = g(1)$에서

$-|f(1)| + 1 = |f(1)| + 1$, $|f(1)| = 0$

$\therefore f(1) = 0$, $g(1) = 1$ ······㉠

한편 함수 $y = |f(x)| + 1$의 그래프는 삼차함수

$y = f(x)$의 그래프의 $y < 0$인 부분을 x축에 대하여

대칭이동한 후 y축의 방향으로 1만큼 평행이동한 것이다.

또한 함수 $y = -|f(x)| + 1$의 그래프는 삼차함수
$y = f(x)$의 그래프의 $y \geq 0$인 부분을 x축에 대하여
대칭이동한 후 y축의 방향으로 1만큼 평행이동한 것이다.
이때 $f(1) = 0$이고 조건 (나)를 만족시키려면 함수
$y = f(x)$의 그래프의 개형은 다음 그림과 같이 $x = 1$에서
x축과 접해야 하고 점 $(-1, 0)$을 지나야 한다.

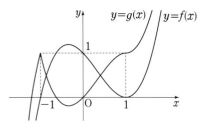

따라서 $f(x) = (x+1)(x-1)^2$이므로
$$g(x) = \begin{cases} |(x+1)(x-1)^2| + 1 & (x \geq 1) \\ -|(x+1)(x-1)^2| + 1 & (x < 1) \end{cases} (\because \text{㉠})$$
$$\therefore g(-2) + g(1) + g(2) = -8 + 1 + 4 = -3$$

답 ①

130

$f(x) = x^3 - 2x + a$에서
$$f'(x) = 3x^2 - 2 = 3\left(x + \frac{\sqrt{6}}{3}\right)\left(x - \frac{\sqrt{6}}{3}\right)$$
이므로 $x = -\dfrac{\sqrt{6}}{3}$ 또는 $x = \dfrac{\sqrt{6}}{3}$일 때 $f'(x) = 0$이다.

함수 $f(x)$의 증가와 감소를 표로 나타내면 다음과 같다.

x	$\cdots$	$-\dfrac{\sqrt{6}}{3}$	$\cdots$	$\dfrac{\sqrt{6}}{3}$	$\cdots$
$f'(x)$	+	0	−	0	+
$f(x)$	↗	극대	↘	극소	↗

이때 $f'(1) = 1$이므로
닫힌구간 $[-1, 1]$에서 부등식 $f(x) \geq |x|$가 성립하기
위해서는
$f(-1) \geq 1$이고 $f(1) \geq 1$이어야 한다. **TIP**

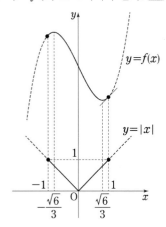

$f(-1) = a + 1 \geq 1$에서 $a \geq 0$ ……㉠
$f(1) = a - 1 \geq 1$에서 $a \geq 2$ ……㉡
㉠, ㉡에서 $a \geq 2$이므로
구하는 a의 최솟값은 2이다.

답 ②

TIP

결국 실수 $a = f(0)$의 값이 최소가 되는 경우는
직선 $y = x$와 곡선 $y = f(x)$가 $x = 1$에서 접할 때이다.

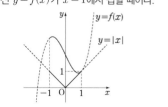

131

함수 $f(x)$가 $x = -1$에서 극댓값 2를 가지므로
$f(-1) = 2$, $f'(-1) = 0$
$g(x) = x^2 f(x)$라 하면 $g(-1) = f(-1) = 2$이고
$g'(x) = 2xf(x) + x^2 f'(x)$이므로
$g'(-1) = -2 \times 2 + 1 \times 0 = -4$
$$\therefore \lim_{x \to -1} \frac{x^2 f(x) - 2}{x^2 - 1}$$
$$= \lim_{x \to -1} \frac{g(x) - g(-1)}{(x+1)(x-1)}$$
$$= \lim_{x \to -1} \left\{ \frac{g(x) - g(-1)}{x - (-1)} \times \frac{1}{x - 1} \right\}$$
$$= -\frac{1}{2}g'(-1) = 2$$

답 ②

132

$y = x^3 - 4x - 1$에서 $y' = 3x^2 - 4$이므로
$x = 1$에서의 접선의 기울기는 -1이다.
따라서 접선의 방정식은
$y = -(x-1) - 4$, 즉 $y = -x - 3$이다.
곡선 $y = x^3 - 4x - 1$과 직선 $y = -x - 3$이 만나는 점의
x좌표는

방정식 $x^3 - 4x - 1 = -x - 3$에서

$x^3 - 3x + 2 = 0$

$(x-1)^2(x+2) = 0$

$\therefore x = 1$ 또는 $x = -2$

이때 점 B의 좌표는 $(-2, -1)$이고

$x = -2$에서의 접선의 기울기는 8이므로

접선의 방정식은 $y = 8(x+2) - 1$

즉, $y = 8x + 15$이다.

따라서 구하는 x절편은 $-\dfrac{15}{8}$이다.

다른풀이

점 B의 좌표를 $B(p, q)$라 하자.

곡선 $y = x^3 - 4x - 1$ 위의 점 $A(1, -4)$에서의

접선의 방정식을 $y = ax + b$ (단, a, b는 상수)라 하면

곡선과 직선은 $x = 1$일 때 접하고

$x = p$일 때 만나므로

방정식 $x^3 - 4x - 1 = ax + b$는

중근 $x = 1$과 또 다른 한 실근 $x = p$를 갖는다.

따라서 삼차방정식 $x^3 - (a+4)x - b - 1 = 0$에서

근과 계수의 관계에 의하여

$1 + 1 + p = 0$이므로

$p = -2$, $q = -1$ $\therefore B(-2, -1)$

$x = -2$에서의 접선의 기울기는 8이므로

접선의 방정식은 $y = 8(x+2) - 1$

즉, $y = 8x + 15$이다.

따라서 구하는 x절편은 $-\dfrac{15}{8}$이다.

답 ②

133

점 P의 시간 t $(t \geq 0)$에서의 위치 x는

$x = -t^3 + 4t^2 + at + 5$이므로

속도 v는

$v = \dfrac{dx}{dt} = -3t^2 + 8t + a$이다.

점 P가 움직이는 방향이 바뀌지 않으려면

속도의 부호가 바뀌지 않아야 하므로

$t \geq 0$에서 $-3t^2 + 8t + a \leq 0$이어야 한다.

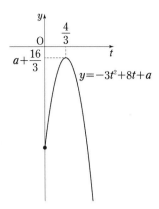

즉, 이차함수 $y = -3\left(t - \dfrac{4}{3}\right)^2 + a + \dfrac{16}{3}$의

$t \geq 0$에서의 최댓값이 0 이하이어야 하므로

$a + \dfrac{16}{3} \leq 0$에서 $a \leq -\dfrac{16}{3}$이다.

따라서 구하는 정수 a의 최댓값은 -6이다.

답 ②

134

$h(x) = f(x) - g(x)$라 하면

$h(x) = 2x^3 - 3x^2 - 12x - a$이다.

$h'(x) = 6x^2 - 6x - 12 = 6(x+1)(x-2)$

이므로 $x = -1$ 또는 $x = 2$일 때 $h'(x) = 0$이다.

이때 함수 $h(x)$의 증가와 감소를 표로 나타내면 다음과 같다.

x	$\cdots$	-1	$\cdots$	2	$\cdots$
$h'(x)$	$+$	0	$-$	0	$+$
$h(x)$	$\nearrow$	$7-a$	$\searrow$	$-20-a$	$\nearrow$

따라서 함수 $y = h(x)$의

그래프의 개형은 그림과 같다.

부등식 $h(x) \leq 0$을 만족시키는

양수 x가 단 1개가 되려면

$-20 - a = 0$이어야 하고,

이때 양수 x는 $x = 2$뿐이다.

$\therefore a = -20$

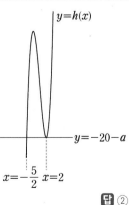

답 ②

135

$f(x) = x^3 + x$라 하면 $f'(x) = 3x^2 + 1 > 0$이므로

$x > 0$에서 함수 $f(x)$는 증가하고

그 그래프는 다음과 같다.

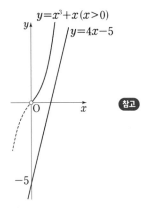

참고

원의 중심을 P라 하면 원의 반지름의 길이는

점 P와 직선 $y = 4x - 5$ 사이의 거리와 같다.

이 거리가 최소이려면

곡선 $y = x^3 + x$ 위의 점 P에서의 접선의 기울기가

직선 $y = 4x - 5$의 기울기와 같아야 하므로

방정식 $3x^2 + 1 = 4$에서 $x = 1$ $(\because x > 0)$

따라서 점 P의 좌표가 $(1, 2)$일 때

점 P와 직선 $y = 4x - 5$ 사이의 거리가 최소이다.

점 $(1, 2)$와 직선 $4x - y - 5 = 0$ 사이의 거리를 r라 하면

$$r = \frac{|4 \times 1 - 2 - 5|}{\sqrt{4^2 + (-1)^2}} = \frac{3}{\sqrt{17}}$$ 이므로

구하는 원의 넓이는 $r^2\pi = \dfrac{9}{17}\pi$이다.

$\therefore p + q = 17 + 9 = 26$

다른풀이

곡선 $y = x^3 + x$ $(x > 0)$ 위의 점 $(t, t^3 + t)$와

직선 $y = 4x - 5$ 사이의 거리를 $g(t)$라 하자.

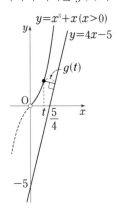

좌표평면에서 곡선 $y = x^3 + x$ $(x > 0)$이

직선 $y = 4x - 5$보다 위에 나타나므로,

양수 t에 대하여 $t^3 + t > 4t - 5$이다.

$$g(t) = \frac{|4t - (t^3 + t) - 5|}{\sqrt{4^2 + (-1)^2}} = \frac{t^3 - 3t + 5}{\sqrt{17}}$$

이때 $g'(t) = \dfrac{3(t^2 - 1)}{\sqrt{17}}$이므로

구간 $(0, \infty)$에서 정의된 함수 $g(t)$는

$t = 1$일 때 극소이자 최소이고, $g(1) = \dfrac{3}{\sqrt{17}}$이다.

따라서 구하는 원의 넓이는 $\left(\dfrac{3}{\sqrt{17}}\right)^2 \pi = \dfrac{9}{17}\pi$이다.

$\therefore p + q = 17 + 9 = 26$

답 26

참고

곡선 $y = x^3 + x$ $(x > 0)$와 직선 $y = 4x - 5$가 서로 만나지 않는
이유는 다음과 같다.

$x^3 + x = 4x - 5$, $x^3 - 3x + 5 = 0$에서

$h(x) = x^3 - 3x + 5$라 하면

$h'(x) = 3x^2 - 3 = 3(x+1)(x-1)$이므로

$x = 1$일 때 $h'(x) = 0$이다.

$x > 0$에서 함수 $h(x)$의 증가와 감소를 표로 나타내면 다음과 같다.

x	(0)	$\cdots$	1	$\cdots$
$h'(x)$		$-$	0	$+$
$h(x)$		$\searrow$	3	$\nearrow$

$x > 0$에서 함수 $h(x)$의 최솟값은 3이다.

따라서 방정식 $h(x) = 0$, 즉 $x^3 + x = 4x - 5$의 실근은 존재하지
않으므로

곡선 $y = x^3 + x$ $(x > 0)$와 직선 $y = 4x - 5$는 서로 만나지 않는다.

136

$$f(x) = \begin{cases} x^3 - 3x^2 + 9x - 9a + 4 & (x \geq a) \\ x^3 - 3x^2 - 9x + 9a + 4 & (x < a) \end{cases}$$

가 실수 전체의 집합에서 증가하려면

a가 아닌 실수 x에 대하여 $f'(x) \geq 0$이어야 한다.

(i) $x > a$일 때

$f'(x) = 3x^2 - 6x + 9 = 3(x-1)^2 + 6 > 0$이므로

함수 $f(x)$는 $x > a$에서 항상 증가한다.

(ii) $x < a$일 때

$f'(x) = 3x^2 - 6x - 9 = 3(x+1)(x-3)$에서

$f'(x) \geq 0$인 x의 값의 범위는

$x \leq -1$ 또는 $x \geq 3$이다.

따라서 $x < a$에서 항상 $f'(x) \geq 0$이기 위해서는

$a \leq -1$이어야 한다.

(i), (ii)에서 실수 a의 최댓값은 -1이다.

답 ⑤

137

$f(x) = x^4 - 2a^2x^2 + 4$에서

$f'(x) = 4x^3 - 4a^2x = 4x(x+a)(x-a)$

이므로 $x = -a$ 또는 $x = 0$ 또는 $x = a$일 때

$f'(x) = 0$이다.

$a > 0$이므로 함수 $f(x)$의 증가와 감소를 표로 나타내면

다음과 같다.

x	$\cdots$	$-a$	$\cdots$	0	$\cdots$	a	$\cdots$
$f'(x)$	$-$	0	$+$	0	$-$	0	$+$
$f(x)$	$\searrow$	극소	$\nearrow$	극대	$\searrow$	극소	$\nearrow$

따라서 함수 $f(x)$는 $x = -a$와 $x = a$에서 극소이다.

한편 $b < 0$에서 $2b - (b+3) = b - 3 < 0$이므로

$2b < b + 3$

즉, $-a = 2b$이고 $a = b + 3$이어야 한다.

따라서 $a = 2$, $b = -1$이므로

$a + b = 1$

답 ④

138

$\displaystyle\lim_{x \to 2} \frac{f(x)g(x) - 2}{x - 2} = 6$에서 극한값이 존재하고

(분모) $\to 0$이므로 (분자) $\to 0$이다.

즉, $\displaystyle\lim_{x \to 2}\{f(x)g(x) - 2\} = 0$에서

$f(2)g(2) = 2$이고, $\qquad\qquad$ ······㉠

$\displaystyle\lim_{x \to 2}\frac{f(x)g(x) - 2}{x - 2} = \lim_{x \to 2}\frac{f(x)g(x) - f(2)g(2)}{x - 2}$

$\qquad\qquad\qquad = \{f(2)g(2)\}' = 6$

에서 $f'(2)g(2) + f(2)g'(2) = 6$ $\qquad$ ······㉡

한편 $\displaystyle\lim_{x \to 2}\frac{f(x) - 2g(x)}{x^2 - 2x} = 5$에서 극한값이 존재하고

(분모) $\to 0$이므로 (분자) $\to 0$이다.

즉, $\displaystyle\lim_{x \to 2}\{f(x) - 2g(x)\} = 0$에서

$f(2) - 2g(2) = 0$이고, $\qquad\qquad$ ······㉢

$\displaystyle\lim_{x \to 2}\frac{f(x) - 2g(x)}{x^2 - 2x}$

$= \displaystyle\lim_{x \to 2}\frac{f(x) - 2g(x) - \{f(2) - 2g(2)\}}{x - 2} \times \frac{1}{x}$

$= \{f(2) - 2g(2)\}' \times \dfrac{1}{2} = 5$

에서 $f'(2) - 2g'(2) = 10$ $\qquad\qquad$ ······㉣

㉠, ㉢을 연립하여 풀면

$f(2) \times \dfrac{1}{2}f(2) = 2$, $\{f(2)\}^2 = 4$

$\therefore f(2) = 2$, $g(2) = 1$ ($\because f(2) > 0$)

따라서 ㉡에서 $f'(2) + 2g'(2) = 6$이므로

㉣과 연립하여 풀면

$f'(2) = 8$, $g'(2) = -1$

다른풀이

$i(x) = f(x)g(x)$, $j(x) = f(x) - 2g(x)$라 하면

$i'(x) = f'(x)g(x) + f(x)g'(x)$이고

$j'(x) = f'(x) - 2g'(x)$이다.

$\displaystyle\lim_{x \to 2}\frac{i(x) - 2}{x - 2} = 6$에서 $i(2) = 2$, $i'(2) = 6$이므로

$f(2)g(2) = 2$ $\qquad\qquad\qquad$ ······㉠

$f'(2)g(2) + f(2)g'(2) = 6$ $\qquad$ ······㉡

$\displaystyle\lim_{x \to 2}\frac{j(x)}{x(x-2)} = 5$, 즉 $\displaystyle\lim_{x \to 2}\frac{j(x) - 0}{x - 2} = 10$에서

$j(2) = 0$, $j'(2) = 10$이므로

$f(2) - 2g(2) = 0$ $\qquad\qquad$ ······㉢

$f'(2) - 2g'(2) = 10$ $\qquad\qquad$ ······㉣

㉠, ㉢을 연립하여 풀면

$f(2) \times \dfrac{1}{2}f(2) = 2$, $\{f(2)\}^2 = 4$

$\therefore f(2) = 2$, $g(2) = 1$ ($\because f(2) > 0$)

따라서 ㉡에서 $f'(2) + 2g'(2) = 6$이므로

㉣과 연립하여 풀면

$f'(2) = 8$, $g'(2) = -1$

답 ①

139

$f(x)f'(x) = 12(x-1)^3(x-3)(x-4)$ $\qquad$ ······㉠

이 식은 5차식이므로 $f(x)$는 삼차함수이다.

$f(x)$의 최고차항의 계수를 t라 하면

$f'(x)$의 최고차항의 계수는 $3t$이므로

$3t^2 = 12$에서 $t = -2$ 또는 $t = 2$

함수 $f(x)$는 $x = 1$에서 극솟값을 가지므로

$f'(1) = 0$에서 $f'(x)$는 $x - 1$을 인수로 가져야 한다.

㉠을 만족시키기 위해서는

$f'(x) = 6(x-1)(x-3),$

$f(x) = 2(x-1)^2(x-4)$

또는

$f'(x) = -6(x-1)(x-3),$

$f(x) = -2(x-1)^2(x-4)$

인 경우가 가능하다.

이때 함수 $f(x)$가 $x = 1$에서 극솟값을 가져야 하므로

$f'(x) = -6(x-1)(x-3),$

$f(x) = -2(x-1)^2(x-4)$이어야 한다.

$\therefore\ f(2) = 4$

답 ⑤

140

조건 (가)의 $\lim\limits_{x \to \infty} \dfrac{f(x) + f'(x) - x^4}{x^3} = 2$에서

분자 $f(x) + f'(x) - x^4$의 최고차항은 $2x^3$이다.

$f(x) = x^4 + ax^3 + bx^2 + cx + d$ $(a, b, c, d$는 상수$)$라

하면

$f'(x) = 4x^3 + 3ax^2 + 2bx + c$이므로

$\lim\limits_{x \to \infty} \dfrac{f(x) + f'(x) - x^4}{x^3}$

$= \lim\limits_{x \to \infty} \dfrac{(a+4)x^3 + (3a+b)x^2 + (2b+c)x + c + d}{x^3}$

$= 2$

$a + 4 = 2$

$\therefore\ a = -2$

조건 (나)의 $\lim\limits_{x \to 0} \dfrac{f(x)f'(x)}{x^3} = 18$에서

$f(x)f'(x) = x^3 h(x),\ h(0) \neq 0$ $(h(x)$는 다항식$)$ ······ ㉠

이므로 다음과 같이 생각할 수 있다.

(ⅰ) $f(x) = x^3(x-2)$인 경우

$f'(x) = 4x^3 - 6x^2 = 2x^2(2x-3)$이므로

$f(x)f'(x) = x^3 \times 2x^2(x-2)(2x-3)$

이는 ㉠을 만족시키지 않는다.

(ⅱ) $f(x) = x^2(x^2 - 2x + b)$ $(b \neq 0)$인 경우

$f'(x) = 4x^3 - 6x^2 + 2bx = 2x(2x^2 - 3x + b)$

이므로

$f(x)f'(x) = x^3 \times 2(x^2 - 2x + b)(2x^2 - 3x + b)$

이는 ㉠을 만족시킨다.

따라서 $f(x) = x^2(x^2 - 2x + b)$이다.

$\lim\limits_{x \to 0} \dfrac{f(x)f'(x)}{x^3}$

$= \lim\limits_{x \to 0} \dfrac{2x^3(x^2 - 2x + b)(2x^2 - 3x + b)}{x^3}$

$= \lim\limits_{x \to 0} 2(x^2 - 2x + b)(2x^2 - 3x + b)$

$= 2b^2 = 18$

이므로 $b = -3$ 또는 $b = 3$

$f(x) = x^2(x^2 - 2x - 3)$일 때 $f(-2) = 20$

$f(x) = x^2(x^2 - 2x + 3)$일 때 $f(-2) = 44$

따라서 구하는 $f(-2)$의 최댓값은 44이다.

답 44

141

점 P의 시각 t $(t \geq 0)$에서의 위치 x는

$x = \dfrac{1}{3}t^3 - at^2 - (16 - 8a)t$이므로

속도 v는

$v = \dfrac{dx}{dt} = t^2 - 2at - 16 + 8a$

$\quad = (t - 2a + 4)(t - 4)$

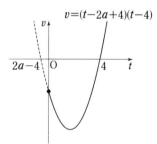

이때 점 P는 $t = 4$에서만 운동 방향이 바뀌어야 하므로

$2a - 4 \leq 0$이어야 한다.

즉, $a \leq 2$이어야 하므로

구하는 a의 최댓값은 2이다.

답 ②

142

$g(x) = \begin{cases} -x & (x < -2) \\ f(x) & (-2 \leq x \leq 2) \\ x & (x > 2) \end{cases}$에서

$p(x) = -x,\ q(x) = x$라 하면

함수 $g(x)$가 $x = -2$, $x = 2$에서 연속이어야 하므로

$f(-2) = p(-2),\ f(2) = q(2)$이어야 한다.

즉, $f(2) = 2$, $f(-2) = 2$이므로

$f(x) - 2 = a(x+2)(x-2)$ (단, a는 상수)라 하면

$f(x) = ax^2 - 4a + 2$

함수 $g(x)$가 $x = -2$, $x = 2$에서 미분가능해야 하므로

$f'(-2) = p'(-2)$, $f'(2) = q'(2)$이어야 한다.

$f'(x) = 2ax$, $p'(x) = -1$, $q'(x) = 1$이므로

$4a = 1$에서 $a = \dfrac{1}{4}$

$f(x) = \dfrac{1}{4}x^2 + 1$

$\therefore f(1) = \dfrac{5}{4}$

답 ④

참고

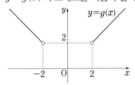

$|x| > 2$에서 함수 $y = g(x)$의 그래프는 다음과 같다.

이때 함수 $g(x)$가 $x = 2$, $x = -2$에서 미분가능하려면
함수 $g(x)$가 $x = 2$, $x = -2$에서 연속이어야 하므로
이차함수 $y = f(x)$의 그래프는 두 점 $(2, 2)$, $(-2, 2)$를 지나야 한다.
따라서 이차함수 $f(x)$의 그래프는 y축에 대하여 대칭이므로
결국 이 문제는 $f(x) = ax^2 + b$ (단, a, b는 상수, $a \neq 0$)가
$f(2) = 2$, $f'(2) = 1$을 만족시키도록 하는 상수 a, b의 값을 구하면
된다.

143

함수 $f(x)$가 극값을 가지므로

$f'(x) = 6x^2 - 12x + a$에서

방정식 $6x^2 - 12x + a = 0$이 서로 다른 두 실근을 가져야
한다.

이 두 실근을 α, β라 하면

이차방정식의 근과 계수의 관계에 의하여

$\alpha + \beta = 2$, $\alpha\beta = \dfrac{a}{6}$

한편 두 극값 $f(\alpha) = 2\alpha^3 - 6\alpha^2 + a\alpha$,

$f(\beta) = 2\beta^3 - 6\beta^2 + a\beta$의 합이 -14이므로

$2(\alpha^3 + \beta^3) - 6(\alpha^2 + \beta^2) + a(\alpha + \beta) = -14$

이때

$\alpha^3 + \beta^3 = (\alpha + \beta)^3 - 3\alpha\beta(\alpha + \beta)$

$\qquad = 2^3 - 3 \times \dfrac{a}{6} \times 2 = 8 - a$,

$\alpha^2 + \beta^2 = (\alpha + \beta)^2 - 2\alpha\beta$

$\qquad = 2^2 - 2 \times \dfrac{a}{6} = 4 - \dfrac{a}{3}$

이므로

$2(8 - a) - 6\left(4 - \dfrac{a}{3}\right) + 2a = -14$

$16 - 2a - 24 + 2a + 2a = -14$

$2a = -6$

$\therefore a = -3$

답 ③

144

삼차함수 $f(x)$에 대하여

점 $(0, 0)$이 곡선 $y = f(x)$ 위의 점이므로

$f(0) = 0$이고,   ······㉠

점 $(1, 1)$은 곡선 $y = x^2 f(x)$ 위의 점이므로

$f(1) = 1$이다.   ······㉡

한편 곡선 $y = f(x)$ 위의 점 $(0, 0)$에서의 접선의

방정식은 $y = f'(0)x$이고,   ······㉢

$y = x^2 f(x)$에서 $y' = 2xf(x) + x^2 f'(x)$이므로

곡선 $y = x^2 f(x)$ 위의 점 $(1, 1)$에서의 접선의 방정식은

$y = \{2f(1) + f'(1)\}(x - 1) + 1$, 즉

$y = \{2 + f'(1)\}(x - 1) + 1$이다. ($\because$ ㉡)   ······㉣

이때 ㉢=㉣에서 직선 ㉢은 점 $(1, 1)$을 지나므로

$f'(0) = 1$이고,   ······㉤

직선 ㉣은 점 $(0, 0)$을 지나므로

$0 = -\{2 + f'(1)\} + 1$에서 $f'(1) = -1$이다.   ······㉥

㉠, ㉤에 의하여 상수 a, b $(a \neq 0)$에 대하여

$f(x) = ax^3 + bx^2 + x$, $f'(x) = 3ax^2 + 2bx + 1$로

놓으면

㉡에서 $f(1) = a + b + 1 = 1$

$\therefore a + b = 0$

㉥에서 $f'(1) = 3a + 2b + 1 = -1$

$\therefore 3a + 2b = -2$

두 식을 연립하여 풀면 $a = -2$, $b = 2$

따라서 $f(x) = -2x^3 + 2x^2 + x$,

$f'(x) = -6x^2 + 4x + 1$이므로

$f(-1) + f'(-1) = 3 + (-9) = -6$

답 ③

145

조건 (가)를 만족시키려면

함수 $f(x)$의 그래프가 원점에 대하여 대칭이어야 하므로

$f(x) = ax^3 + bx$ (단, a, b는 상수, $a \neq 0$)라 할 수 있다.

$f'(x) = 3ax^2 + b$에 대하여

방정식 $f'(x) = 0$의 실근이 -3, 3이어야 하므로

이차방정식의 근과 계수의 관계에 의하여

$\dfrac{b}{3a} = -9$, 즉 $b = -27a$이다.

따라서 $f(x) = a(x^3 - 27x)$, $f'(x) = 3a(x^2 - 9)$이다.

한편 조건 (나)에 의하여 함수 $f(x) + x$가 증가해야 하므로

모든 실수 x에 대하여 $\{f(x) + x\}' \geq 0$

즉, $3a(x^2 - 9) \geq -1$이어야 한다.

따라서 $a > 0$이어야 하고

함수 $y = 3a(x^2 - 9)$의 최솟값이 -1 이상이어야 한다.

즉, $-27a \geq -1$에서 $a \leq \dfrac{1}{27}$이므로

$f(6) = 54a \leq 2$이다.

따라서 $f(6)$의 최댓값은 2이다.

답 2

146

$f(x) = x^3 - 3x + 2$에서

$f'(x) = 3x^2 - 3 = 3(x+1)(x-1)$이므로

함수 $f(x)$는 $x = -1$에서 극댓값을 갖고,

함수 $y = |f(x) - f(-1)|$의 그래프는

함수 $y = f(x)$의 그래프를 y축의 방향으로 $-f(-1)$만큼 평행이동시킨 후

x축 아래쪽에 놓인 부분을 위쪽으로 접어올린 것과 같으므로 그림과 같다.

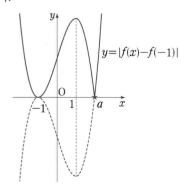

$g(x) = f(x) - f(-1)$이라 하면

$g(x) > 0$ 또는 $g(x) < 0$인 경우 함수 $|g(x)|$는 미분가능하므로

$g(x) = 0$인 $x = -1$, $x = a$인 경우를 확인해야 한다. **TIP**

(ⅰ) $x = -1$인 경우

$g'(-1) = 0$이므로

함수 $|g(x)|$의 $x = -1$에서 좌미분계수와 우미분계수는 0으로 같다.

즉, 함수 $|g(x)|$는 $x = -1$에서 미분가능하다.

(ⅱ) $x = a$인 경우

함수 $|g(x)|$의 $x = a$에서

좌미분계수는 $-g'(a)$, 우미분계수는 $g'(a)$이고

$g'(a) > 0$이므로 $-g'(a) \neq g'(a)$이다.

즉, 함수 $|g(x)|$는 $x = a$에서 미분가능하지 않다.

(ⅰ), (ⅱ)에서 $t = a$이므로

$f(t) = f(-1)$ $(t \neq -1)$을 만족시켜야 한다.

이때 $f(-1) = 4$이므로

$t^3 - 3t + 2 = 4$, $(t+1)^2(t-2) = 0$

$\therefore$ $t = 2$

답 ②

TIP

$g(x) = \begin{cases} f(x) & (f(x) \geq 0) \\ -f(x) & (f(x) < 0) \end{cases}$ 라 하면

$g'(x) = \begin{cases} f'(x) & (f(x) > 0) \\ -f'(x) & (f(x) < 0) \end{cases}$ 이다.

(1) $f(a) > 0$이면

$g'(a) = f'(a)$이므로

함수 $g(x)$는 $x = a$에서 미분가능하다.

(2) $f(a) < 0$이면

$g'(a) = -f'(a)$이므로

함수 $g(x)$는 $x = a$에서 미분가능하다.

(3) ① $f(a) = 0$, $f'(a) > 0$이면

함수 $g(x)$의 $x = a$에서

좌미분계수는 $-f'(a)$, 우미분계수는 $f'(a)$이므로

$-f'(a) \neq f'(a)$이다.

따라서 함수 $g(x)$는 $x = a$에서 미분가능하지 않다.

② $f(a) = 0$, $f'(a) < 0$이면

함수 $g(x)$의 $x = a$에서

좌미분계수는 $f'(a)$, 우미분계수는 $-f'(a)$이므로

$f'(a) \neq -f'(a)$이다.

따라서 함수 $g(x)$는 $x = a$에서 미분가능하지 않다.

③ $f(a) = 0$, $f'(a) = 0$이면

$g'(a) = 0$이므로 함수 $g(x)$는 $x = a$에서 미분가능하다.

따라서 함수 $g(x) = |f(x)|$가 $x = a$에서 미분가능하지 않기 위한 필요충분조건은

①, ②의 $f(a) = 0$, $f'(a) \neq 0$이다.

147

$f(x) = x^2 + ax + b$ $(a, b$는 상수$)$로 놓으면

$f(1) = 3$이므로

$1 + a + b = 3$ $\therefore b = -a + 2$

$\therefore f(x) = x^2 + ax - a + 2$

한편 곡선 $y = xf(x)$와 직선 $y = 2x + t$의 교점의 개수는

곡선 $y = xf(x) - 2x$와 직선 $y = t$의 교점의 개수와 같고,

함수 $xf(x) - 2x$는 삼차함수이므로 곡선

$y = xf(x) - 2x$와 직선 $y = t$의 교점의 개수는

1 이상이다.

그런데 함수 $g(t)$가 실수 전체의 집합에서 연속이므로

곡선 $y = xf(x) - 2x$와 직선 $y = t$의 교점의 개수는 항상

1이어야 한다.

즉, $h(x) = xf(x) - 2x$라 하면 $h(x)$는 실수 전체의

집합에서 증가해야 하므로 모든 실수 x에 대하여

$h'(x) \geq 0$이다. $(\because h(x)$의 최고차항의 계수가 양수$)$

$h'(x) = f(x) + xf'(x) - 2$

$\qquad = (x^2 + ax - a + 2) + x(2x + a) - 2$

$\qquad = 3x^2 + 2ax - a \geq 0$

이고, 이차방정식 $3x^2 + 2ax - a = 0$의 판별식을 D라 하면

$\dfrac{D}{4} = a^2 + 3a \leq 0$이어야 하므로

$a(a + 3) \leq 0$ $\therefore -3 \leq a \leq 0$

따라서 $f(-1) = -2a + 3$의 최댓값은

$a = -3$일 때, 9이다.

답 ④

148

함수 $g(x)$는 함수 $f(x)$의 역함수이므로

$g(f(x)) = x$

삼차함수 $f(x)$의 치역은 실수 전체의 집합이고

일대일대응이므로 $x = f(t)$라 하면 방정식

$\{g(x)\}^2 + 11g(x) = x$에서

$\{g(f(t))\}^2 + 11g(f(t)) = f(t)$

$t^2 + 11t = t^3 - 2t^2 + 2t + k$

$\therefore -t^3 + 3t^2 + 9t = k$

즉, 방정식 $\{g(x)\}^2 + 11g(x) = x$가 서로 다른 두 실근을

갖기 위한 실수 k의 값은 곡선 $y = -t^3 + 3t^2 + 9t$와 직선

$y = k$의 교점의 개수가 2가 되도록 하는 실수 k의 값과 같다.

$h(t) = -t^3 + 3t^2 + 9t$라 하면

$h'(t) = -3t^2 + 6t + 9 = -3(t + 1)(t - 3)$

$t = -1$ 또는 $t = 3$에서 $h'(t) = 0$이다.

함수 $h(t)$의 증가와 감소를 표로 나타내면 다음과 같다.

t	$\cdots$	-1	$\cdots$	3	$\cdots$
$h'(t)$	$-$	0	$+$	0	$-$
$h(t)$	$\searrow$	-5	$\nearrow$	27	$\searrow$

함수 $h(t)$는 $t = -1$에서

극솟값 -5를 갖고, $t = 3$에서

극댓값 27을 가지므로 함수

$y = h(t)$의 그래프는 직선

$y = -5$ 또는 $y = 27$과 서로

다른 두 점에서 만난다.

$\therefore k = -5$ 또는 $k = 27$

따라서 모든 k의 값의 합은

$-5 + 27 = 22$

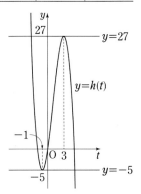

답 ②

149

이차함수 $f(x)$의 최고차항의 계수가 a이고

x축과 점 $(-1, 0)$에서 접하므로

$f(x) = a(x + 1)^2$

$\therefore f'(x) = 2a(x + 1)$

한편 $g(x) = x^2 + 3$이라 할 때

$|f'(x)| \leq g(x)$를 만족시키려면

함수 $y = |f'(x)|$의 그래프와 곡선 $y = g(x)$가 만나지

않거나 다음 그림과 같이 한 점에서 접해야 한다. $\cdots\cdots$㉠

이때 접점의 x좌표를 t라 하자. $($단, $t > 0)$

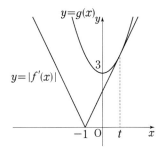

$g'(x) = 2x$이므로 곡선 $y = g(x)$ 위의

점 $(t, t^2 + 3)$에서의 접선의 방정식은

$y = 2t(x - t) + t^2 + 3$

이 직선이 점 $(-1, 0)$을 지나므로

$0 = 2t(-1 - t) + t^2 + 3$

$t^2 + 2t - 3 = 0$, $(t+3)(t-1) = 0$

$\therefore t = 1 \ (\because t > 0)$

따라서 접선의 기울기는 2이므로 ㉠을 만족시키려면

$|2a| \le 2$, 즉 $-1 \le a \le 1$이어야 한다.

따라서 $M = 1$, $m = -1$이므로 $Mm = -1$이다.

답 ①

150

ㄱ. $h(x) = f(x) - g(x)$에서

$h'(x) = f'(x) - g'(x)$이다.

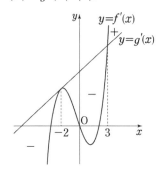

$h'(x)$의 부호는 그림과 같으므로

함수 $h(x)$의 증가와 감소를 표로 나타내면 다음과 같다.

x	$\cdots$	-2	$\cdots$	3	$\cdots$
$h'(x)$	$-$	0	$-$	0	$+$
$h(x)$	$\searrow$		$\searrow$	극소	$\nearrow$

따라서 함수 $h(x)$는 $x = 3$에서 극솟값을 갖는다. (참)

ㄴ. ㄱ에 의하여 $h(0) = 0$일 때

함수 $y = h(x)$의 그래프는
그림과 같다.

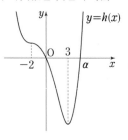

따라서 $h(0) = 0$이면 방정식

$h(x) = 0$은

$x = 0$과 $x = \alpha \ (\alpha > 3)$를

실근으로 갖는다. (참)

ㄷ. ㄱ에 의하여 $h(-2) = 0$일 때

두 함수 $y = h(x)$, $y = |h(x)|$의 그래프는 그림과 같다.

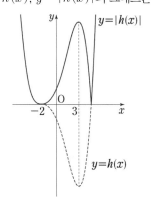

$$\lim_{x \to -2-} \frac{|h(x)| - |h(-2)|}{x - (-2)}$$

$$= \lim_{x \to -2-} \frac{h(x) - h(-2)}{x - (-2)} = h'(-2),$$

$$\lim_{x \to -2+} \frac{|h(x)| - |h(-2)|}{x - (-2)}$$

$$= \lim_{x \to -2+} \frac{-h(x) + h(-2)}{x - (-2)} = -h'(-2)$$

에서 $h'(-2) = -h'(-2) = 0$이므로

함수 $|h(x)|$는 $x = -2$에서 미분가능하다. (거짓)

따라서 옳은 것은 ㄱ, ㄴ이다.

답 ③

151

$\lim\limits_{x \to 1} \dfrac{xf(x) - f'(1)}{x - 1} = 10$에서 극한값이 존재하고

(분모)$\to 0$이므로 (분자)$\to 0$이다.

따라서 $\lim\limits_{x \to 1} \{xf(x) - f'(1)\} = f(1) - f'(1) = 0$에서

$f(1) = f'(1)$이다.

$\lim\limits_{x \to 1} \dfrac{xf(x) - f'(1)}{x - 1}$

$= \lim\limits_{x \to 1} \dfrac{xf(x) - f(1)}{x - 1}$

$= \lim\limits_{x \to 1} \dfrac{xf(x) - f(x) + f(x) - f(1)}{x - 1}$

$= \lim\limits_{x \to 1} \dfrac{(x-1)f(x)}{x - 1} + \lim\limits_{x \to 1} \dfrac{f(x) - f(1)}{x - 1}$

$= f(1) + f'(1)$

즉, $f(1) + f'(1) = 10$이고 $f(1) = f'(1)$이므로

$f(1) = f'(1) = 5$

$f(1) = 1 + a + b = 5$ ┄┄┄㉠

$f'(x) = 2x + a$에서

$f'(1) = 2 + a = 5$ ┄┄┄㉡

㉠, ㉡에서 $a = 3$, $b = 1$

$\therefore ab = 3$

답 ③

152

두 점 P, Q가 만나는 순간의 시각 t를 구하면

$-t^3 + 8t^2 - 20t + 19 = -t + 7$에서

$t^3 - 8t^2 + 19t - 12 = 0$,

$(t-1)(t-3)(t-4)=0$

$\therefore\ t=1$ 또는 $t=3$ 또는 $t=4$ ⋯⋯㉠

두 점 P와 Q가 시각 t에서 서로 반대 방향으로 움직이면
두 점 P와 Q의 속도 $f'(t)$, $g'(t)$의 부호가 서로 반대이다.
$g'(t)=-1$이므로 $f'(t)>0$일 때 두 점 P와 Q는 서로
반대 방향으로 움직인다.

$f'(t)=-3t^2+16t-20>0$에서

$-(3t-10)(t-2)>0$

$\therefore\ 2<t<\dfrac{10}{3}$ ⋯⋯㉡

㉠, ㉡을 모두 만족시키는 시각은 $t=3$이므로
이때 점 P의 위치는

$f(3)=g(3)=4$

답 4

참고

$f(t)=g(t)$에서 $t=1$ 또는 $t=3$ 또는 $t=4$이고,
$f'(t)=-3t^2+16t-20=-(3t-10)(t-2)=0$에서
$t=2$ 또는 $t=\dfrac{10}{3}$이므로
곡선 $y=f(t)$와 직선 $y=g(t)$는
오른쪽 그림과 같다.
$t=1$과 $t=4$에서 함수 $f(t)$와 $g(t)$의
값이 모두 작아지므로
두 점 P, Q는 모두 수직선의 음의
방향으로 움직인다.
즉, 두 점 P, Q는 $t=1$과 $t=4$일 때
같은 방향으로 움직이면서 만난다.
$t=3$에서 함수 $f(t)$의 값은 커지고,
함수 $g(t)$의 값은 작아지므로
점 P는 수직선의 양의 방향, 점 Q는 수직선의 음의 방향으로 움직인다.
즉, 두 점 P, Q는 $t=3$일 때 서로 반대 방향으로 움직이면서 만난다.

153

$f(-x)=f(x)$에서 사차함수 $f(x)$는 짝수차항과
상수항으로만 이루어진 함수이므로

$f(x)=x^4+ax^2+b$ (a, b는 상수)로 놓으면

$f'(x)=4x^3+2ax$

이때 함수 $f(x)$가 $x=1$에서 극솟값 2를 가지므로

$f(1)=2$, $f'(1)=0$

$f(1)=2$에서 $1+a+b=2$ $\therefore\ a+b=1$

$f'(1)=0$에서 $4+2a=0$ $\therefore\ a=-2$, $b=3$

$\therefore\ f(x)=x^4-2x^2+3$

$\quad f'(x)=4x^3-4x=4x(x+1)(x-1)$

$x=-1$ 또는 $x=0$ 또는 $x=1$에서 $f'(x)=0$이다.
함수 $f(x)$의 증가와 감소를 표로 나타내면 다음과 같다.

x	$\cdots$	-1	$\cdots$	0	$\cdots$	1	$\cdots$
$f'(x)$	$-$	0	$+$	0	$-$	0	$+$
$f(x)$	$\searrow$	극소	$\nearrow$	극대	$\searrow$	극소	$\nearrow$

따라서 함수 $f(x)$는 $x=0$에서 극대이므로 극댓값은
$f(0)=3$

답 ③

154

$f(x)=x(x-a)(x-3)$이라 하면 $f(0)=0$이므로
원점은 곡선 $y=f(x)$ 위의 점이고,
원점에서 이 곡선에 접하는 접선의 기울기는 $f'(0)$이다.
또한 원점에서 곡선 $y=f(x)$에 그은 접선 중
원점이 아닌 점 $(t, f(t))$에서의 접선의 방정식은

$y=f'(t)(x-t)+f(t)$

이고 이 직선이 원점을 지나므로

$0=-tf'(t)+f(t)$

$tf'(t)-f(t)=0$ ⋯⋯㉠

$f(x)=x(x-a)(x-3)=x^3-(a+3)x^2+3ax$에서

$f'(x)=3x^2-2(a+3)x+3a$이므로 ㉠에 의하여

$t\{3t^2-2(a+3)t+3a\}-\{t^3-(a+3)t^2+3at\}=0$

$2t^3-(a+3)t^2=0$, $t^2\{2t-(a+3)\}=0$

$\therefore\ t=\dfrac{a+3}{2}\ (\because\ t\neq0)$

따라서 원점에서 곡선 $y=f(x)$에 그은 두 접선의 기울기는
$f'(0)=3a$와

$f'\left(\dfrac{a+3}{2}\right)=3\left(\dfrac{a+3}{2}\right)^2-2(a+3)\times\dfrac{a+3}{2}+3a$

$\qquad\qquad=-\dfrac{1}{4}(a+3)^2+3a$

$\qquad\qquad=-\dfrac{1}{4}(a^2-6a+9)$

이므로 $0<a<3$인 실수 a에 대하여
두 접선의 기울기의 곱을 $g(a)$라 하면

$g(a)=3a\left\{-\dfrac{1}{4}(a^2-6a+9)\right\}=-\dfrac{3}{4}(a^3-6a^2+9a)$

$g'(a)=-\dfrac{3}{4}(3a^2-12a+9)=-\dfrac{9}{4}(a-1)(a-3)$

이므로 $a=1$일 때 $g'(a)=0$이다.

$0 < a < 3$에서 함수 $g(a)$의 증가와 감소를 표로 나타내면 다음과 같다.

a	(0)	$\cdots$	1	$\cdots$	(3)
$g'(a)$		$-$	0	$+$	
$g(a)$		$\searrow$	극소	$\nearrow$	

따라서 함수 $g(a)$는 $a = 1$일 때 극소이면서 최소이므로 구하는 최솟값은

$$g(1) = -\frac{3}{4}(1 - 6 + 9) = -3$$

답 ③

155

조건 (가)의 $xf(x) = g(x) + 1$ ……㉠

이 모든 실수 x에 대하여 성립하므로

㉠의 양변에 $x = 0$을 대입하면

$0 = g(0) + 1$

$\therefore\ g(0) = -1$

㉠의 양변을 x에 대하여 미분하면

$f(x) + xf'(x) = g'(x)$ ……㉡

㉡의 양변에 $x = 0$을 대입하면

$f(0) = g'(0)$

조건 (나)의 $\lim\limits_{x \to 0} \dfrac{f(x)g(x) + 1}{x} = -1$에서

극한값이 존재하고 (분모)$\to 0$이므로 (분자)$\to 0$이다.

즉, $f(0)g(0) + 1 = 0$이므로

$f(0) \times (-1) + 1 = 0$

$\therefore\ f(0) = 1,\ g'(0) = 1$

$$
\begin{aligned}
\lim_{x \to 0} \frac{f(x)g(x) + 1}{x} &= \lim_{x \to 0} \frac{f(x)g(x) - f(0)g(0)}{x} \\
&= f'(0)g(0) + f(0)g'(0) \\
&= f'(0) \times (-1) + 1 \times 1 \\
&= -1
\end{aligned}
$$

$\therefore\ f'(0) = 2$

따라서 점 $(0, f(0))$에서의 접선의 방정식은

$y = f'(0)x + f(0)$에서 $y = 2x + 1$이므로

점 $(0, -1)$과 직선 $2x - y + 1 = 0$ 사이의 거리는

$$\frac{|0 + 1 + 1|}{\sqrt{2^2 + (-1)^2}} = \frac{2\sqrt{5}}{5}$$

답 ②

156

$f(x) = x^4 - 2kx^2$에서

$$
\begin{aligned}
f'(x) &= 4x^3 - 4kx \\
&= 4x(x + \sqrt{k})(x - \sqrt{k})
\end{aligned}
$$

이므로 $x = -\sqrt{k}$ 또는 $x = 0$ 또는 $x = \sqrt{k}$일 때 $f'(x) = 0$이고

함수 $f(x)$의 증가와 감소를 표로 나타내면 다음과 같다.

x	$\cdots$	$-\sqrt{k}$	$\cdots$	0	$\cdots$	$\sqrt{k}$	$\cdots$
$f'(x)$	$-$	0	$+$	0	$-$	0	$+$
$f(x)$	$\searrow$	$-k^2$	$\nearrow$	0	$\searrow$	$-k^2$	$\nearrow$

따라서 함수 $f(x)$는

$x = -\sqrt{k}$에서 극솟값 $-k^2$,

$x = \sqrt{k}$에서 극솟값 $-k^2$,

$x = 0$에서 극댓값 0을 가지므로

$A(-\sqrt{k},\ -k^2),\ B(\sqrt{k},\ -k^2),\ C(0, 0)$이다.

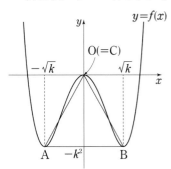

삼각형 ABC가 정삼각형이므로

$$\sqrt{k} \times \sqrt{3} = k^2$$

$\therefore\ k^3 = 3$

답 ③

157

함수 $f(x)$는 $x = 0$에서 불연속이고, $x = 1$에서는 연속이지만 미분가능하지 않다.

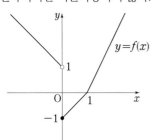

이때 다항함수 $g(x)$에 대하여

$$f(x)g(x) = \begin{cases} (-x+1)g(x) & (x<0) \\ (x-1)g(x) & (0 \le x < 1) \\ (2x-2)g(x) & (x \ge 1) \end{cases}$$

$$\{f(x)g(x)\}' = \begin{cases} -g(x) + (-x+1)g'(x) & (x<0) \\ g(x) + (x-1)g'(x) & (0 < x < 1) \\ 2g(x) + (2x-2)g'(x) & (x>1) \end{cases}$$

이므로 함수 $f(x)g(x)$가 실수 전체의 집합에서

미분가능하려면 $x=0$과 $x=1$에서 미분가능하면 된다.

(i) $x=0$에서 미분가능하려면

먼저 함수 $f(x)g(x)$가 $x=0$에서 연속이어야 하므로

$$\lim_{x \to 0-} f(x)g(x) = \lim_{x \to 0+} f(x)g(x) = f(0)g(0)$$

이어야 한다. 즉,

$$\lim_{x \to 0-} f(x)g(x) = 1 \times g(0) = g(0),$$

$$\lim_{x \to 0+} f(x)g(x) = (-1) \times g(0) = -g(0),$$

$$f(0)g(0) = (-1) \times g(0) = -g(0)$$

에서 $g(0) = -g(0)$이므로 $g(0) = 0$이다. ······㉠

또한 함수 $f(x)g(x)$의 $x=0$에서의 미분계수

$\{f(0)g(0)\}'$이 존재해야 한다. 즉,

$$\lim_{x \to 0-} \{-g(x) + (-x+1)g'(x)\} = -g(0) + g'(0),$$

$$\lim_{x \to 0+} \{g(x) + (x-1)g'(x)\} = g(0) - g'(0)$$

에서 $g'(0) = -g'(0)$이므로 $g'(0) = 0$이다. ······㉡

(ii) $x=1$에서 미분가능하려면

함수 $f(x)g(x)$의 $x=1$에서의 미분계수

$\{f(1)g(1)\}'$이 존재해야 한다. 즉,

$$\lim_{x \to 1-} \{g(x) + (x-1)g'(x)\} = g(1),$$

$$\lim_{x \to 1+} \{2g(x) + (2x-2)g'(x)\} = 2g(1)$$

에서 $g(1) = 2g(1)$이므로 $g(1) = 0$이다. ······㉢

㉠, ㉡, ㉢에 의하여 $g(x)$는 $x^2(x-1)$을 인수로 가지므로

$$h(x) = x^2(x-1)$$

$$\therefore h(3) = 18$$

답 18

참고

미분가능한 함수 $f(x)$에 대하여 다음 등식이 성립한다.

$$\lim_{x \to a} f'(x) = \lim_{x \to a} \frac{f(x) - f(a)}{x-a}$$

따라서 미분계수의 존재를 따질 때에는

$$\lim_{x \to a-} f'(x) = \lim_{x \to a+} f'(x)$$

가 성립하도록 하면 충분하다.

158

$f(x) = x^3 + ax^2 - x + b$에서

$$f'(x) = 3x^2 + 2ax - 1$$

함수 $g(x)$가 실수 전체의 집합에서 미분가능하므로

$g(x)$는 $x=1$에서 연속이다.

즉, $\lim\limits_{x \to 1-} g(x) = \lim\limits_{x \to 1+} g(x) = g(1)$이므로

$$\lim_{x \to 1-} g(x) = \lim_{x \to 1-} (x+1)f(x) = 2a + 2b,$$

$$\lim_{x \to 1+} g(x) = \lim_{x \to 1+} f(x) = a + b,$$

$g(1) = a + b$에서

$$2a + 2b = a + b$$

$$\therefore a + b = 0 \qquad\qquad ······㉠$$

또한 $g(x)$가 $x=1$에서 미분가능하므로

$$\lim_{x \to 1-} g'(x) = \lim_{x \to 1+} g'(x)$$이어야 한다.

$$g'(x) = \begin{cases} f'(x) & (x>1) \\ f(x) + (x+1)f'(x) & (x<1) \end{cases}$$이므로

$$\lim_{x \to 1-} g'(x) = \lim_{x \to 1-} \{f(x) + (x+1)f'(x)\}$$

$$= (a+b) + 2(2a+2)$$

$$= 5a + b + 4,$$

$$\lim_{x \to 1+} g'(x) = \lim_{x \to 1+} f'(x) = 2a + 2$$에서

$$5a + b + 4 = 2a + 2$$

$$\therefore 3a + b + 2 = 0 \qquad\qquad ······㉡$$

㉠, ㉡을 연립하여 풀면 $a = -1$, $b = 1$

$$\therefore f(x) = x^3 - x^2 - x + 1 = (x+1)(x-1)^2$$

$$g(x) = \begin{cases} (x+1)(x-1)^2 & (x \ge 1) \\ (x+1)^2(x-1)^2 & (x<1) \end{cases},$$

$$g'(x) = \begin{cases} (3x+1)(x-1) & (x \ge 1) \\ 4x(x+1)(x-1) & (x<1) \end{cases}$$

$g'(x) = 0$에서

$x \ge 1$일 때 $x = 1$

$x < 1$일 때 $x = 0$ 또는 $x = -1$

함수 $g(x)$의 증가와 감소를 표로 나타내면 다음과 같다.

x	$\cdots$	-1	$\cdots$	0	$\cdots$	1	$\cdots$
$g'(x)$	$-$	0	$+$	0	$-$	0	$+$
$g(x)$	$\searrow$	극소	$\nearrow$	극대	$\searrow$	극소	$\nearrow$

따라서 함수 $g(x)$는

$x = -1$에서 극솟값 $g(-1) = 0$,

$x = 0$에서 극댓값 $g(0) = 1$,

$x = 1$에서 극솟값 $g(1) = 0$

을 가지므로 서로 다른 모든 극값의 합은

$0 + 1 = 1$

답 ①

159

함수 $g(x)$가 실수 전체의 집합에서 미분가능하므로
함수 $g(x)$는 $x = 1$에서 미분가능하다.

$$\lim_{h \to 0-} \frac{g(1+h) - g(1)}{h} = \lim_{h \to 0-} \frac{f(1+h) - f(1)}{h}$$
$$= f'(1)$$

$$\lim_{h \to 0+} \frac{g(1+h) - g(1)}{h} = \lim_{h \to 0+} \frac{f(1-h) - f(1)}{h}$$
$$= -\lim_{h \to 0+} \frac{f(1-h) - f(1)}{-h}$$
$$= -f'(1)$$

$f'(1) = -f'(1)$에서 $f'(1) = 0$이다.

한편 $x > 1$일 때 함수 $y = f(2-x)$의 그래프는
함수 $y = f(x)$의 그래프를 직선 $x = 1$에 대하여
대칭이동시킨 것이므로

(i) 함수 $f(x)$가 극값을 갖지 않는 경우

함수 $y = g(x)$의 그래프는 다음 그림과 같다.

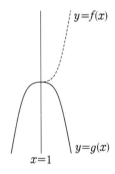

따라서 방정식 $g(x) = 0$은 서로 다른 세 실근을 가질 수
없다.

(ii) 함수 $f(x)$가 극값을 갖는 경우

함수 $f(x)$가 $x = 1$에서 극솟값을 가지면
함수 $y = g(x)$의 그래프는 다음 그림과 같다.

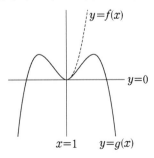

따라서 방정식 $g(x) = 0$이 서로 다른 세 실근을 가지기
위해서는 $f(1) = 0$이다.

함수 $f(x)$가 $x = 1$에서 극댓값을 가지면
함수 $y = g(x)$의 그래프는 다음 그림과 같다.

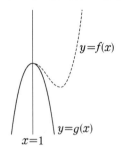

따라서 방정식 $g(x) = 0$은 서로 다른 세 실근을 가질 수
없다.

(i), (ii)에서 함수 $f(x)$는 $x = 1$에서 극솟값 0을 가진다.

$f(x) = x^3 + ax^2 + bx + 1$에서

$f'(x) = 3x^2 + 2ax + b$이므로

$f'(1) = 2a + b + 3 = 0$ ······㉠

$f(1) = a + b + 2 = 0$ ······㉡

㉠, ㉡에서 $a = -1$, $b = -1$이므로

$f(x) = x^3 - x^2 - x + 1$이다.

$\therefore f(2) = 2^3 - 2^2 - 2 + 1 = 3$

답 ①

160

$g(x) = |f(x) + 1| - |f(x) - 1|$ 이라 하면

$$g(x) = \begin{cases} -2 & (f(x) < -1) \\ 2f(x) & (-1 \le f(x) \le 1) \\ 2 & (f(x) > 1) \end{cases}$$ 이다.

$h(x) = 2f(x)$라 하면 $h(x) = \frac{1}{8}x^3 - \frac{3}{2}x$에서

$h'(x) = \frac{3}{8}x^2 - \frac{3}{2} = \frac{3}{8}(x+2)(x-2)$이므로

$x = -2$ 또는 $x = 2$일 때 $h'(x) = 0$이고

함수 $h(x)$의 증가와 감소를 표로 나타내면 다음과 같다.

x	$\cdots$	-2	$\cdots$	2	$\cdots$
$h'(x)$	$+$	0	$-$	0	$+$
$h(x)$	↗	2	↘	-2	↗

따라서 삼차함수 $h(x)$는

극댓값 $h(-2) = 2$와 극솟값 $h(2) = -2$를 갖고,

$h(-4) = -2$, $h(4) = 2$이다.

따라서 함수 $y = g(x)$의 그래프는 다음 그림과 같다.

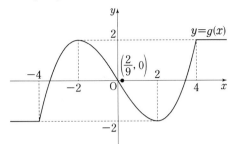

함수 $y = \dfrac{1}{a}\left(x - \dfrac{2}{9}\right)$의 그래프는

점 $\left(\dfrac{2}{9},\, 0\right)$을 지나면서 기울기가 $\dfrac{1}{a}$인 직선이므로

함수 $y = g(x)$의 그래프와의 교점의 개수가 짝수인 경우는
다음의 3가지가 있다.

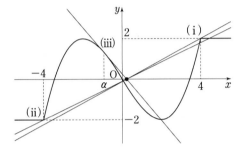

(ⅰ) 점 $(4,\, 2)$를 지날 때

$$\frac{1}{a} = \frac{2 - 0}{4 - \dfrac{2}{9}} = \frac{9}{17}$$ 이므로 $a = \dfrac{17}{9}$이다.

(ⅱ) 점 $(-4,\, -2)$를 지날 때

$$\frac{1}{a} = \frac{(-2) - 0}{(-4) - \dfrac{2}{9}} = \frac{9}{19}$$ 이므로 $a = \dfrac{19}{9}$이다.

(ⅲ) 점 $(\alpha,\, h(\alpha))$에서 접할 때

$-2 < \alpha < 0$이고 $\dfrac{1}{a} = h'(\alpha) = \dfrac{h(\alpha) - 0}{\alpha - \dfrac{2}{9}}$ 이다.

$$\frac{3}{8}\alpha^2 - \frac{3}{2} = \frac{\dfrac{1}{8}\alpha^3 - \dfrac{3}{2}\alpha}{\alpha - \dfrac{2}{9}}$$ 를 정리하면

$3\alpha^3 - \alpha^2 + 4 = 0,\ (\alpha + 1)(3\alpha^2 - 4\alpha + 4) = 0$

즉, $\alpha = -1$이므로 $a = \dfrac{1}{h'(-1)} = -\dfrac{8}{9}$이다.

(ⅰ)~(ⅲ)에서 구하는 모든 실수 a의 값의 합은

$$\frac{17}{9} + \frac{19}{9} + \left(-\frac{8}{9}\right) = \frac{28}{9}$$

$\therefore\ p + q = 9 + 28 = 37$

답 37

161

$$f(x) = \int \left(2x^3 - \frac{1}{6}x^2 + 5\right)dx + \int \left(2x^3 + \frac{1}{6}x^2\right)dx$$

$$= \int \left\{\left(2x^3 - \frac{1}{6}x^2 + 5\right) + \left(2x^3 + \frac{1}{6}x^2\right)\right\}dx$$

$$= \int (4x^3 + 5)dx$$

$$= x^4 + 5x + C \text{ (단, } C \text{는 적분상수)}$$

이때 $f(0) = -2$이므로 $C = -2$

$f(x) = x^4 + 5x - 2$

$\therefore f(-1) = -6$

답 ③

162

$$\int_0^a (3x^2 + 5x)dx + \int_a^0 (x+5)dx$$

$$= \int_0^a (3x^2 + 5x)dx - \int_0^a (x+5)dx$$

$$= \int_0^a (3x^2 + 4x - 5)dx = \left[x^3 + 2x^2 - 5x\right]_0^a$$

$$= a^3 + 2a^2 - 5a = 6$$

$a^3 + 2a^2 - 5a - 6 = 0$

$(a-2)(a+1)(a+3) = 0$

$\therefore a = 2 \ (\because a > 0)$

답 ②

163

$$\int_{-1}^1 (4x^3 + 3x^2 - 2|x| + 1)dx$$

$$= \int_{-1}^1 (4x^3 + 3x^2 + 1)dx - \int_{-1}^1 2|x|dx$$

$$= 2\int_0^1 (3x^2 + 1)dx - \left\{\int_{-1}^0 (-2x)dx + \int_0^1 2x\,dx\right\}$$

$$= 2\left[x^3 + x\right]_0^1 - \left\{\left[-x^2\right]_{-1}^0 + \left[x^2\right]_0^1\right\}$$

$$= 4 - (1+1)$$

$$= 2$$

좌표평면에서 함수 $y = 4x^3$의 그래프는
원점에 대하여 대칭이고,
함수 $y = 3x^2 - 2|x| + 1$의 그래프는
y축에 대하여 대칭이므로

$$\int_{-1}^1 (4x^3 + 3x^2 - 2|x| + 1)dx$$

$$= 2\int_0^1 (3x^2 - 2|x| + 1)dx$$

$$= 2\int_0^1 (3x^2 - 2x + 1)dx \ (\because 0 \leq x \leq 1 \text{일 때 } |x| = x)$$

$$= 2\left[x^3 - x^2 + x\right]_0^1$$

$$= 2$$

답 ⑤

164

$3x^2 - x = -7x$에서
$3x(x+2) = 0$이므로
$x = 0$ 또는 $x = -2$

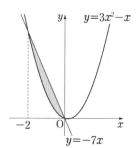

따라서 구하는 넓이는 참고

$$\int_{-2}^0 \{-7x - (3x^2 - x)\}dx$$

$$= \int_{-2}^0 (-3x^2 - 6x)dx$$

$$= \left[-x^3 - 3x^2\right]_{-2}^0$$

$$= 4$$

답 ②

참고

99쪽 ❶ 단축Key 내용을 이용하면

구하는 넓이는 $\dfrac{3\{0-(-2)\}^3}{6} = 4$이다.

165

점 P가 시각 $t = 0$에서 시각 $t = 5$까지 움직인 거리는
속도 $v(t)$의 그래프와 t축 및 직선 $t = 0$, $t = 5$로 둘러싸인
두 부분의 넓이의 합과 같다.

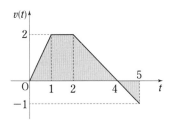

$$\frac{1}{2} \times (1 + 4) \times 2 + \frac{1}{2} \times 1 \times 1 = \frac{11}{2}$$

답 ③

166

$f'(x) = \begin{cases} -x + 1 & (x < 2) \\ 2x - 3 & (x > 2) \end{cases}$ 에서

$f(x) = \begin{cases} -\dfrac{1}{2}x^2 + x + C_1 & (x < 2) \\ x^2 - 3x + C_2 & (x > 2) \end{cases}$

(단, C_1, C_2는 적분상수)

이때 $f(4) = 9$이므로

$4 + C_2 = 9$에서 $C_2 = 5$

또한 함수 $f(x)$는 실수 전체의 집합에서 연속이므로
$x = 2$에서 연속이다.

즉, $\displaystyle\lim_{x \to 2-} \left(-\frac{1}{2}x^2 + x + C_1 \right) = \lim_{x \to 2+} (x^2 - 3x + 5)$

이므로 $C_1 = 3$

$f(x) = \begin{cases} -\dfrac{1}{2}x^2 + x + 3 & (x < 2) \\ x^2 - 3x + 5 & (x \geq 2) \end{cases}$

$$\therefore f(1) = \frac{7}{2}$$

답 ④

167

$$xf(x) = x^2 + \int_1^x f(t) dt \qquad \cdots\cdots \text{㉠}$$

㉠의 양변을 x에 대하여 미분하면

$f(x) + xf'(x) = 2x + f(x)$

$xf'(x) = 2x$

$f'(x) = 2$이므로

$f(x) = 2x + C$ (단, C는 적분상수)

㉠의 양변에 $x = 1$을 대입하면

$f(1) = 1$이므로

$2 + C = 1$에서 $C = -1$

$f(x) = 2x - 1$

$$\therefore f(10) = 19$$

답 19

168

조건 (가)에 의하여 함수 $y = f(x)$의 그래프는 직선
$x = 2$에 대하여 대칭이다.

즉, 방정식 $f(x) = 0$의 한 근을 $2 - \alpha$ ($\alpha > 0$)라 하면
다른 한 근은 $2 + \alpha$이다.

조건 (나)에 의하여 $(2 - \alpha)(2 + \alpha) = 3$이므로

$4 - \alpha^2 = 3$, $\alpha^2 = 1$

$\therefore \alpha = 1$ ($\because \alpha > 0$)

따라서 방정식 $f(x) = 0$의 두 근은 1, 3이고,
이차함수 $f(x)$의 최고차항의 계수는 3이므로

$f(x) = 3(x - 1)(x - 3) = 3x^2 - 12x + 9$

$$\begin{aligned}
\therefore \int_{-3}^{3} f(x) dx &= \int_{-3}^{3} (3x^2 - 12x + 9) dx \\
&= 2\int_{0}^{3} (3x^2 + 9) dx \\
&= 2\left[x^3 + 9x \right]_0^3 \\
&= 2 \times 54 = 108
\end{aligned}$$

답 ③

169

조건 (가)에 의하여 함수 $f(x)$를
$f(x) = x^3 + ax$ (단, a는 상수)라
하면 TIP

$f'(x) = 3x^2 + a$에서

$f'(2) = 0$이므로

$f'(2) = 12 + a = 0$,

$a = -12$이다.

$f(x) = x^3 - 12x$

$\quad = x(x + 2\sqrt{3})(x - 2\sqrt{3}) = 0$

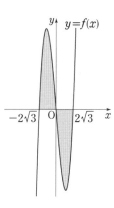

이므로 $x = 0$ 또는 $x = -2\sqrt{3}$ 또는 $x = 2\sqrt{3}$ 이다. **참고①**

따라서 구하는 넓이는 **참고②**

$$\int_{-2\sqrt{3}}^{0} f(x)dx + \int_{0}^{2\sqrt{3}} \{-f(x)\}dx$$

$$= \int_{-2\sqrt{3}}^{0} (x^3 - 12x)dx + \int_{0}^{2\sqrt{3}} \{-(x^3 - 12x)\}dx$$

$$= \left[\frac{1}{4}x^4 - 6x^2\right]_{-2\sqrt{3}}^{0} - \left[\frac{1}{4}x^4 - 6x^2\right]_{0}^{2\sqrt{3}}$$

$$= 36 - (-36) = 72$$

답 72

TIP

$f(x) = x^3 + ax^2 + bx + c$ (단, a, b, c는 상수)라 하면
조건 (가)에서

$$\int_{-x}^{x} f(t)dt = \int_{-x}^{x} (t^3 + at^2 + bt + c)dt$$

$$= 2\int_{0}^{x} (at^2 + c)dt = 2\left[\frac{a}{3}t^3 + ct\right]_{0}^{x}$$

$$= 2\left(\frac{a}{3}x^3 + cx\right) = 0$$

즉, 모든 실수 x에 대하여 $\frac{a}{3}x^3 + cx = 0$을 만족시켜야 하므로
$a = c = 0$이다.
따라서 $f(x) = x^3 + bx$ 꼴이다.

참고①

극값을 갖는 삼차함수 $y = f(x)$의 그래프는 항상 다음과 같은
길이 관계를 만족시킨다.

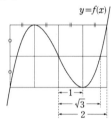

(1) 그림의 직사각형 8개는 서로 합동이다.
(2) 표시된 세 부분의 길이는 $1 : \sqrt{3} : 2$의 비를 갖는다.
따라서 위의 문제에서 $f(0) = 0$이고 $x = 2$에서 극솟값을 가지므로
$f(2\sqrt{3}) = 0$, $f(-2\sqrt{3}) = 0$임을 바로 알 수 있다.

참고②

곡선 $y = f(x)$는 원점에 대하여 대칭이므로
구하는 넓이는 $2\int_{-2\sqrt{3}}^{0} f(x)dx$의 값과 같다.

170

$f(x)$는 $f'(x)$의 한 부정적분이므로

조건 (가)의 $\lim_{x \to 0} \frac{1}{x}\int_{-6}^{x} f'(t)dt = 36$에서

$$\lim_{x \to 0} \frac{f(x) - f(-6)}{x} = 36$$

이때 극한값이 존재하고 $x \to 0$일 때 (분모)$\to 0$이므로
(분자)$\to 0$이다.

즉, $\lim_{x \to 0}\{f(x) - f(-6)\} = 0$에서 $f(0) = f(-6)$이고,

$$\lim_{x \to 0} \frac{f(x) - f(-6)}{x} = \lim_{x \to 0} \frac{f(x) - f(0)}{x}$$

$$= f'(0) = 36$$

따라서 $f(x) = x^3 + ax^2 + bx + c$ (a, b, c는 상수)로

놓으면 $f'(x) = 3x^2 + 2ax + b$이고,

$f(0) = f(-6)$에서 $c = -216 + 36a - 6b + c$

$\therefore 6a - b = 36$

또한 $f'(0) = 36$에서 $b = 36$, $a = 12$

$\therefore f(x) = x^3 + 12x^2 + 36x + c$,

$\quad f'(x) = 3x^2 + 24x + 36 = 3(x+6)(x+2)$

$x = -6$ 또는 $x = -2$에서 $f'(x) = 0$이므로
함수 $f(x)$의 증가와 감소를 표로 나타내면 다음과 같다.

x	$\cdots$	-6	$\cdots$	-2	$\cdots$
$f'(x)$	$+$	0	$-$	0	$+$
$f(x)$	↗	극대	↘	극소	↗

조건 (나)에서 함수 $f(x)$는 $x = -6$에서 극댓값 5를 갖고,
$f(0) = f(-6)$이므로 $f(0) = c = 5$이다.

따라서 $f(x) = x^3 + 12x^2 + 36x + 5$이므로 극솟값은
$f(-2) = -8 + 48 - 72 + 5 = -27$

답 ④

171

$$\int_{-a}^{a} (x^3 - 6x^2 + x + 8)dx = 2\int_{0}^{a} (-6x^2 + 8)dx$$

$$= 2\left[-2x^3 + 8x\right]_{0}^{a}$$

$$= -4a(a+2)(a-2) = 0$$

$\therefore a = 2 \ (\because a > 0)$

답 ①

172

$f(x) = x(x-2)(x+2)$라 하면
함수 $y = f(x)$의 그래프는 그림과 같다.

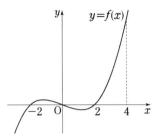

$0 \le x \le 2$일 때 $f(x) \le 0$이고
$x \ge 2$일 때 $f(x) \ge 0$이므로

$\int_0^4 |x(x-2)(x+2)| dx$

$= \int_0^2 \{-(x^3 - 4x)\} dx + \int_2^4 (x^3 - 4x) dx$

$= -\left[\dfrac{1}{4}x^4 - 2x^2 \right]_0^2 + \left[\dfrac{1}{4}x^4 - 2x^2 \right]_2^4$

$= 4 + 36 = 40$

답 40

173

$\int_0^1 tf(t) dt = a$ (단, a는 상수)라 하면

$f(x) = x^2 - 6x + a$이므로

$\int_0^1 tf(t) dt = \int_0^1 t(t^2 - 6t + a) dt$

$\qquad = \int_0^1 (t^3 - 6t^2 + at) dt$

$\qquad = \left[\dfrac{1}{4}t^4 - 2t^3 + \dfrac{a}{2}t^2 \right]_0^1$

$\qquad = -\dfrac{7}{4} + \dfrac{a}{2} = a$

에서 $a = -\dfrac{7}{2}$

따라서 $f(x) = x^2 - 6x - \dfrac{7}{2}$이므로

$6 \int_0^1 f(x) dx = 6 \int_0^1 \left(x^2 - 6x - \dfrac{7}{2} \right) dx$

$\qquad = 6 \left[\dfrac{1}{3}x^3 - 3x^2 - \dfrac{7}{2}x \right]_0^1$

$\qquad = 6 \left(\dfrac{1}{3} - 3 - \dfrac{7}{2} \right) = -37$

답 ①

174

두 곡선 $y = -x^3 + 4x^2$, $y = ax^2 - 4ax$의 교점의
x좌표는 $-x^3 + 4x^2 = ax^2 - 4ax$에서

$x^3 + (a-4)x^2 - 4ax = 0$

$x(x+a)(x-4) = 0$

$\therefore \ x = 0$ 또는 $x = -a$ 또는 $x = 4$

이때 $S_2 - S_1 = 8$이므로

$\int_{-a}^4 \{(-x^3 + 4x^2) - (ax^2 - 4ax)\} dx$

$\qquad - \int_0^{-a} \{(ax^2 - 4ax) - (-x^3 + 4x^2)\} dx$

$= \int_{-a}^4 \{(-x^3 + 4x^2) - (ax^2 - 4ax)\} dx$

$\qquad + \int_0^{-a} \{(-x^3 + 4x^2) - (ax^2 - 4ax)\} dx$

$= \int_0^4 \{(-x^3 + 4x^2) - (ax^2 - 4ax)\} dx$

$= \int_0^4 \{-x^3 + (4-a)x^2 + 4ax\} dx$

$= \left[-\dfrac{1}{4}x^4 + \dfrac{4-a}{3}x^3 + 2ax^2 \right]_0^4$

$= \dfrac{64}{3} + \dfrac{32}{3}a = 8$

에서 $64 + 32a = 24$

$\therefore \ a = -\dfrac{5}{4}$

답 ②

175

조건 (나)에서

$\displaystyle\lim_{h \to 0} \dfrac{f(x+h) - f(x-h)}{h}$

$= \displaystyle\lim_{h \to 0} \dfrac{f(x+h) - f(x) + f(x) - f(x-h)}{h}$

$= \displaystyle\lim_{h \to 0} \dfrac{f(x+h) - f(x)}{h} + \lim_{h \to 0} \dfrac{f(x-h) - f(x)}{-h}$

$= f'(x) + f'(x) = 2f'(x)$

$= 6x^2 + kx + 2$

따라서 $f'(x) = 3x^2 + \dfrac{k}{2}x + 1$이므로

$$f(x) = \int f'(x)dx = \int \left(3x^2 + \frac{k}{2}x + 1\right)dx$$

$$= x^3 + \frac{k}{4}x^2 + x + C \text{ (단, } C \text{는 적분상수)}$$

조건 (가)에서 $f(0) = f(1)$이므로

$$C = 1 + \frac{k}{4} + 1 + C$$

$$\therefore k = -8$$

따라서 $f'(x) = 3x^2 - 4x + 1$이므로

$$f'(k) = f'(-8) = 192 + 32 + 1 = 225 = 15^2$$

$$\therefore n = 15$$

🔲 15

176

$$f(x) = 2x^3 + 4x - \int_0^x \left\{\frac{d}{dt}f(t)\right\}dt \qquad \cdots\cdots \text{㉠}$$

에서

$$\int_0^x \left\{\frac{d}{dt}f(t)\right\}dt = \int_0^x f'(t)dt$$

$$= \Big[f(t)\Big]_0^x$$

$$= f(x) - f(0)$$

이고, ㉠의 양변에 $x = 0$을 대입하면 $f(0) = 0$이므로

$f(x) = 2x^3 + 4x - f(x)$에서

$$f(x) = x^3 + 2x$$

$$\therefore \int_0^2 f(x)dx = \int_0^2 (x^3 + 2x)dx$$

$$= \left[\frac{1}{4}x^4 + x^2\right]_0^2 = 8$$

다른풀이

$$f(x) = 2x^3 + 4x - \int_0^x \left\{\frac{d}{dt}f(t)\right\}dt \qquad \cdots\cdots \text{㉠}$$

㉠의 양변을 x에 대하여 미분하면

$f'(x) = 6x^2 + 4 - f'(x)$에서

$f'(x) = 3x^2 + 2$이므로

$f(x) = x^3 + 2x + C$ (단, C는 적분상수)

㉠의 양변에 $x = 0$을 대입하면

$f(0) = 0$이므로 $C = 0$

$$f(x) = x^3 + 2x$$

$$\therefore \int_0^2 f(x)dx = \int_0^2 (x^3 + 2x)dx$$

$$= \left[\frac{1}{4}x^4 + x^2\right]_0^2 = 8$$

🔲 ②

177

시각 t에서의 두 점 P, Q의 위치를
각각 $x_P(t)$, $x_Q(t)$라 하면

$$x_P(t) = \frac{1}{3}t^3 + 3t^2 + 5t + C_1 \text{ (단, } C_1 \text{은 적분상수)}$$

$$x_Q(t) = -t^3 + t^2 + 7t + C_2 \text{ (단, } C_2 \text{는 적분상수)}$$

이때 $x_P(0) = x_Q(0) = 0$이므로

$C_1 = C_2 = 0$에서

$$x_P(t) = \frac{1}{3}t^3 + 3t^2 + 5t, \ x_Q(t) = -t^3 + t^2 + 7t$$

이때 시각 t에서의 점 M의 위치를 $x_M(t)$라 하면

$$x_M(t) = \frac{1}{2}\{x_P(t) + x_Q(t)\}$$

$$= \frac{1}{2}\left\{\left(\frac{1}{3}t^3 + 3t^2 + 5t\right) + (-t^3 + t^2 + 7t)\right\}$$

$$= -\frac{1}{3}t^3 + 2t^2 + 6t$$

$$\therefore x_M(3) = 27$$

🔲 27

178

$$xf(x) = 2x^3 - x^2 + 6a + \int_a^x f(t)dt \qquad \cdots\cdots \text{㉠}$$

의 양변을 x에 대하여 미분하면

$$f(x) + xf'(x) = 6x^2 - 2x + f(x)$$

$$xf'(x) = 6x^2 - 2x$$

이때 $f(x)$는 다항함수이므로

$$f'(x) = 6x - 2$$

$$\therefore f(x) = \int f'(x)dx = \int (6x - 2)dx$$

$$= 3x^2 - 2x + C \text{ (단, } C \text{는 적분상수)}$$

$f(0) = 0$이므로 $C = 0$

$$\therefore f(x) = 3x^2 - 2x \qquad \cdots\cdots \text{㉡}$$

한편 ㉠의 양변에 $x = a$를 대입하면

$$af(a) = 2a^3 - a^2 + 6a$$

$a > 0$이므로 $f(a) = 2a^2 - a + 6$ $\qquad$ ……ⓒ

ⓛ에서 $f(a) = 3a^2 - 2a$이므로 ⓒ과 비교하면

$3a^2 - 2a = 2a^2 - a + 6,\ a^2 - a - 6 = 0$

$(a+2)(a-3) = 0$

$\therefore\ a = 3\ (\because\ a > 0)$

$\therefore\ f(a) = f(3) = 27 - 6 = 21$

답 ⑤

179

모든 실수 x에 대하여 $f(x+2) = f(x)$이므로
함수 $f(x)$는 주기가 2인 주기함수이다.

$\displaystyle\int_1^4 f(x)dx$

$\displaystyle = \int_1^2 f(x)dx + \int_2^3 f(x)dx + \int_3^4 f(x)dx$

$\displaystyle = \int_1^2 f(x)dx + \int_0^1 f(x)dx + \int_1^2 f(x)dx$

$\displaystyle = \int_0^1 f(x)dx + 2\int_1^2 f(x)dx$

$\displaystyle = a\int_0^1 x^2 dx + 2a\int_1^2 (2-x)dx$

$\displaystyle = a\left[\frac{1}{3}x^3\right]_0^1 + 2a\left[2x - \frac{1}{2}x^2\right]_1^2$

$\displaystyle = \frac{1}{3}a + a = \frac{4}{3}a = 12$

이므로 $a = 9$, $f(x) = \begin{cases} 9x^2 & (0 \le x < 1) \\ 9(2-x) & (1 \le x < 2) \end{cases}$이다.

$\therefore\ f(5) = f(3) = f(1) = 9$

답 9

180

조건 (가), (나)에서 $f(0) = f(a) = 0$이고
$f'(a) = 0$이므로
함수 $f(x)$를 $f(x) = x(x-a)^2$이라 할 수 있다.

$f(x) = x^3 - 2ax^2 + a^2 x$에서

$f'(x) = 3x^2 - 4ax + a^2$

$\qquad = (x-a)(3x-a)$

$x = a$ 또는 $x = \dfrac{a}{3}$일 때, $f'(x) = 0$을 만족시킨다.

조건 (나)에서 $f'(1) = 0$이므로 $1 = \dfrac{a}{3}$에서 $a = 3$

$f(x) = x(x-3)^2$

곡선 $y = f(x)$와 x축으로 둘러싸인 부분의 넓이는

$\displaystyle \int_0^3 f(x)dx = \int_0^3 (x^3 - 6x^2 + 9x)dx$

$\displaystyle \qquad = \left[\frac{1}{4}x^4 - 2x^3 + \frac{9}{2}x^2\right]_0^3 = \frac{27}{4}$

답 ④

181

$\displaystyle \int_{-2}^1 (2x^5 - 4|x| + 3)dx - \int_{-2}^{-1}(2x^5 + 4x + 3)dx$

$\displaystyle = \left\{\int_{-2}^0 (2x^5 + 4x + 3)dx + \int_0^1 (2x^5 - 4x + 3)dx\right\}$

$\displaystyle \qquad\qquad\qquad\qquad - \int_{-2}^{-1}(2x^5 + 4x + 3)dx$

$\displaystyle = \int_{-2}^0 (2x^5 + 4x + 3)dx + \int_0^1 (2x^5 - 4x + 3)dx$

$\displaystyle \qquad\qquad\qquad\qquad + \int_{-1}^{-2}(2x^5 + 4x + 3)dx$

$\displaystyle = \int_{-1}^0 (2x^5 + 4x + 3)dx + \int_0^1 (2x^5 - 4x + 3)dx$

$\displaystyle = \int_{-1}^1 (2x^5 + 3)dx + \int_{-1}^0 4x\,dx - \int_0^1 4x\,dx$

$\displaystyle = 2\int_0^1 3\,dx + \int_{-1}^0 4x\,dx - \int_0^1 4x\,dx$

$\displaystyle = 2\left[3x\right]_0^1 + \left[2x^2\right]_{-1}^0 - \left[2x^2\right]_0^1$

$= 6 - 2 - 2 = 2$

답 ②

182

함수 $F(x)$는 함수 $f(x)$의 한 부정적분이므로

$F(x) = \begin{cases} x^2 + C_1 & (x \ge 0) \\ \dfrac{k}{3}x^3 - kx^2 + C_2 & (x < 0) \end{cases}$

(단, C_1, C_2는 적분상수)

함수 $F(x)$가 실수 전체의 집합에서 미분가능하므로
$x=0$에서 연속이다.

즉, $\lim\limits_{x \to 0-} F(x) = \lim\limits_{x \to 0+} F(x) = F(0)$에서

$C_1 = C_2$

$$\therefore F(x) = \begin{cases} x^2 + C_1 & (x \geq 0) \\ \dfrac{k}{3}x^3 - kx^2 + C_1 & (x < 0) \end{cases}$$

이때 $F(3) - F(-1) = 13$에서

$(9 + C_1) - \left(-\dfrac{4}{3}k + C_1\right) = 13$

$\dfrac{4}{3}k = 4$ $\quad \therefore k = 3$

따라서 $f(x) = \begin{cases} 2x & (x \geq 0) \\ 3x^2 - 6x & (x < 0) \end{cases}$이므로

$f(2) - f(-2) = 4 - 24 = -20$

다른풀이

함수 $F(x)$는 함수 $f(x)$의 한 부정적분이므로

$F(3) - F(-1) = \Big[F(x)\Big]_{-1}^{3}$

$\qquad = \displaystyle\int_{-1}^{3} f(x)\,dx$

$\qquad = \displaystyle\int_{-1}^{0} f(x)\,dx + \int_{0}^{3} f(x)\,dx$

$\qquad = \displaystyle\int_{-1}^{0} (kx^2 - 2kx)\,dx + \int_{0}^{3} 2x\,dx$

$\qquad = \left[\dfrac{k}{3}x^3 - kx^2\right]_{-1}^{0} + \Big[x^2\Big]_{0}^{3}$

$\qquad = \dfrac{4}{3}k + 9 = 13$

에서 $k = 3$

따라서 $f(x) = \begin{cases} 2x & (x \geq 0) \\ 3x^2 - 6x & (x < 0) \end{cases}$이므로

$f(2) - f(-2) = 4 - 24 = -20$

답 ⑤

183

$x^2 - 4 = -(x-2)^2$에서

$2x(x-2) = 0$이므로

$x = 0$ 또는 $x = 2$

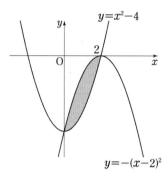

따라서 구하는 넓이는 **참고**

$\displaystyle\int_{0}^{2} \{-(x-2)^2 - (x^2 - 4)\}\,dx$

$= \displaystyle\int_{0}^{2} (-2x^2 + 4x)\,dx$

$= \left[-\dfrac{2}{3}x^3 + 2x^2\right]_{0}^{2} = \dfrac{8}{3}$

$\therefore p + q = 3 + 8 = 11$

답 11

> **참고**
>
> 99쪽 ❶ **단축Key** 내용을 이용하면
>
> 구하는 넓이는 $\dfrac{|-2|(2-0)^3}{6} = \dfrac{8}{3}$ 이다.

184

조건 (가)에서

$f(x) = \displaystyle\int (x^3 - 3x^2 - 4x)\,dx$

$\qquad = \dfrac{x^4}{4} - x^3 - 2x^2 + C$ (단, C는 적분상수)

$f'(x) = x^3 - 3x^2 - 4x = x(x+1)(x-4)$이므로

$x = -1$ 또는 $x = 0$ 또는 $x = 4$일 때 $f'(x) = 0$이다.

함수 $f(x)$의 증가와 감소를 표로 나타내면 다음과 같다.

x	$\cdots$	-1	$\cdots$	0	$\cdots$	4	$\cdots$
$f'(x)$	$-$	0	$+$	0	$-$	0	$+$
$f(x)$	$\searrow$	$C-\dfrac{3}{4}$	$\nearrow$	C	$\searrow$	$C-32$	$\nearrow$

이때 $C - \dfrac{3}{4} > C - 32$이므로

함수 $f(x)$는 $x = 4$에서 최솟값 $C - 32$를 갖는다.

조건 (나)에서 모든 실수 x에 대하여 $f(x) \geq 0$이려면

함수 $f(x)$의 최솟값이 0 이상이어야 하므로

$C - 32 \geq 0$에서 $C \geq 32$

$f(0) = C$이므로 구하는 $f(0)$의 최솟값은 32이다.

답 32

185

시각 $t = 0$일 때 동시에 점 $A(1)$을 출발하여 수직선 위를 움직이는 두 점 P, Q의 시각 t $(t \geq 0)$에서의 속도가 각각 $v_1(t) = 2t - 6$, $v_2(t) = -3t^2 + 5t$이므로

시각 t에서의 두 점 P, Q의 위치를 각각 $x_1(t)$, $x_2(t)$라 하면

$$x_1(t) = \int (2t - 6)dt$$
$$= t^2 - 6t + C_1 \text{ (단, } C_1 \text{은 적분상수)}$$
$$x_2(t) = \int (-3t^2 + 5t)dt$$
$$= -t^3 + \frac{5}{2}t^2 + C_2 \text{ (단, } C_2 \text{는 적분상수)}$$

이때 $x_1(0) = x_2(0) = 1$이므로

$C_1 = C_2 = 1$

$x_1(t) = t^2 - 6t + 1$, $x_2(t) = -t^3 + \frac{5}{2}t^2 + 1$

한편 두 속도가 같아지는 순간은

$2t - 6 = -3t^2 + 5t$에서

$3t^2 - 3t - 6 = 0$

$3(t + 1)(t - 2) = 0$

$\therefore t = 2 \ (\because t \geq 0)$

이때 두 점 P, Q 사이의 거리는

$|x_1(2) - x_2(2)| = |(-7) - 3| = 10$이다.

답 10

186

$$\int_1^x (t + 1)f(t)dt = \{f(x)\}^2 \qquad \cdots\cdots \text{㉠}$$

㉠의 양변을 x에 대하여 미분하면

$(x + 1)f(x) = 2f(x)f'(x)$이므로

$f'(x) = \frac{1}{2}x + \frac{1}{2} \ (\because f(x)$는 상수함수가 아닌 다항함수$)$

$$f(x) = \int f'(x)dx$$
$$= \frac{1}{4}x^2 + \frac{1}{2}x + C \text{ (단, } C \text{는 적분상수)}$$

㉠의 양변에 $x = 1$을 대입하면

$0 = \{f(1)\}^2$에서 $f(1) = 0$이므로

$f(1) = \frac{3}{4} + C = 0$, $C = -\frac{3}{4}$이고

$f(x) = \frac{1}{4}x^2 + \frac{1}{2}x - \frac{3}{4}$이다.

$\therefore f(5) = 8$

답 ③

187

$f(x) = x^2 + ax + b$ $(a, b$는 상수$)$라 하면

$$\int_{-2}^1 f(x)dx = \int_{-2}^1 (x^2 + ax + b)dx$$
$$= \left[\frac{1}{3}x^3 + \frac{a}{2}x^2 + bx \right]_{-2}^1$$
$$= -\frac{3}{2}a + 3b + 3 = 0 \qquad \cdots\cdots \text{㉠}$$

$$\int_{-1}^2 f(x)dx = \int_{-1}^2 (x^2 + ax + b)dx$$
$$= \left[\frac{1}{3}x^3 + \frac{a}{2}x^2 + bx \right]_{-1}^2$$
$$= \frac{3}{2}a + 3b + 3 = 0 \qquad \cdots\cdots \text{㉡}$$

㉠, ㉡을 연립하여 풀면 $a = 0$, $b = -1$이므로

$f(x) = x^2 - 1$

$\therefore f(4) = 15$

답 15

참고

$$\int_{-2}^1 f(x)dx = \int_{-1}^2 f(x)dx$$에서

$$\int_{-2}^{-1} f(x)dx + \int_{-1}^1 f(x)dx = \int_{-1}^1 f(x)dx + \int_1^2 f(x)dx$$이므로

$$\int_{-2}^{-1} f(x)dx = \int_1^2 f(x)dx$$이다.

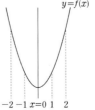

따라서 이차함수 $y = f(x)$의 그래프의 축은 직선 $x = 0$임을 직관적으로 파악할 수 있다.

188

삼차함수 $f(x)$의 최고차항의 계수를 a라 하면

$f'(1) = f'(2) = 0$이므로

$f'(x) = 3a(x-1)(x-2)$

$\qquad = a(3x^2 - 9x + 6)$

$f(x) = a\left(x^3 - \dfrac{9}{2}x^2 + 6x\right) + C$ (단, C는 적분상수)

$f(1) = \dfrac{5}{2}a + C = 1$ ⋯⋯㉠

$f(2) = 2a + C = 2$ ⋯⋯㉡

㉠, ㉡을 연립하여 풀면

$a = -2$, $C = 6$이다.

$\therefore f(x) = -2x^3 + 9x^2 - 12x + 6$

$f(x)$의 한 부정적분을 $F(x)$라 하면

$\displaystyle \lim_{t \to 0} \frac{1}{t} \int_0^{2t} f(x)dx = \lim_{t \to 0} \frac{F(2t) - F(0)}{t}$

$\displaystyle \qquad\qquad = 2\lim_{t \to 0} \frac{F(2t) - F(0)}{2t}$

$\qquad\qquad = 2F'(0) = 2f(0)$

$\qquad\qquad = 2 \times 6 = 12$

답 ②

189

두 곡선 $y = -2x^4 + 3x$, $y = 2x^4 - 2x^3 + x$로 둘러싸인 도형의 넓이는

두 곡선 $y = -ax^2 + (a+1)x$, $y = 2x^4 - 2x^3 + x$로 둘러싸인 도형의 넓이의 2배와 같다.

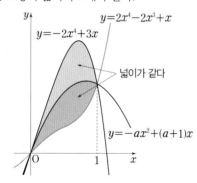

따라서

$\displaystyle \int_0^1 \{(-2x^4 + 3x) - (2x^4 - 2x^3 + x)\}dx$

$\displaystyle = 2\int_0^1 \{(-ax^2 + ax + x) - (2x^4 - 2x^3 + x)\}dx$

이므로

$\displaystyle \int_0^1 (-4x^4 + 2x^3 + 2x)dx$

$\displaystyle = \int_0^1 (-4x^4 + 4x^3 - 2ax^2 + 2ax)dx$

에서

$\displaystyle \int_0^1 (2x^3 - 2ax^2 + 2ax - 2x)dx = 0$

$\left[\dfrac{1}{2}x^4 - \dfrac{2}{3}ax^3 + ax^2 - x^2\right]_0^1 = 0$

$\dfrac{1}{3}a - \dfrac{1}{2} = 0$

$\therefore a = \dfrac{3}{2}$

답 ③

190

함수 $f(x)$가 실수 전체의 집합에서 증가하므로

함수 $f(x)$는 일대일대응이며 역함수가 존재하고,

함수 $y = f(x)$의 그래프와 함수 $y = f^{-1}(x)$의 그래프는

직선 $y = x$에 대하여 대칭이다.

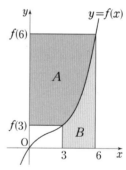

$\displaystyle \int_{f(3)}^{f(6)} f^{-1}(x)dx$의 값은 곡선 $y = f(x)$와 y축 및 두 직선

$y = f(3)$, $y = f(6)$으로 둘러싸인 부분의 넓이와 같으므로

그림에서 영역 A의 넓이와 같고

$\displaystyle \int_3^6 f(x)dx$의 값은 곡선 $y = f(x)$와 x축 및 두 직선

$x = 3$, $x = 6$으로 둘러싸인 부분의 넓이와 같으므로

그림에서 영역 B의 넓이와 같다.

따라서 $\displaystyle \int_3^6 f(x)dx + \int_{f(3)}^{f(6)} f^{-1}(x)dx$의 값은

가로의 길이가 6이고 세로의 길이가 $f(6)$인 직사각형의

넓이에서

가로의 길이가 3이고 세로의 길이가 $f(3)$인 직사각형의

넓이를 뺀 값과 같으므로

$$\int_3^6 f(x)dx + \int_{f(3)}^{f(6)} f^{-1}(x)dx = 6f(6) - 3f(3)$$
$$= 6f(6) - 6 = 54$$

에서 $6f(6) = 60$

$\therefore f(6) = 10$

답 10

191

$f(x) = \int_{-1}^x t(t-2)(t-a)dt$의

양변을 x에 대하여 미분하면

$f'(x) = x(x-2)(x-a)$

이때 $f'(3) = 18$이므로

$3(3-a) = 18$에서

$a = -3$

$\therefore f(0) = \int_{-1}^0 t(t-2)(t+3)dt$

$= \int_{-1}^0 (t^3 + t^2 - 6t)dt$

$= \left[\frac{1}{4}t^4 + \frac{1}{3}t^3 - 3t^2\right]_{-1}^0$

$= \frac{37}{12}$

답 ②

192

$4x^3 - 4x^2 - 8x = 0$에서

$4x(x-2)(x+1) = 0$이므로

$x = -1$ 또는 $x = 0$ 또는 $x = 2$

삼차함수 $y = 4x^3 - 4x^2 - 8x$의 그래프는 그림과 같다.

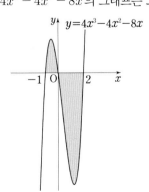

따라서 구하는 넓이는

$$\int_{-1}^0 (4x^3 - 4x^2 - 8x)dx + \int_0^2 -(4x^3 - 4x^2 - 8x)dx$$

$$= \left[x^4 - \frac{4}{3}x^3 - 4x^2\right]_{-1}^0 - \left[x^4 - \frac{4}{3}x^3 - 4x^2\right]_0^2$$

$$= \frac{5}{3} - \left(-\frac{32}{3}\right) = \frac{37}{3}$$

답 ⑤

193

$$\int_{-1}^1 \{f(x)\}^2 dx = \int_{-1}^1 (ax+3)^2 dx$$

$$= \int_{-1}^1 (a^2x^2 + 6ax + 9)dx$$

$$= 2a^2 \int_0^1 x^2 dx + 2\int_0^1 9 dx$$

$$= 2a^2 \left[\frac{1}{3}x^3\right]_0^1 + 2\left[9x\right]_0^1$$

$$= \frac{2}{3}a^2 + 18$$

$$\left\{\int_{-1}^1 f(x)dx\right\}^2 = \left\{\int_{-1}^1 (ax+3)dx\right\}^2$$

$$= \left\{2\int_0^1 3\,dx\right\}^2$$

$$= \left\{2\left[3x\right]_0^1\right\}^2 = 36$$

따라서 $\frac{2}{3}a^2 + 18 = 36$이므로 $a^2 = 27$

$\therefore a = 3\sqrt{3} \ (\because a > 0)$

답 ⑤

194

$|x+1| + |x-1| = \begin{cases} -2x & (x \leq -1) \\ 2 & (-1 < x \leq 1) \\ 2x & (x > 1) \end{cases}$이다.

$$\therefore \int_{-2}^2 (|x+1| + |x-1|)dx$$

$$= \int_{-2}^{-1} (-2x)dx + \int_{-1}^1 2dx + \int_1^2 2x dx$$

$$= \left[-x^2\right]_{-2}^{-1} + 2\left[2x\right]_0^1 + \left[x^2\right]_1^2$$

$$= 3 + 4 + 3 = 10$$

답 10

195

$f'(x) = -x^2 + 1$이므로

$f(x) = -\dfrac{1}{3}x^3 + x + C$ (단, C는 적분상수)

이때 $f(1) = 0$이므로 $-\dfrac{1}{3} + 1 + C = 0$, $C = -\dfrac{2}{3}$

$f(x) = -\dfrac{1}{3}x^3 + x - \dfrac{2}{3}$

$\quad = -\dfrac{1}{3}(x-1)^2(x+2)$

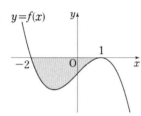

곡선 $y = f(x)$와 x축으로 둘러싸인 부분의 넓이는

$$\int_{-2}^{1}\{-f(x)\}dx = \int_{-2}^{1}\left(\dfrac{1}{3}x^3 - x + \dfrac{2}{3}\right)dx$$

$$= \left[\dfrac{1}{12}x^4 - \dfrac{1}{2}x^2 + \dfrac{2}{3}x\right]_{-2}^{1} = \dfrac{9}{4}$$

$\therefore\ p + q = 4 + 9 = 13$

답 13

196

두 조건 (가), (나)에 의하여 함수 $y = f(x)$의 그래프는 다음 그림과 같다.

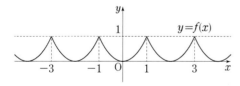

$g(x) = \displaystyle\int_{1}^{x} f(t)\,dt$이므로

$$g(k+6) - g(k) = \int_{1}^{k+6} f(t)\,dt - \int_{1}^{k} f(t)\,dt$$

$$= \int_{1}^{k+6} f(t)\,dt + \int_{k}^{1} f(t)\,dt$$

$$= \int_{k}^{k+6} f(t)\,dt = 6\int_{0}^{1} f(t)\,dt$$

$$= 6\int_{0}^{1} t^2\,dt = 6\left[\dfrac{1}{3}t^3\right]_{0}^{1}$$

$$= 6 \times \dfrac{1}{3} = 2$$

답 ③

197

조건 (가)에서

$f(-1) = f(0) = f(4) = k$ (k는 상수)라 하면

$f(x)$는 최고차항의 계수가 1인 삼차함수이므로

$f(x) - k = x(x+1)(x-4)$

$\therefore\ f(x) = x^3 - 3x^2 - 4x + k$

$$\int_{0}^{2} f(x)dx = \int_{0}^{2}(x^3 - 3x^2 - 4x + k)dx$$

$$= \left[\dfrac{1}{4}x^4 - x^3 - 2x^2 + kx\right]_{0}^{2}$$

$$= 4 - 8 - 8 + 2k = 2k - 12$$

조건 (나)에서 $\displaystyle\int_{0}^{2} f(x)dx = 4$이므로

$2k - 12 = 4$

$\therefore\ k = 8$

따라서 $f(x) = x^3 - 3x^2 - 4x + 8$이므로

$f(1) = 1 - 3 - 4 + 8 = 2$

답 ④

198

$g(x) = -\displaystyle\int_{-2}^{x} f(t)dt$에서

$g'(x) = -f(x) = \dfrac{1}{16}x^2(x-1)(x-2)$이므로

$x = 0$ 또는 $x = 1$ 또는 $x = 2$일 때 $g'(x) = 0$이다.

함수 $g(x)$의 증가와 감소를 표로 나타내면 다음과 같다.

x	$\cdots$	0	$\cdots$	1	$\cdots$	2	$\cdots$
$g'(x)$	+	0	+	0	−	0	+
$g(x)$	↗		↗	극대	↘	극소	↗

$$g(2) = -\int_{-2}^{2} f(t)dt$$

$$= -\int_{-2}^{2}\dfrac{1}{16}(-t^4 + 3t^3 - 2t^2)dt$$

$$= \dfrac{1}{8}\int_{0}^{2}(t^4 + 2t^2)dt$$

$$= \dfrac{1}{8}\left[\dfrac{1}{5}t^5 + \dfrac{2}{3}t^3\right]_{0}^{2} = \dfrac{22}{15}$$

따라서 함수 $g(x)$는 $x = 2$에서 극솟값 $\dfrac{22}{15}$를 갖는다.

$\therefore\ p + q = 15 + 22 = 37$

답 37

199

$v(t) = 6t^2 - 6(a+1)t + 6a = 6(t-1)(t-a)$에서
$t = 1$ 또는 $t = a$일 때 $v(t) = 0$이다.

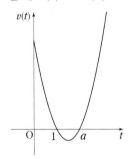

이때 $a > 1$이므로

점 P는 $t = 1$일 때 첫 번째로 운동 방향이 바뀌고,

$t = a$일 때 두 번째로 운동 방향이 바뀐다.

즉, 점 P가 출발한 후,

첫 번째로 운동 방향이 바뀌는 순간부터

두 번째로 운동 방향이 바뀌는 순간까지 움직인 거리는

$$\int_1^a |v(t)|\,dt = \int_1^a \{-v(t)\}\,dt$$

$$= \int_1^a \{-6t^2 + 6(a+1)t - 6a\}\,dt$$

$$= \Big[-2t^3 + 3(a+1)t^2 - 6at \Big]_1^a$$

$$= \{-2a^3 + 3a^2(a+1) - 6a^2\}$$
$$\qquad - \{-2 + 3(a+1) - 6a\}$$

$$= a^3 - 3a^2 + 3a - 1$$

이 거리가 1이므로

$a^3 - 3a^2 + 3a - 1 = 1$, $(a-2)(a^2-a+1) = 0$

$\therefore \ a = 2$

답 ①

200

$f(x) = x(x+2)(x-1)(x-3)$에서
$f(1-x) = (1-x)(3-x)(-x)(-2-x)$
$\qquad\quad = x(x+2)(x-1)(x-3) = f(x)$

이므로 곡선 $y = f(x)$는 직선 $x = \dfrac{1}{2}$에 대하여 대칭이다.

이때 $-2 \le x \le 0$에서 곡선 $y = f(x)$와 x축으로
둘러싸인 부분의 넓이와

$1 \le x \le 3$에서 곡선 $y = f(x)$와 x축으로 둘러싸인
부분의 넓이는 서로 같으므로

$$-\int_{-2}^0 f(x)\,dx = \int_1^3 \{-f(x)\}\,dx \qquad\qquad \cdots\cdots \text{㉠}$$

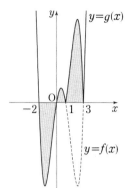

$$\int_{-2}^3 g(x)\,dx$$

$$= \int_{-2}^0 g(x)\,dx + \int_0^1 g(x)\,dx + \int_1^3 g(x)\,dx$$

$$= \int_{-2}^0 f(x)\,dx + \int_0^1 f(x)\,dx + \int_1^3 \{-f(x)\}\,dx$$

$$= \int_0^1 f(x)\,dx \ (\because \ \text{㉠})$$

$$= \int_0^1 (x^4 - 2x^3 - 5x^2 + 6x)\,dx$$

$$= \Big[\frac{1}{5}x^5 - \frac{1}{2}x^4 - \frac{5}{3}x^3 + 3x^2 \Big]_0^1$$

$$= \frac{31}{30}$$

$\therefore \ p + q = 30 + 31 = 61$

답 61

201

모든 실수 x에 대하여 $f(-x) = f(x)$이므로
함수 $f(x)$는 y축에 대하여 대칭이다.

$$\int_{-4}^{-1} f(x)\,dx = \int_1^4 f(x)\,dx = 4$$이므로

$$\int_{-1}^1 f(x)\,dx = \int_{-1}^4 f(x)\,dx - \int_1^4 f(x)\,dx$$

$$= 8 - 4 = 4$$

답 ②

202

$f(x) = x \displaystyle\int_2^x (3t^2 - 4t + 1)\,dt$의

양변을 x에 대하여 미분하면

$$f'(x) = \int_2^x (3t^2 - 4t + 1)\,dt + x(3x^2 - 4x + 1)$$

이므로

$$f'(2) = 0 + 10 = 10$$

$$\therefore \lim_{h \to 0} \frac{1}{h} \int_{2-h}^{2+h} f'(x)\,dx$$

$$= \lim_{h \to 0} \frac{f(2+h) - f(2-h)}{h}$$

$$= \lim_{h \to 0} \left\{ \frac{f(2+h) - f(2)}{h} + \frac{f(2-h) - f(2)}{-h} \right\}$$

$$= 2f'(2) = 20$$

답 ⑤

203

$$\int_{-1}^1 f(x)\,dx = \int_{-1}^1 (3x^2 + ax + b)\,dx$$

$$= 2\int_0^1 (3x^2 + b)\,dx = 2\left[x^3 + bx\right]_0^1$$

$$= 2(1 + b) = 2 + 2b \qquad \cdots\cdots \text{㉠}$$

$$\int_{-1}^1 xf(x)\,dx = \int_{-1}^1 (3x^3 + ax^2 + bx)\,dx$$

$$= 2\int_0^1 ax^2\,dx = 2\left[\frac{a}{3}x^3\right]_0^1$$

$$= \frac{2}{3}a \qquad \cdots\cdots \text{㉡}$$

㉠=㉡이므로

$$2 + 2b = \frac{2}{3}a$$

$$\therefore b = \frac{a}{3} - 1$$

따라서 $f(x) = 3x^2 + ax + \dfrac{a}{3} - 1$이므로

$$f\left(-\frac{1}{3}\right) = \frac{1}{3} - \frac{a}{3} + \frac{a}{3} - 1 = -\frac{2}{3}$$

답 ②

204

$x^2 + 2|x| - 8 = \begin{cases} x^2 + 2x - 8 & (x \geq 0) \\ x^2 - 2x - 8 & (x < 0) \end{cases}$ 이므로

곡선 $y = x^2 + 2|x| - 8$과 x축의 교점의 x좌표를 구간을 나누어 구해 보자.

(i) $x \geq 0$일 때, $x^2 + 2x - 8 = 0$에서

$$(x + 4)(x - 2) = 0$$

$$\therefore x = 2 \ (\because x \geq 0)$$

(ii) $x < 0$일 때, $x^2 - 2x - 8 = 0$에서

$$(x + 2)(x - 4) = 0$$

$$\therefore x = -2 \ (\because x < 0)$$

(i), (ii)에 의하여 곡선 $y = x^2 + 2|x| - 8$의 그래프는 다음 그림과 같다.

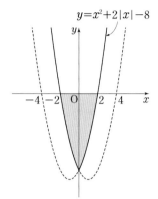

따라서 이 곡선은 y축에 대하여 대칭이므로

$$S = -2\int_0^2 (x^2 + 2x - 8)\,dx$$

$$= -2\left[\frac{1}{3}x^3 + x^2 - 8x\right]_0^2$$

$$= -2 \times \left(\frac{8}{3} + 4 - 16\right) = \frac{56}{3}$$

$$\therefore 3S = 3 \times \frac{56}{3} = 56$$

답 56

205

시각 $t = 0$에서 점 P의 위치가 8이므로

시각 $t = 2$에서 점 P의 위치는

$$8 + \int_0^2 v(t)\,dt = 8 + \int_0^2 (3t^2 - 4t + m)\,dt$$

$$= 8 + \left[t^3 - 2t^2 + mt\right]_0^2$$

$$= 8 + (8 - 8 + 2m) = 2m + 8$$

이때 시각 $t = 2$에서 점 P의 위치가 0이므로

$$2m + 8 = 0$$

$$\therefore m = -4$$

즉, $v(t) = 3t^2 - 4t - 4 = (3t + 2)(t - 2)$이므로

구간 $[1, 2]$에서 $v(t) \leq 0$,

구간 $[2, 3]$에서 $v(t) \geq 0$이다.

따라서 시각 $t = 1$에서 $t = 3$까지 점 P가 움직인 거리는

$$\int_1^3 |v(t)| dt$$

$$= \int_1^2 (-3t^2 + 4t + 4)dt + \int_2^3 (3t^2 - 4t - 4)dt$$

$$= \left[-t^3 + 2t^2 + 4t \right]_1^2 + \left[t^3 - 2t^2 - 4t \right]_2^3$$

$$= (-8 + 8 + 8) - (-1 + 2 + 4) + (27 - 18 - 12)$$
$$- (8 - 8 - 8)$$

$$= 8$$

답 ④

206

조건 (가)의 $\lim\limits_{x \to 0} \dfrac{f(x) - 2}{x} = 4$에서 극한값이 존재하고

$x \to 0$일 때 (분모) $\to 0$이므로 (분자) $\to 0$이다.

즉, $\lim\limits_{x \to 0} \{f(x) - 2\} = 0$에서 $f(0) = 2$

$$\therefore \lim\limits_{x \to 0} \frac{f(x) - f(0)}{x} = f'(0) = 4$$

한편 조건 (나)의 $f(x) = (x^2 + 1) \displaystyle\int g(x) dx$ ······㉠

에서 $g(x)$의 차수를 n (n은 자연수)이라 하면

$\displaystyle\int g(x) dx$의 차수는 $n + 1$이므로

$(x^2 + 1) \displaystyle\int g(x) dx$의 차수는 $n + 3$이다.

이때 함수 $f(x)$의 차수가 4이므로 ㉠의 양변의 차수를

비교하면

$4 = n + 3$ $\quad \therefore n = 1$

즉, 함수 $g(x)$는 일차함수이므로

$g(x) = ax + b$ (a, b는 상수, $a \neq 0$)로 놓을 수 있다.

㉠의 양변을 x에 대하여 미분하면

$$f'(x) = 2x \int g(x) dx + (x^2 + 1)g(x)$$

위의 식의 양변에 $x = 0$을 대입하면

$f'(0) = 0 + g(0)$ $\quad \therefore b = 4$ ($\because f'(0) = 4$)

$$f(x) = (x^2 + 1) \int (ax + 4) dx$$

$$= (x^2 + 1)\left(\frac{1}{2}ax^2 + 4x + C \right) \text{ (단, C는 적분상수)}$$

이고 $f(0) = 2$이므로 $C = 2$

또한 함수 $f(x)$의 최고차항의 계수가 1이므로

$$\frac{1}{2}a = 1 \qquad \therefore a = 2$$

$$\therefore f(x) = (x^2 + 1)(x^2 + 4x + 2), g(x) = 2x + 4$$

$$\therefore f(-1) + g(1) = -2 + 6 = 4$$

답 ④

207

$\displaystyle\int_0^1 g(t) dt = k$ (k는 상수)라 하면 ······㉠

조건 (가)에서 $f(x) = 6x - 2k$

$g(x)$는 함수 $f(x)$의 한 부정적분이므로

$$g(x) = \int f(x) dx = \int (6x - 2k) dx$$

$$= 3x^2 - 2kx + C \text{ (단, C는 적분상수)}$$

$g(0) = C$, $g(1) = 3 - 2k + C$이고

$$\int_0^1 g(t) dt = \int_0^1 (3t^2 - 2kt + C) dt$$

$$= \left[t^3 - kt^2 + Ct \right]_0^1$$

$$= 1 - k + C \qquad \text{······㉡}$$

이므로 조건 (나)에 대입하면

$C + (1 - k + C) = 3 - 2k + C$

$$\therefore C = 2 - k$$

이를 ㉡에 대입하면

$$\int_0^1 g(t) dt = 1 - k + (2 - k) = 3 - 2k \qquad \text{······㉢}$$

㉠=㉢이므로

$k = 3 - 2k$

$$\therefore k = 1, C = 1$$

따라서 $g(x) = 3x^2 - 2x + 1$이므로

$$\int_0^2 g(x) dx = \int_0^2 (3x^2 - 2x + 1) dx$$

$$= \left[x^3 - x^2 + x \right]_0^2$$

$$= 8 - 4 + 2 = 6$$

답 ③

208

조건 (가), (나)에 의하여

$x < 3$일 때 $f'(x) \leq 0$, $x > 3$일 때 $f'(x) \geq 0$이다.

$$\therefore \int_0^4 |f'(x)|dx = \int_0^3 |f'(x)|dx + \int_3^4 |f'(x)|dx$$

$$= -\int_0^3 f'(x)dx + \int_3^4 f'(x)dx$$

$$= -\Big[f(x)\Big]_0^3 + \Big[f(x)\Big]_3^4$$

$$= -\{f(3) - f(0)\} + f(4) - f(3)$$

$$= f(0) + f(4) - 2f(3)$$

$$= 11 + 11 - 2 \times (-16)$$

$$= 22 + 32 = 54$$

답 54

> **참고**
>
> 문제에서 주어진 조건에 의하여
> $f'(3) = 0$, $f(3) = -16$, $f(0) = f(4) = 11$이므로
> 조건을 만족시키는 사차함수 $f(x)$ 중
> 최고차항의 계수가 1인 사차함수는
> $f(x) = x^4 - 4x^3 + 11$이다.

209

$\displaystyle\lim_{x \to 1} \frac{1}{x-1} \int_{-1}^x (t+1)f(t)dt = 8$에서 극한값이 존재하고

(분모)$\to 0$이므로 (분자)$\to 0$이다.

즉, $\displaystyle\lim_{x \to 1} \int_{-1}^x (t+1)f(t)dt = 0$에서

$\displaystyle\int_{-1}^1 (t+1)f(t)dt = 0$이다.

이때 모든 실수 x에 대하여 $f(x) = f(-x)$가 성립하므로
$f(x)$는 짝수차항 또는 상수항의 합으로 이루어진 식이고,
$xf(x)$는 홀수차항의 합으로 이루어진 식이다.

$$\int_{-1}^1 (t+1)f(t)dt = \int_{-1}^1 tf(t)dt + \int_{-1}^1 f(t)dt$$

$$= 0 + 2\int_0^1 f(t)dt = 0$$

$$\int_0^1 f(t)dt = 0 \qquad \cdots\cdots \text{㉠}$$

또한

$$\int_{-1}^x (t+1)f(t)dt$$

$$= \int_{-1}^1 (t+1)f(t)dt + \int_1^x (t+1)f(t)dt$$

$$= \int_1^x (t+1)f(t)dt \qquad \cdots\cdots \text{㉡}$$

따라서 함수 $(x+1)f(x)$의 한 부정적분을 $F(x)$라 하면

$$\lim_{x \to 1} \frac{1}{x-1} \int_{-1}^x (t+1)f(t)dt$$

$$= \lim_{x \to 1} \frac{1}{x-1} \int_1^x (t+1)f(t)dt \ (\because \text{㉡})$$

$$= \lim_{x \to 1} \frac{F(x) - F(1)}{x-1} = F'(1)$$

$$= 2f(1) = 8$$

$$\therefore f(1) = 4$$

이때 $f(x) = ax^2 + b$ (단, a, b는 상수, $a \neq 0$)라 하면
$f(1) = a + b = 4$이고

㉠에서

$$\int_0^1 f(t)dt = \int_0^1 (at^2 + b)dt = \Big[\frac{a}{3}t^3 + bt\Big]_0^1$$

$$= \frac{a}{3} + b = 0$$

이므로 두 식을 연립하여 풀면

$$a = 6, \ b = -2, \ f(x) = 6x^2 - 2$$

$$\therefore f(2) = 22$$

답 ②

210

$f(0) = f(3) = 0$이므로
$f(x) = ax(x-3)$ (단, $a > 0$)이라 놓을 수 있다.

이때 $h(x) = f(x) - g(x)$라 하면
$f(0) = g(0)$, $f(k) = g(k)$에서
$h(0) = h(k) = 0$이므로
$h(x) = ax(x-k)$이다.

$$S_1 = -\int_0^3 ax(x-3)dx$$

$$= -\Big[\frac{a}{3}x^3 - \frac{3a}{2}x^2\Big]_0^3 = \frac{9}{2}a$$

$$S_2 = -\int_0^k ax(x-k)dx - S_1$$

$$= -\Big[\frac{a}{3}x^3 - \frac{ak}{2}x^2\Big]_0^k - \frac{9}{2}a$$

$$= \frac{k^3}{6}a - \frac{9}{2}a \ \boxed{\text{참고}}$$

이때 $\dfrac{S_2}{S_1}=7$, 즉 $S_2=7S_1$이므로

$\dfrac{k^3}{6}a-\dfrac{9}{2}a=7\times\dfrac{9}{2}a$에서 $k^3=6^3$ $(\because\ a\ne 0)$

$\therefore\ k=6$

$S_2+S_3=\dfrac{1}{2}\times k\times f(k)$

$\qquad\quad=\dfrac{1}{2}\times 6\times 18a=54a$

$\therefore\ \dfrac{S_2+S_3}{S_1}=\dfrac{54a}{\dfrac{9}{2}a}=12$

답 12

> **참고**
>
> 99쪽의 ❶ **단축Key** 의 내용을 이용하면
>
> $S_1=\dfrac{a(3-0)^3}{6}=\dfrac{9}{2}a,$
>
> $S_2=\dfrac{a(k-0)^3}{6}-\dfrac{9}{2}a=\dfrac{k^3}{6}a-\dfrac{9}{2}a$이다.

211

$\displaystyle\int_{2}^{x}\{f(t)-g(t)\}dt=\dfrac{3}{2}x^2+3x-12$의

양변을 x에 대하여 미분하면

$f(x)-g(x)=3x+3$ ……㉠

$\displaystyle\int_{-2}^{x}\{f(t)+g(t)\}dt=x^3-3x+2$의

양변을 x에 대하여 미분하면

$f(x)+g(x)=3x^2-3$ ……㉡

㉠, ㉡을 연립하여 풀면

$f(x)=\dfrac{3}{2}x^2+\dfrac{3}{2}x=\dfrac{3}{2}x(x+1),$

$g(x)=\dfrac{3}{2}x^2-\dfrac{3}{2}x-3=\dfrac{3}{2}(x+1)(x-2)$이다.

두 함수 $y=\dfrac{4}{3}f(x)$, $y=2g(x)$의 그래프의 교점의

x좌표는 방정식 $\dfrac{4}{3}f(x)=2g(x)$에서

$\dfrac{4}{3}f(x)-2g(x)=2x(x+1)-3(x+1)(x-2)$

$\qquad\qquad\qquad\qquad=-(x+1)(x-6)=0$

이므로 $x=-1$ 또는 $x=6$이다.

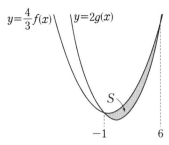

따라서 구하는 넓이는 **참고**

$S=\displaystyle\int_{-1}^{6}(-x^2+5x+6)dx$

$\quad=\left[-\dfrac{1}{3}x^3+\dfrac{5}{2}x^2+6x\right]_{-1}^{6}$

$\quad=\dfrac{343}{6}$

$\therefore\ 6S=6\times\dfrac{343}{6}=343$

답 343

> **참고**
>
> 99쪽 ❶ **단축Key** 내용을 이용하면
>
> 구하는 넓이는 $S=\dfrac{|-1|\{6-(-1)\}^3}{6}=\dfrac{343}{6}$이다.

212

$\displaystyle\int_{-t}^{t}f(x)dx$

$=\displaystyle\int_{-t}^{0}(-3x-3)dx+\int_{0}^{t}(x^2-2x-3)dx$

$=\left[-\dfrac{3}{2}x^2-3x\right]_{-t}^{0}+\left[\dfrac{1}{3}x^3-x^2-3x\right]_{0}^{t}$

$=-\left(-\dfrac{3}{2}t^2+3t\right)+\left(\dfrac{1}{3}t^3-t^2-3t\right)$

$=\dfrac{1}{3}t^3+\dfrac{1}{2}t^2-6t$

$F(t)=\displaystyle\int_{-t}^{t}f(x)dx$

$\qquad\quad=\dfrac{1}{3}t^3+\dfrac{1}{2}t^2-6t$

라 하면

$F'(t)=t^2+t-6=(t+3)(t-2)$

$t=-3$ 또는 $t=2$일 때 $F'(t)=0$이므로 $t>0$에서

함수 $F(t)$의 증가와 감소를 표로 나타내면 다음과 같다.

t	(0)	$\cdots$	2	$\cdots$
$F'(t)$		$-$	0	$+$
$F(t)$	0	$\searrow$	$-\dfrac{22}{3}$	$\nearrow$

함수 $F(t)$는 $t=2$일 때 최솟값 $-\dfrac{22}{3}$를 가지므로

$a=2$, $b=-\dfrac{22}{3}$이다.

$\therefore \dfrac{b}{a}=\left(-\dfrac{22}{3}\right)\div 2=-\dfrac{11}{3}$

답 ②

213

$f(x)=x^3-6x^2+k$에서

$f'(x)=3x^2-12x=3x(x-4)$

$x=0$ 또는 $x=4$일 때 $f'(x)=0$이므로

함수 $f(x)$의 증가와 감소를 표로 나타내면 다음과 같다.

x	$\cdots$	0	$\cdots$	4	$\cdots$
$f'(x)$	$+$	0	$-$	0	$+$
$f(x)$	$\nearrow$	극대	$\searrow$	극소	$\nearrow$

즉, $a=0$, $b=4$이므로 함수 $f(x)$의 극댓값은 $f(0)=k$,
극솟값은 $f(4)=k-32$이다.

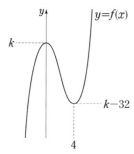

$\displaystyle\int_a^b f(x)dx=\int_0^4 (x^3-6x^2+k)dx$

$\qquad = \left[\dfrac{1}{4}x^4-2x^3+kx\right]_0^4$

$\qquad = 64-128+4k$

$\qquad = 4k-64$

이므로 $\displaystyle\int_a^b f(x)dx>0$에서

$4k-64>0$

$\therefore k>16$

따라서 구하는 정수 k의 최솟값은 17이다.

답 17

참고

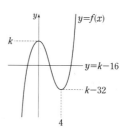

위의 그림에서 $k-16=0$, 즉 $k=16$일 때

x축은 직선 $y=k-16$이 되므로 $\displaystyle\int_a^b f(x)dx=0$이다.

$k-16>0$, 즉 $k>16$일 때

x축은 직선 $y=k-16$보다 아래에 있으므로 $\displaystyle\int_a^b f(x)dx>0$이다.

$k-16<0$, 즉 $k<16$일 때

x축은 직선 $y=k-16$보다 위에 있으므로 $\displaystyle\int_a^b f(x)dx<0$이다.

214

$t=2$에서 점 P의 속도는

$v(2)=-|2-1|+1=0$

이므로 $t\geq 2$일 때 $v(t)$는

$v(t)=0+\displaystyle\int_2^t a(t)dt=\int_2^t (2t-6)dt$

$\qquad = \left[t^2-6t\right]_2^t=t^2-6t+8$

$\therefore v(t)=\begin{cases} -|t-1|+1 & (0\leq t\leq 2) \\ t^2-6t+8 & (t\geq 2) \end{cases}$

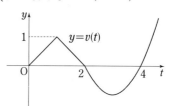

$0\leq t\leq 2$일 때 $v(t)\geq 0$, $2\leq t\leq 4$일 때 $v(t)\leq 0$
이므로 시각 $t=0$에서 $t=4$까지 점 P가 움직인 거리는

$\displaystyle\int_0^4 |v(t)|dt=\int_0^2 |v(t)|dt+\int_2^4 |v(t)|dt$

$\qquad = \displaystyle\int_0^2 v(t)dt-\int_2^4 v(t)dt$

$\qquad = \displaystyle\int_0^2 v(t)dt-\int_2^4 (t^2-6t+8)dt$

$\qquad = \dfrac{1}{2}\times 2\times 1-\left[\dfrac{1}{3}t^3-3t^2+8t\right]_2^4$

$\qquad = 1-\left(-\dfrac{4}{3}\right)=\dfrac{7}{3}$

답 ②

215

$$\{f(x)\}^2 + 6\int_0^x f(t)dt = x^4 + 8x^3 + 18x^2 \quad \cdots\cdots \text{㉠}$$

㉠의 양변에 $x=0$을 대입하면

$\{f(0)\}^2 = 0$이므로 $f(0)=0$이다.

㉠의 양변을 x에 대하여 미분하면

$2f(x)f'(x) + 6f(x) = 4x^3 + 24x^2 + 36x$

$f(x)\{f'(x)+3\} = 2x(x+3)^2 \quad \cdots\cdots \text{㉡}$

이때 $f(x)$를 n차식이라고 하면,

$f'(x)+3$은 $(n-1)$차식이므로

㉡의 좌변은 $n+(n-1) = 2n-1$, 즉 $(2n-1)$차식이다.

또한 우변은 3차식이므로

$2n-1 = 3$에서 $n=2$, 즉 $f(x)$는 이차식이다.

따라서 ㉡에서 $f(x)$는 $x(x+3)$ 또는 $(x+3)^2$을 인수로

가져야 한다.

이때 $f(0)=0$이므로

$f(x) = ax(x+3)$ (단, $a \neq 0$) 꼴이다.

$f'(x) = 2ax+3a$이므로 $f'(x)+3 = 2ax+3a+3$

이때 ㉡에서 $f'(x)+3$이 $x+3$을 인수로 가져야 하므로

인수정리에 의하여 $f'(-3)+3 = 0$에서

$-6a+3a+3 = 0$, $a=1$이다.

$\therefore f(x) = x(x+3)$

$\therefore f(1) = 4$

답 ④

216

$$f(2-x) = -f(2+x) \quad \cdots\cdots \text{㉠}$$

㉠의 양변에 $x=0$을 대입하면

$f(2) = -f(2)$ $\quad \therefore f(2)=0$

즉, $f(x) = (x-2)(x^2+ax+b)$ (a, b는 상수)로 놓을 수

있다.

조건 (나)에 의하여 $f(3)-f(1) = -6$이고,

㉠의 양변에 $x=1$을 대입하면 $f(1) = -f(3)$이므로

$f(1) = 3$, $f(3) = -3$

$f(1) = 3$에서 $-(1+a+b) = 3$

$\therefore a+b = -4 \quad \cdots\cdots \text{㉡}$

$f(3) = -3$에서 $9+3a+b = -3$

$\therefore 3a+b = -12 \quad \cdots\cdots \text{㉢}$

㉡, ㉢을 연립하여 풀면 $a=-4$, $b=0$

$\therefore f(x) = (x-2)(x^2-4x) = x(x-2)(x-4)$

즉, 함수 $y=f(x)$의 그래프는 다음 그림과 같으므로

$\int_2^x f(t)dt$는 $x=4$에서 최솟값을 갖는다.

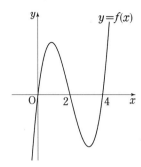

따라서 $\int_2^x f(t)dt$의 최솟값은

$$\int_2^4 f(t)dt = \int_2^4 (t^3 - 6t^2 + 8t)dt$$

$$= \left[\frac{1}{4}t^4 - 2t^3 + 4t^2\right]_2^4 = -4$$

답 ②

217

조건 (가)에서 이차함수 $y=f(x)$의 그래프는

직선 $x=1$에 대하여 대칭이므로

$f(x) = (x-1)^2 + a = x^2 - 2x + a + 1$ (단, a는 상수)

이라 하자.

조건 (나)에서 함수 $f(x)$의 한 부정적분 $F(x)$에 대하여

$$\lim_{x \to 0} \frac{1}{x} \int_0^x f(t)dt = \lim_{x \to 0} \frac{F(x)-F(0)}{x-0}$$

$$= F'(0) = f(0) = a+1 = 2$$

이므로 $a=1$, $f(x) = x^2 - 2x + 2$

$\therefore f(5) = 17$

답 17

218

삼차함수 $f(x)$의 최고차항의 계수가 2이므로

도함수 $f'(x)$는 최고차항의 계수가 6인 이차함수이다.

이때 $f'(0) = f'(1) = 0$이므로

$f'(x) = 6x(x-1) = 6x^2 - 6x$

$$\therefore f(x) = \int f'(x)dx = \int (6x^2 - 6x)dx$$

$$= 2x^3 - 3x^2 + C \text{ (단, } C\text{는 적분상수)}$$

$f(0) = C$이므로 $f(x) = 2x^3 - 3x^2 + f(0)$

(i) $x \le 0$일 때

$$g(x) = f(x) - f(0) = 2x^3 - 3x^2$$

(ii) $x > 0$일 때

$$g(x) = f(x+1) - f(1)$$
$$= \{2(x+1)^3 - 3(x+1)^2 + f(0)\}$$
$$\qquad\qquad - \{2 - 3 + f(0)\}$$
$$= 2x^3 + 3x^2$$

(i), (ii)에 의하여 $g(x) = \begin{cases} 2x^3 - 3x^2 & (x \le 0) \\ 2x^3 + 3x^2 & (x > 0) \end{cases}$

$\therefore \displaystyle\int_{-1}^{1} |g(x)|\, dx$

$\displaystyle = \int_{-1}^{0} |g(x)|\, dx + \int_{0}^{1} |g(x)|\, dx$

$\displaystyle = \int_{-1}^{0} |2x^3 - 3x^2|\, dx + \int_{0}^{1} |2x^3 + 3x^2|\, dx$

$\displaystyle = \int_{-1}^{0} (-2x^3 + 3x^2)\, dx + \int_{0}^{1} (2x^3 + 3x^2)\, dx$

$\displaystyle = \left[-\frac{1}{2}x^4 + x^3 \right]_{-1}^{0} + \left[\frac{1}{2}x^4 + x^3 \right]_{0}^{1}$

$\displaystyle = -\left(-\frac{1}{2} - 1 \right) + \left(\frac{1}{2} + 1 \right) = 3$

답 ②

참고

$x \le 0$에서 함수 $y = g(x)$의 그래프는
곡선 $y = f(x)$를 y축의 방향으로 $-f(0)$만큼
평행이동시킨 후 $x \le 0$인 부분만 남긴 것이다.
또한 $x > 0$에서 함수 $y = g(x)$의 그래프는
곡선 $y = f(x)$를 x축의 방향으로 -1만큼,
y축의 방향으로 $-f(1)$만큼 평행이동시킨 후
$x > 0$인 부분만 남긴 것이다.
이때 $f'(x) = 6x(x-1)$에서 함수 $f(x)$는
$x = 0$에서 극대, $x = 1$에서 극소이므로
함수 $y = g(x)$의 그래프는 곡선 $y = f(x)$에서
$x \le 0$인 부분에서 극대인 점 $(0, f(0))$과
$x > 0$인 부분에서 극소인 점 $(1, f(1))$을 원점으로
각각 평행이동시켜 이어붙인 모양이다.

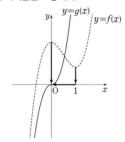

219

함수 $f(x)$가 모든 실수 x에 대하여
$f(x) = f(2-x)$이므로 함수 $y = f(x)$의 그래프는
직선 $x = 1$에 대하여 대칭이고,
$f(x) = -f(-2-x)$이므로
함수 $y = f(x)$의 그래프는 점 $(-1, f(-1))$,
즉 $(-1, 0)$에 대하여 대칭이다.
따라서 함수 $y = f(x)$의 그래프는 다음 그림과 같고,
주기는 8이다.

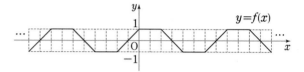

이때 모든 정수 n에 대하여
$\displaystyle\int_{n}^{n+8} f(x)\, dx = 0$이므로

$\displaystyle\int_{-30}^{30} f(x)\, dx$

$\displaystyle = \int_{-30}^{2} f(x)\, dx + \int_{2}^{6} f(x)\, dx + \int_{6}^{30} f(x)\, dx$

$= 0 + (-2) + 0 = -2$

답 ①

220

주어진 그림에서 $f'(-2) = f'(2) = 0$이므로
$f'(x) = a(x+2)(x-2) = a(x^2 - 4)$ (단, a는 상수)
이때 $f'(0) = -4$이므로
$-4a = -4, \ a = 1$
$\therefore \ f'(x) = x^2 - 4$

$f(x) = \displaystyle\int (x^2 - 4)\, dx = \frac{1}{3}x^3 - 4x + C_1$

(단, C_1은 적분상수)

주어진 조건에서 $f(0) = 0$이므로 $C_1 = 0$

$f(x) = \dfrac{1}{3}x^3 - 4x$

$g(x) = \displaystyle\int \left[\frac{d}{dx} \{ xf(x) \} \right] dx$

$\qquad = xf(x) + C_2$ (단, C_2는 적분상수)

$\qquad = \dfrac{1}{3}x^4 - 4x^2 + C_2$

$$g'(x) = \frac{4}{3}x^3 - 8x = \frac{4}{3}x(x+\sqrt{6})(x-\sqrt{6})$$

$x = -\sqrt{6}$ 또는 $x = 0$ 또는 $x = \sqrt{6}$ 일 때
$g'(x) = 0$이다.

함수 $g(x)$의 증가와 감소를 표로 나타내면 다음과 같다.

x	$\cdots$	$-\sqrt{6}$	$\cdots$	0	$\cdots$	$\sqrt{6}$	$\cdots$
$g'(x)$	$-$	0	$+$	0	$-$	0	$+$
$g(x)$	$\searrow$	$C_2 - 12$	$\nearrow$	C_2	$\searrow$	$C_2 - 12$	$\nearrow$

함수 $g(x)$는 $x = 0$일 때 극댓값 3을 가지므로
$g(0) = C_2 = 3$이고
$x = -\sqrt{6}$, $x = \sqrt{6}$일 때 극솟값 $C_2 - 12 = -9$를
갖는다.

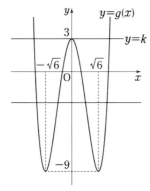

방정식 $g(x) = k$의 서로 다른 실근의 개수가 3 이상이려면
곡선 $y = g(x)$와 직선 $y = k$의 교점의 개수가 3 이상이어야
하므로 $-9 < k \le 3$이다.
이 중 정수 k는 $-8, -7, -6, \cdots, 1, 2, 3$이므로
구하는 모든 정수 k의 값의 합은 -30이다.

답 ③

221

$x^3 - 3x^2 + 2x = 0$에서
$x(x-1)(x-2) = 0$이므로
$x = 0$ 또는 $x = 1$ 또는 $x = 2$이고
함수 $y = f(x)$의 그래프는 그림과 같다.

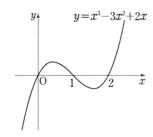

$0 \le x \le 1$일 때 $f(x) \ge 0$이고
$1 < x \le 2$일 때 $f(x) \le 0$이다.

$$\therefore \int_0^2 \{|f(x)| + f(x)\}dx$$

$$= \int_0^1 \{f(x) + f(x)\}dx + \int_1^2 \{-f(x) + f(x)\}dx$$

$$= 2\int_0^1 f(x)dx = 2\int_0^1 (x^3 - 3x^2 + 2x)dx$$

$$= 2\left[\frac{1}{4}x^4 - x^3 + x^2\right]_0^1 = \frac{1}{2}$$

답 ③

222

직선 $y = ax + b$가 점 $(3, f(3))$을 지나고
$f(x) = (x+1)(x-2)^2$에서 $f(3) = 4$이므로
$3a + b = 4$ $\qquad\qquad$ ······㉠
또한 $S_1 = S_2$이므로

$$\int_0^3 \{f(x) - (ax+b)\}dx = 0$$이다. **TIP**

$$\int_0^3 \{x^3 - 3x^2 + 4 - (ax+b)\}dx$$

$$= \int_0^3 (x^3 - 3x^2 - ax - b + 4)dx$$

$$= \left[\frac{1}{4}x^4 - x^3 - \frac{a}{2}x^2 + (4-b)x\right]_0^3$$

$$= \frac{81}{4} - 27 - \frac{9}{2}a + 3(4-b) = 0$$

에서 $6a + 4b = 7$ $\qquad\qquad$ ······㉡
㉠, ㉡을 연립하여 풀면

$$a = \frac{3}{2}, \, b = -\frac{1}{2}$$

$$\therefore a + b = \frac{3}{2} + \left(-\frac{1}{2}\right) = 1$$

답 ②

TIP

$\displaystyle\int_0^3 \{f(x) - (ax+b)\}dx = 0$은 다음과 같은 두 가지 방법으로 알 수
있다.

(1) 그림과 같이 곡선 $y = f(x)$와 직선
$y = ax + b$의 한 교점의 x좌표를
c $(0 < c < 2)$라 하자.
이때 $S_1 = S_2$이고
$S_1 = \displaystyle\int_0^c \{f(x) - (ax+b)\}dx$,
$S_2 = \displaystyle\int_c^3 \{(ax+b) - f(x)\}dx$
이므로

$S_1 - S_2$

$= \displaystyle\int_0^c \{f(x)-(ax+b)\}dx - \int_c^3 \{(ax+b)-f(x)\}dx$

$= \displaystyle\int_0^c \{f(x)-(ax+b)\}dx + \int_c^3 \{f(x)-(ax+b)\}dx$

$= \displaystyle\int_0^3 \{f(x)-(ax+b)\}dx = 0$

이다.

(2) 그림과 같이 곡선 $y=f(x)$,
직선 $y=ax+b$의 아랫부분과
두 직선 $x=3$, $y=b$로 둘러싸인
부분을 S_3이라 하자.

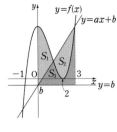

이때 $S_1+S_3 = S_2+S_3$이고

$S_1+S_3 = \displaystyle\int_0^3 \{f(x)-b\}dx$,

$S_2+S_3 = \displaystyle\int_0^3 (ax+b-b)dx$

이므로

$\displaystyle\int_0^3 \{f(x)-b\}dx = \int_0^3 (ax+b-b)dx$에서

$\displaystyle\int_0^3 \{f(x)-b\}dx - \int_0^3 (ax+b-b)dx$

$= \displaystyle\int_0^3 \{f(x)-(ax+b)\}dx = 0$

이다.

223

$g(x) = \displaystyle\int xf'(x)dx$에서

함수 $f(x)$를 n차식이라 하면

함수 $f'(x)$는 $(n-1)$차식이므로

함수 $xf'(x)$는 n차식이고,

따라서 함수 $g(x)$는 $(n+1)$차식이다.

이때 $f(x)g(x) = 2x^3 + 2x^2 + 6x + 6$에서

$n+(n+1)=3$이므로 $n=1$이다.

$f(x) = ax+b$ (단, a, b는 상수, $a \neq 0$)이라 하면

$f'(1)=2$이므로 $a=2$

$g(x) = \displaystyle\int xf'(x)dx$

$\qquad = \displaystyle\int 2xdx$

$\qquad = x^2 + C$ (단, C는 적분상수)

$f(x)g(x) = (2x+b)(x^2+C)$

$\qquad\qquad = 2x^3 + bx^2 + 2Cx + bC$

에서 $b=2$, $C=3$이므로

$f(x) = 2x+2$이다.

$\therefore f(1) = 4$

다른풀이

$g(x) = \displaystyle\int xf'(x)dx$에서 $g'(x) = xf'(x)$이므로

$f'(1)=2$에서 $g'(1)=2$이다. ……㉠

한편 $f(x)g(x) = 2x^3 + 2x^2 + 6x + 6$에서

$x=1$을 대입하면 $f(1)g(1)=16$ ……㉡

$f'(x)g(x) + f(x)g'(x) = 6x^2 + 4x + 6$에서

$x=1$을 대입하면 $f'(1)g(1) + f(1)g'(1) = 16$

㉠에 의하여 $f(1) + g(1) = 8$이므로 ……㉢

㉡, ㉢에서 $f(1) = g(1) = 4$이다.

답 4

224

$f(x) = \begin{cases} -2 & (x<1) \\ -x+3 & (x \geq 1) \end{cases}$이고

$g(x) = \displaystyle\int_{-1}^x (t-1)f(t)dt$ ……㉠

㉠의 양변을 x에 대하여 미분하면

$g'(x) = (x-1)f(x)$이므로

$g'(x) = \begin{cases} -2(x-1) & (x<1) \\ -(x-1)(x-3) & (x>1) \end{cases}$

$x=1$ 또는 $x=3$에서 $g'(x)=0$이므로

함수 $g(x)$의 증가와 감소를 표로 나타내면 다음과 같다.

x	$\cdots$	1	$\cdots$	3	$\cdots$
$g'(x)$	+	0	+	0	−
$g(x)$	↗		↗	극대	↘

따라서 함수 $g(x)$는 $x=3$에서 극대이면서 최대이다.

한편 $g'(x) = \begin{cases} -2x+2 & (x<1) \\ -x^2+4x-3 & (x>1) \end{cases}$에서

$g(x) = \begin{cases} -x^2 + 2x + C_1 & (x<1) \\ -\dfrac{1}{3}x^3 + 2x^2 - 3x + C_2 & (x \geq 1) \end{cases}$

$\qquad\qquad\qquad$ (단, C_1, C_2는 적분상수)

이고, ㉠의 양변에 $x=-1$을 대입하면

$g(-1)=0$이므로

$-1-2+C_1 = 0$에서 $C_1 = 3$

함수 $g(x)$는 $x=1$에서 연속이므로

$\displaystyle\lim_{x \to 1-} g(x) = \lim_{x \to 1+} g(x) = g(1)$에서

$4 = -\dfrac{1}{3} + 2 - 3 + C_2$에서 $C_2 = \dfrac{16}{3}$

$$g(x) = \begin{cases} -x^2 + 2x + 3 & (x < 1) \\ -\dfrac{1}{3}x^3 + 2x^2 - 3x + \dfrac{16}{3} & (x \geq 1) \end{cases}$$

따라서 함수 $g(x)$의 최댓값은 $g(3) = \dfrac{16}{3}$ 이다.

다른풀이

$f(x) = \begin{cases} -2 & (x < 1) \\ -x + 3 & (x \geq 1) \end{cases}$ 이고

$$g(x) = \int_{-1}^{x} (t-1)f(t)dt \qquad \cdots\cdots \text{㉠}$$

㉠의 양변을 x에 대하여 미분하면

$$g'(x) = (x-1)f(x)$$
$$= \begin{cases} -2(x-1) & (x < 1) \\ -(x-1)(x-3) & (x > 1) \end{cases}$$

이고, ㉠의 양변에 $x = -1$을 대입하면 $g(-1) = 0$이므로 두 함수 $y = g'(x)$, $y = g(x)$의 그래프는 그림과 같다.

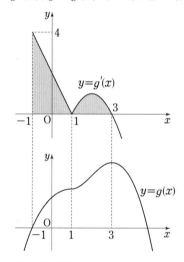

따라서 함수 $g(x)$의 최댓값은

$$g(3) = \int_{-1}^{3}(t-1)f(t)dt = \int_{-1}^{3} g'(t)dt$$
$$= \frac{1}{2} \times 2 \times 4 + \frac{|-1|(3-1)^3}{6} = 4 + \frac{4}{3} = \frac{16}{3}$$

이다.

답 ③

225

주어진 곡선과 직선이 서로 다른 두 점에서 만나려면 서로 접해야 하므로

곡선 $y = x^3 - 2x^2 - 3x$의 기울기가 1인 접선이 직선 $y = x + k$이면 된다.

$f(x) = x^3 - 2x^2 - 3x$라 하면

$f'(x) = 3x^2 - 4x - 3$이므로

$3x^2 - 4x - 3 = 1$에서 $3x^2 - 4x - 4 = 0$

$(3x+2)(x-2) = 0$

$\therefore x = -\dfrac{2}{3}$ 또는 $x = 2$

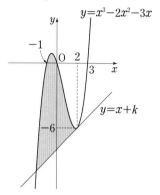

이때 $k < 0$이므로 $f(2) = 8 - 8 - 6 = -6$에서

$-6 = 2 + k$

$\therefore k = -8$

$x^3 - 2x^2 - 3x = x - 8$에서

$(x+2)(x-2)^2 = 0$이므로

$x = -2$ 또는 $x = 2$

따라서 곡선 $y = x^3 - 2x^2 - 3x$와 직선 $y = x - 8$로 둘러싸인 도형의 넓이는

$$\int_{-2}^{2} \{(x^3 - 2x^2 - 3x) - (x-8)\}dx$$
$$= \int_{-2}^{2} (x^3 - 2x^2 - 4x + 8)dx$$
$$= 2\int_{0}^{2} (-2x^2 + 8)dx = 2\left[-\frac{2}{3}x^3 + 8x \right]_{0}^{2}$$
$$= 2 \times \left(-\frac{16}{3} + 16 \right) = \frac{64}{3}$$

답 ⑤

226

조건 (가)에서 $f(x) = f(x-1) + 2$이므로

$$\int_{2}^{4} f(x)dx = \int_{2}^{4} \{f(x-1) + 2\}dx$$
$$= \int_{1}^{3} \{f(x) + 2\}dx$$
$$= \int_{1}^{3} \{f(x-1) + 2 + 2\}dx$$

$$= \int_0^2 \{f(x)+4\}dx$$

$$= \int_0^1 f(x)dx + \int_1^2 f(x)dx + \int_0^2 4\,dx$$

$$= 1 + \int_1^2 \{f(x-1)+2\}dx + 8$$

$$= \int_0^1 \{f(x)+2\}dx + 9$$

$$= \int_0^1 f(x)dx + \int_0^1 2\,dx + 9$$

$$= 1 + 2 + 9 = 12$$

다른풀이

$S = \int_0^1 f(x)\,dx$로 놓으면 $S=1$이고, $0 \leq x \leq 4$에서

함수 $y = f(x)$의 그래프의 개형은 다음 그림과 같다.

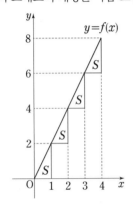

$$\therefore \int_2^4 f(x)\,dx = 2S + 1 \times 4 + 1 \times 6 = 12$$

답 ③

227

조건 (가)에서 $(x-1)f(x) = -5x+5+2\int_1^x f(t)dt$의

양변을 x에 대하여 미분하면

$$f(x) + (x-1)f'(x) = -5 + 2f(x)$$

$$f(x) = (x-1)f'(x) + 5 \qquad \cdots\cdots \text{㉠}$$

다항함수 $f(x)$의 최고차항을 ax^n(a는 상수, $a \neq 0$)이라

하면 함수 $(x-1)f'(x)+5$의 최고차항은

$$x \times anx^{n-1} = anx^n$$

이때 ㉠의 양변의 최고차항의 계수가 서로 같아야 하므로

$$a = an$$

$$\therefore n = 1 \ (\because a \neq 0)$$

즉, $f(x)$는 일차함수이어야 하므로

$f(x) = ax + b$ (b는 상수)라 하자.

$f'(x) = a$이므로 ㉠에 대입하면

$$ax + b = (x-1) \times a + 5, \ ax+b = ax+5-a$$

$$\therefore b = 5-a \qquad \cdots\cdots \text{㉡}$$

한편 조건 (나)에 $f(x) = ax+b$를 대입하면

$$\int_{-1}^1 xf(x)dx = \int_{-1}^1 (ax^2 + bx)dx$$

$$= 2\int_0^1 ax^2 dx = 2\left[\frac{a}{3}x^3\right]_0^1 = \frac{2}{3}a = 2$$

$$\therefore a = 3$$

$a = 3$을 ㉡에 대입하면 $b = 2$

따라서 $f(x) = 3x + 2$이므로 $f(3) = 11$

답 11

228

최고차항의 계수가 1인 사차함수 $f(x)$가

모든 실수 x에 대하여 $f(-x) = f(x)$를 만족시키므로

$f(x) = x^4 + ax^2 + b$ (단, a, b는 상수)라 하면

$$f'(x) = 4x^3 + 2ax$$

또한 다항함수 $g(x)$는 모든 실수 x에 대하여

$g(-x) = -g(x)$를 만족시키므로

$g(x)$는 홀수차항의 합으로 이루어진 다항식이고,

$g'(x)$는 짝수차항 또는 상수항의 합으로 이루어진

다항식이다.

또한 $x = 0$을 대입하면 $g(0) = -g(0)$이므로

$g(0) = 0$이다.

따라서 $xf'(x)$와 $-2g'(x)$는 짝수차항 또는 상수항의 합,

$xg'(x)$와 $-2f'(x)$는 홀수차항의 합으로 이루어진

다항식이다.

$$\int_{-1}^1 (x-2)\{f'(x) + g'(x)\}dx$$

$$= 2\int_0^1 \{xf'(x) - 2g'(x)\}dx$$

$$= 2\int_0^1 (4x^4 + 2ax^2)dx - 4\int_0^1 g'(x)dx$$

$$= 2\left[\frac{4}{5}x^5 + \frac{2}{3}ax^3\right]_0^1 - 4\left[g(x)\right]_0^1$$

$$= 2\left(\frac{4}{5} + \frac{2}{3}a\right) - 4\{g(1) - g(0)\}$$

$$= \frac{8}{5} + \frac{4}{3}a - 4\{-g(-1) - 0\}$$

$$= \frac{8}{5} + \frac{4}{3}a - 4 \times \left(-\frac{1}{2}\right)$$

$$= \frac{4}{3}a + \frac{18}{5} = -\frac{2}{5}$$

$$\therefore \ a = -3$$

이때 $f(-1) = -1$이므로 $f(x) = x^4 - 3x^2 + b$에서

$f(-1) = 1 - 3 + b = -1$, $b = 1$이고

$f(x) = x^4 - 3x^2 + 1$이다.

$$\therefore \ f(2) = 5$$

🅑 ⑤

229

$v(0) = 3a > 0$이고, 점 P가 출발한 후에는 운동 방향을
바꾸지 않으므로 $t > 0$에서 $v(t) \geq 0$이다.

$$v(t) = 3t^2 - 4at + 3a = 3\left(t - \frac{2}{3}a\right)^2 - \frac{4}{3}a^2 + 3a$$

이므로 함수 $v(t)$는 $t = \frac{2}{3}a$에서 최솟값 $-\frac{4}{3}a^2 + 3a$를

가진다.

즉, $-\frac{4}{3}a^2 + 3a \geq 0$이어야 하므로

$$\frac{4}{3}a^2 - 3a \leq 0, \ a(4a - 9) \leq 0$$

$$\therefore \ 0 < a \leq \frac{9}{4} \ (\because \ a > 0)$$

한편 점 P가 시각 $t = 0$에서 $t = a$까지 움직인 거리는

$$\int_0^a |v(t)| \, dt = \int_0^a v(t) \, dt \ (\because \ v(t) \geq 0)$$

$$= \int_0^a (3t^2 - 4at + 3a) \, dt$$

$$= \left[t^3 - 2at^2 + 3at \right]_0^a$$

$$= -a^3 + 3a^2$$

$s(a) = -a^3 + 3a^2$으로 놓으면

$s'(a) = -3a^2 + 6a = -3a(a - 2)$

$s'(a) = 0$에서 $a = 2 \left(\because \ 0 < a \leq \frac{9}{4}\right)$

$0 < a \leq \frac{9}{4}$에서 함수 $s(a)$의 증가와 감소를 표로

나타내면 다음과 같다.

a	(0)	$\cdots$	2	$\cdots$	$\frac{9}{4}$
$s'(a)$		$+$	0	$-$	
$s(a)$		↗	$s(2)$	↘	$s\left(\frac{9}{4}\right)$

$0 < a \leq \frac{9}{4}$에서 함수 $s(a)$는 $a = 2$에서 극대이며

최대이므로 구하는 최댓값은

$s(2) = -8 + 12 = 4$

🅑 ④

230

두 조건 (나), (다)에 의하여

두 함수 $3x^2$과 $2x + 1$의 합이 $3x^2 + 2x + 1$이고,

곱이 $3x^2(2x + 1)$이다.

두 함수 $y = 3x^2$, $y = 2x + 1$의 그래프의 교점의 x좌표는

$3x^2 = 2x + 1$, $3x^2 - 2x - 1 = 0$

$(3x + 1)(x - 1) = 0$

$$\therefore \ x = -\frac{1}{3} \text{ 또는 } x = 1$$

두 함수의 그래프는 다음 그림과 같다.

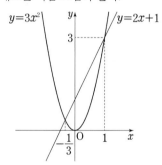

즉, $x \leq -\frac{1}{3}$ 또는 $x \geq 1$일 때 $3x^2 \geq 2x + 1$이고,

$-\frac{1}{3} < x < 1$일 때 $3x^2 < 2x + 1$이므로

조건 (가)를 만족시키는 함수 $f(x)$, $g(x)$는

$$f(x) = \begin{cases} 2x + 1 & \left(x \leq -\frac{1}{3}\right) \\ 3x^2 & \left(-\frac{1}{3} < x < 1\right), \\ 2x + 1 & (x \geq 1) \end{cases}$$

$$g(x) = \begin{cases} 3x^2 & \left(x \leq -\frac{1}{3}\right) \\ 2x + 1 & \left(-\frac{1}{3} < x < 1\right) \\ 3x^2 & (x \geq 1) \end{cases}$$

$$\therefore \int_{-1}^{0}g(x)dx+\int_{0}^{1}f(x)dx$$

$$=\int_{-1}^{-\frac{1}{3}}3x^2dx+\int_{-\frac{1}{3}}^{0}(2x+1)dx+\int_{0}^{1}3x^2dx$$

$$=\left[x^3\right]_{-1}^{-\frac{1}{3}}+\left[x^2+x\right]_{-\frac{1}{3}}^{0}+\left[x^3\right]_{0}^{1}$$

$$=\frac{26}{27}+\frac{2}{9}+1$$

$$=\frac{59}{27}$$

$$\therefore p+q=27+59=86$$

답 86

231

$f(x)=x^3-3x^2+x+5$에서

$f'(x)=3x^2-6x+1$

즉, 점 $(2,\ f(2))$에서의 접선의 방정식은

$y-f(2)=f'(2)(x-2)$

$y-3=1\times(x-2)$

$\therefore\ y=x+1$

이때 곡선 $y=f(x)$와 접선 $y=x+1$의 교점의 x좌표는

$x^3-3x^2+x+5=x+1$에서

$x^3-3x^2+4=0,\ (x+1)(x-2)^2=0$

$\therefore\ x=-1$ 또는 $x=2$

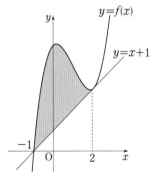

따라서 구하는 넓이는

$$\int_{-1}^{2}\{(x^3-3x^2+x+5)-(x+1)\}dx$$

$$=\int_{-1}^{2}(x^3-3x^2+4)\,dx$$

$$=\left[\frac{1}{4}x^4-x^3+4x\right]_{-1}^{2}=\frac{27}{4}$$

답 ④

232

조건 (가)의 양변을 x에 대하여 미분하면

$$f(x)=\frac{1}{3}f(x)+\frac{x}{3}f'(x)+2x$$

$$\therefore\ 2f(x)=xf'(x)+6x \qquad\qquad \cdots\cdots\ \bigcirc$$

이때 다항함수 $f(x)$의 최고차항을

$ax^n\ (a\neq 0,\ n$은 자연수$)$이라 하면

$f'(x)$의 최고차항은 anx^{n-1}이다.

$n=1$일 때

$\bigcirc$의 좌변의 최고차항은 $2ax$,

$\bigcirc$의 우변의 최고차항은 $(a+6)x$이므로

$2a=a+6$에서 $a=6$

즉, $f(x)=6x+k\ (k$는 상수$)$로 놓으면

$f'(x)=6$이고, $\bigcirc$에서

$2(6x+k)=6x+6x \qquad \therefore\ k=0$

그런데 $f(x)=6x$이지만

$$\int_{0}^{3}6x\,dx=\left[3x^2\right]_{0}^{3}=27$$

이므로 조건 (나)를 만족시키지 않는다.

$n\geq 2$일 때

$\bigcirc$의 좌변의 최고차항은 $2ax^n$,

$\bigcirc$의 우변의 최고차항은 anx^n이므로

$2a=an$에서 $n=2\ (\because\ a\neq 0)$

즉, 함수 $f(x)$는 이차함수이므로

$f(x)=ax^2+bx+c\ (b,\ c$는 상수$)$로 놓으면

$f'(x)=2ax+b$이고, $\bigcirc$에서

$2(ax^2+bx+c)=x(2ax+b)+6x$

$2ax^2+2bx+2c=2ax^2+(b+6)x$

위의 등식이 x에 대한 항등식이므로

$2b=b+6,\ 2c=0 \qquad \therefore\ b=6,\ c=0$

$f(x)=ax^2+6x$이므로 조건 (나)에 의하여

$$\int_{0}^{3}(ax^2+6x)\,dx=\left[\frac{a}{3}x^3+3x^2\right]_{0}^{3}$$

$$=9a+27=0$$

에서 $a=-3$

따라서 $f(x)=-3x^2+6x$이므로

$f(1)=-3+6=3$

답 ③

233

$f(x) = x^3 - x = x(x+1)(x-1)$에서

$f(x-1) = x(x-1)(x-2)$이므로

함수 $y = g(x)$의 그래프의 개형은 다음 그림과 같다.

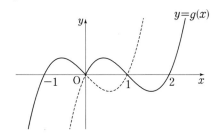

즉, $-1 \le x \le 1$에서 $g(x) \ge 0$,

$1 \le x \le 2$에서 $g(x) \le 0$이므로

$$\int_{-1}^{2} |g(x)| \, dx$$

$$= \int_{-1}^{0} |g(x)| \, dx + \int_{0}^{1} |g(x)| \, dx + \int_{1}^{2} |g(x)| \, dx$$

$$= \int_{-1}^{0} f(x) \, dx + \int_{0}^{1} f(x-1) \, dx$$
$$+ \int_{1}^{2} \{-f(x-1)\} \, dx$$

$$= \int_{-1}^{0} (x^3 - x) \, dx + \int_{0}^{1} x(x-1)(x-2) \, dx$$
$$+ \int_{1}^{2} \{-x(x-1)(x-2)\} \, dx$$

$$= \int_{-1}^{0} (x^3 - x) \, dx + \int_{0}^{1} (x^3 - 3x^2 + 2x) \, dx$$
$$+ \int_{1}^{2} (-x^3 + 3x^2 - 2x) \, dx$$

$$= \left[\frac{1}{4}x^4 - \frac{1}{2}x^2 \right]_{-1}^{0} + \left[\frac{1}{4}x^4 - x^3 + x^2 \right]_{0}^{1}$$
$$+ \left[-\frac{1}{4}x^4 + x^3 - x^2 \right]_{1}^{2}$$

$$= -\left(\frac{1}{4} - \frac{1}{2} \right) + \frac{1}{4} + (-4 + 8 - 4) - \left(-\frac{1}{4} \right) = \frac{3}{4}$$

$\therefore p + q = 4 + 3 = 7$

답 7

234

주어진 곡선 $y = x^2 - ax \ (0 < a < 1)$와 직선 $x = 1$의 위치 관계는 다음 그림과 같다.

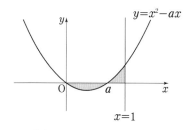

구하는 넓이를 $S(a)$라 하면

$$S(a) = \int_{0}^{1} |x^2 - ax| \, dx$$

$$= \int_{0}^{a} (-x^2 + ax) \, dx + \int_{a}^{1} (x^2 - ax) \, dx$$

$$= \left[-\frac{1}{3}x^3 + \frac{a}{2}x^2 \right]_{0}^{a} + \left[\frac{1}{3}x^3 - \frac{a}{2}x^2 \right]_{a}^{1}$$

$$= \left(-\frac{a^3}{3} + \frac{a^3}{2} \right) + \left(\frac{1}{3} - \frac{a}{2} \right) - \left(\frac{a^3}{3} - \frac{a^3}{2} \right)$$

$$= \frac{a^3}{3} - \frac{a}{2} + \frac{1}{3}$$

$S'(a) = a^2 - \frac{1}{2} = \left(a + \frac{\sqrt{2}}{2} \right)\left(a - \frac{\sqrt{2}}{2} \right)$이므로

$a = \dfrac{\sqrt{2}}{2} \ (\because \ 0 < a < 1)$일 때 $S'(a) = 0$이다.

$0 < a < 1$에서 함수 $S(a)$의 증가와 감소를 표로 나타내면 다음과 같다.

a	(0)	$\cdots$	$\dfrac{\sqrt{2}}{2}$	$\cdots$	(1)
$S'(a)$		$-$	0	$+$	
$S(a)$		$\searrow$	극소	$\nearrow$	

따라서 $S(a)$는 $a = \dfrac{\sqrt{2}}{2}$일 때 극소이면서 최소이다.

답 ③

235

$f(x)$는 삼차함수이고,

조건 (나)에서 $f(1) = f(3) = 0$이므로

$f(x) = (x-1)(x-3)(ax+b) \ (a, b$는 상수, $a \ne 0)$

라 하자.

조건 (가)에서 $f(0) = 3$이므로

$f(0) = 3b = 3$

$\therefore b = 1$

$\therefore f(x) = (x-1)(x-3)(ax+1)$

$= ax^3 + (1-4a)x^2 + (3a-4)x + 3 \quad \cdots\cdots \ ㉠$

한편 조건 (다)에서 모든 실수 t에 대하여

$\int_0^t f(x)dx = \int_2^t f(x)dx$이므로

$\int_0^t f(x)dx - \int_2^t f(x)dx = 0$

$\int_0^t f(x)dx + \int_t^2 f(x)dx = 0$

$\therefore \int_0^2 f(x)dx = 0$

㉠에 의하여

$\int_0^2 f(x)dx$

$= \int_0^2 \{ax^3 + (1-4a)x^2 + (3a-4)x + 3\}dx$

$= \left[\dfrac{a}{4}x^4 + \dfrac{1-4a}{3}x^3 + \dfrac{3a-4}{2}x^2 + 3x \right]_0^2$

$= 4a + \dfrac{8}{3}(1-4a) + 2(3a-4) + 6 = 0$

$12a + 8(1-4a) + 6(3a-4) + 18 = 0$

$-2a + 2 = 0$

$\therefore a = 1$

즉, $f(x) = (x+1)(x-1)(x-3) = x^3 - 3x^2 - x + 3$

이므로 곡선 $y = f(x)$의 그래프는 다음 그림과 같다.

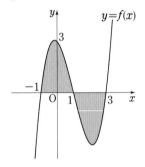

따라서 구하는 넓이는

$\int_{-1}^3 |f(x)|dx$

$= \int_{-1}^1 (x^3 - 3x^2 - x + 3)dx$

$\qquad\qquad + \int_1^3 (-x^3 + 3x^2 + x - 3)dx$

$= 2\int_0^1 (-3x^2 + 3)dx + \int_1^3 (-x^3 + 3x^2 + x - 3)dx$

$= 2\left[-x^3 + 3x \right]_0^1 + \left[-\dfrac{1}{4}x^4 + x^3 + \dfrac{1}{2}x^2 - 3x \right]_1^3$

$= 2 \times (-1+3) + \left(-\dfrac{81}{4} + 27 + \dfrac{9}{2} - 9 \right)$

$\qquad\qquad\qquad - \left(-\dfrac{1}{4} + 1 + \dfrac{1}{2} - 3 \right)$

$= 4 + \dfrac{9}{4} + \dfrac{7}{4} = 8$

답 8

236

조건 (나)에서 함수 $f(x)$는 $x = 3$에서 극솟값 -7을 갖고,
조건 (다)에서 최고차항의 계수가 1인 삼차방정식
$f(x) = f(-1)$은 서로 다른 두 실근을 가지므로
다음과 같이 두 가지 경우가 있다.

(i) $f(-1) = f(3)$인 경우

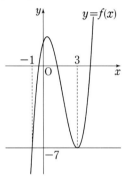

함수 $y = f(x)$의 그래프와 직선 $y = f(-1)$이
$x = -1$에서 만나고 $x = 3$에서 접하는 경우이므로

$f(x) - f(-1) = (x+1)(x-3)^2$

이고 조건 (나)에서 $f(-1) = f(3) = -7$이므로

$f(x) = (x+1)(x-3)^2 - 7$

그런데

$f'(x) = (x-3)^2 + 2(x+1)(x-3)$

$\qquad\;\; = (x-3)(3x-1)$

에서 $f'\left(\dfrac{1}{3} \right) = 0$이므로 조건 (가)를 만족시키지 않는다.

(ii) 함수 $f(x)$가 $x = -1$에서 극대인 경우

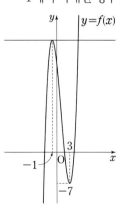

$f'(-1) = 0$, $f'(3) = 0$이고
$f(x)$는 최고차항의 계수가 1인 삼차함수이므로
$$f'(x) = 3(x+1)(x-3)$$
이때 $f'\left(\dfrac{1}{3}\right) \neq 0$이므로 조건 (가)를 만족시킨다.

(ⅰ), (ⅱ)에서 $f'(x) = 3(x+1)(x-3)$이므로

$$f(x) = \int f'(x)dx = \int 3(x+1)(x-3)dx$$

$$= \int (3x^2 - 6x - 9)dx$$

$$= x^3 - 3x^2 - 9x + C \text{ (단, } C\text{는 적분상수)}$$

조건 (나)에서 $f(3) = -7$이므로

$$27 - 27 - 27 + C = -7$$

$$\therefore \ C = 20$$

따라서 $f(x) = x^3 - 3x^2 - 9x + 20$이므로

$$f(0) = 20$$

답 20

237

$f(1) = 0$일 때 $f'(1) \neq 0$이면
함수 $|f(x)|$는 $x = 1$에서 미분가능하지 않다.
즉, 조건 (가)에 의하여 $f(1) = 0$, $f'(1) = 0$이고
$f(a) = 0$이므로

$$f(x) = (x-1)^2(x-a) \text{ (단, } a \neq 1)$$

로 놓을 수 있다.
한편 조건 (나)의 함수 $g(x)$에 대하여

$$g(x) = \int_a^x (x^2 - t^2)|f(t)|dt$$

$$= x^2 \int_a^x |f(t)|dt - \int_a^x t^2|f(t)|dt$$

$$g'(x) = 2x \int_a^x |f(t)|dt + x^2|f(x)| - x^2|f(x)|$$

$$= 2x \int_a^x |f(t)|dt \qquad \cdots\cdots \ \text{㉠}$$

이때 $h(x) = \displaystyle\int_a^x |f(t)|dt$ 라 하면

$h(a) = 0$이고 $h'(x) = |f(x)| \geq 0$이므로
함수 $h(x)$의 부호는 $x = a$의 좌우에서만 바뀐다.
또한 일차함수 $2x$의 부호는 $x = 0$의 좌우에서만 바뀐다.
따라서 조건 (나)에 의하여 ㉠에서 $g'(x)$의 부호가 바뀌는
지점이 없으려면 $a = 0$이어야 한다.

따라서 $f(x) = x(x-1)^2$이므로
$$f(3) = 12$$

답 ②

238

$$\int_0^a |v(t)|dt = A, \ \int_a^b |v(t)|dt = B, \ \int_b^c |v(t)|dt = C$$
라 하자.

ㄱ. $\displaystyle\int_0^c v(t)dt = \int_0^a v(t)dt + \int_a^b v(t)dt + \int_b^c v(t)dt$

$$= A - B + C$$

이므로 $\displaystyle\int_0^c v(t)dt < 0$에서 $A + C < B$이다.

$$\therefore \ \int_0^c |v(t)|dt = A + B + C$$

$$< 2B = 2\int_a^b |v(t)|dt \ \text{(참)}$$

ㄴ. 점 P의 시각 t에서의 위치는

$$x(t) = \int_0^t v(s)ds \text{이므로 } x'(t) = v(t)\text{이고}$$

$0 \leq t \leq c$에서 함수 $x(t)$의 증가와 감소를 표로
나타내면 다음과 같다.

t	0	$\cdots$	a	$\cdots$	b	$\cdots$	c
$v(t)$	0	$+$	0	$-$	0	$+$	$v(c) > 0$
$x(t)$	0	$\nearrow$	A	$\searrow$	$A-B$	$\nearrow$	$A-B+C < 0$

따라서 $a < t < b$일 때 점 P는 원점을 한 번 지나고
$t > b$에서 $x(t) < 0$이므로
출발한 후 원점을 1번 지난다. (거짓)

ㄷ. 함수 $x(t)$는 $t = a$일 때 극댓값 A를 갖고,
$t = b$일 때 극솟값 $A - B$를 갖는다.
따라서 $|A| > |A - B|$, 즉 $2A > B$이면
점 P와 원점 사이의 거리의 최댓값은 $t = a$일 때이므로

$$\int_0^a v(t)dt \text{이고}$$

$|A| < |A - B|$, 즉 $2A < B$이면
점 P와 원점 사이의 거리의 최댓값은 $t = b$일 때이므로

$$-\int_0^b v(t)dt \text{이다. (거짓)}$$

따라서 옳은 것은 ㄱ이다.

답 ①

239

모든 실수 x에 대하여

$\{f(x)\}^2 - (x+x^2)f(x) + x^3 = 0$

즉, $\{f(x)-x\}\{f(x)-x^2\}=0$이므로

$f(x)=x$ 또는 $f(x)=x^2$이다.

이때 직선 $y=x$와 곡선 $y=x^2$의 교점은 $(0, 0)$, $(1, 1)$

이고, 함수 $f(x)$는 실수 전체의 집합에서 연속이므로

각각의 구간 $(-\infty, 0]$, $[0, 1]$, $[1, \infty)$에서

$f(x)=x$ 또는 $f(x)=x^2$이 될 수 있다.

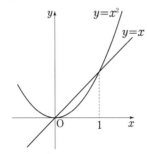

$f(x)=x$이면 $f'(x)=1$, $f(x)=x^2$이면 $f'(x)=2x$

이므로 $f'(-1)$의 값은 1 또는 -2이고

$f'(2)$의 값은 1 또는 4이다.

그런데 $f'(-1)f'(2) > 1$이므로

$f'(-1)=1$이고 $f'(2)=4$이다.

즉, 구간 $(-\infty, 0]$에서 $f(x)=x$이고

구간 $[1, \infty)$에서 $f(x)=x^2$이다.

또한 $\displaystyle\int_0^1 x\, dx = \left[\frac{1}{2}x^2\right]_0^1 = \frac{1}{2}$,

$\displaystyle\int_0^1 x^2\, dx = \left[\frac{1}{3}x^3\right]_0^1 = \frac{1}{3}$이므로

$\displaystyle\int_0^1 f(x)dx < \frac{1}{2}$로부터 구간 $[0, 1]$에서 $f(x)=x^2$이다.

따라서 $f(x) = \begin{cases} x & (x < 0) \\ x^2 & (x \geq 0) \end{cases}$이므로

$\displaystyle\int_{-1}^2 f(x)dx = \int_{-1}^0 x\, dx + \int_0^2 x^2\, dx$

$\qquad = \left[\frac{1}{2}x^2\right]_{-1}^0 + \left[\frac{1}{3}x^3\right]_0^2$

$\qquad = -\frac{1}{2} + \frac{8}{3} = \frac{13}{6}$

$\therefore p+q = 6+13 = 19$

답 19

240

$g(x) = \displaystyle\int_3^x f(t)dt$ ……㉠

$f(x)$가 최고차항의 계수가 4인 삼차함수이므로

$g(x)$는 최고차항의 계수가 1인 사차함수이다.

㉠의 양변에 $x=3$을 대입하면 $g(3)=0$

두 조건 (나), (다)에 의하여 $g(-1)=0$

㉠의 양변을 x에 대하여 미분하면

$g'(x) = f(x)$

이고, 조건 (가)에 의하여 함수 $g(x)$는 $x=2$에서 최솟값,

즉 극솟값을 가지므로

$g'(2) = 0$ ……㉡

또한 $g(3)=0$, $g(-1)=0$이므로 조건 (다)에 의하여

$g'(3)=0$ 또는 $g'(-1)=0$

(ⅰ) $g'(3)=0$일 때

$g(x) = (x+1)(x-3)^3 = x^4 - 8x^3 + 18x^2 - 27$

$g'(x) = 4x^3 - 24x^2 + 36x$

그런데 $g'(2) = 32 - 96 + 72 = 8 \neq 0$이므로 ㉡을

만족시키지 않는다.

(ⅱ) $g'(-1)=0$일 때

$g(x) = (x-3)(x+1)^3 = x^4 - 6x^2 - 8x - 3$

$g'(x) = 4x^3 - 12x - 8$

$g'(2) = 32 - 24 - 8 = 0$이므로 ㉡을 만족시킨다.

(ⅰ), (ⅱ)에서 $g(x) = (x-3)(x+1)^3$이므로

$g(-2) = -5 \times (-1) = 5$

답 ③

참고
함수 $y=g(x)$의 그래프의 개형은 다음 그림과 같다.

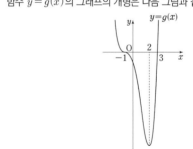

Memo

Memo